Parlons affaires!

Initiation au français économique et commercial

Second Edition

R.-J. Berg
Bowling Green State University

THOMSON

HEINLE

Australia   Brazil   Canada   Mexico   Singapore   Spain   United Kingdom   United States

Parlons affaires!
Initiation au français économique et commercial
Second Edition
R.-J. Berg

Acquisitions Editor: *Lara Semones*
Assistant Editor: *Arlinda Shtuni*
Editorial Assistant: *Morgen Murphy*
Media Assistant: *Rachel Bairstow*
Marketing Manager: *Lindsey Richardson*
Marketing Assistant: *Marla Nasser*
Senior Marketing Communications Manager:
  Stacey Purviance
Production Assistant: *Jennifer Kostka*

Photo Manager: *Sheri Blaney*
Senior Print/Media Buyer: *Mary Beth Hennebury*
Production Service/Compositor: *Progressive Information
  Technologies*
Text Designer: *Glenna Collett*
Cover Designer: *Joan Greenfield*
Cover/Text Printer: *Transcontinental*
Cover Image: © *Pat Behnke/Alamy*

Thomson Higher Education
25 Thomson Place
Boston, MA 02210-1202
USA

For more information about our products, contact us at:
**Thomson Learning Academic Resource Center
1-800-423-0563**

For permission to use material from this text or product,
submit a request online at
http://www.thomsonrights.com
Any additional questions about permissions can be
submitted by e-mail to **thomsonrights@thomson.com**

Library of Congress Control Number:
2005928063

ISBN 13: 978-1-4130-0588-2
ISBN 10: 1-4130-0588-8

Sommaire

Préface

Parlons affaires! Initiation au français économique et commercial, Second Edition *(PAIFEC)*, is intended for use as a core textbook in business French courses at the post-intermediate undergraduate and graduate levels. *PAIFEC* will prepare students to take the examination leading to the *Diplôme de français des affaires, 1er degré* (DFA 1), and can also be used, with supplementation, to prepare students for the DFA 2.

The disparate backgrounds and goals of business French students require flexibility in a core text. Particular care has therefore been taken to ensure a "tiered" approach. *PAIFEC* is divided into three main sections and eleven chapters *(modules)*. Interspersed throughout the core lesson of each *module* are brief sections containing material that is in some sense *supplementary*. The use of these optional *mini-modules* (identified by the symbol ❖) will depend on course goals, time constraints and students' interests. Those labeled *Pour aller plus loin* stress content, while others *(Le sens des mots)* focus on vocabulary. Most will be of particular interest to students preparing for the DFA 2. Yet a third level can be found in the numerous notes, many of which explain terms or concepts used in the lesson, or provide *micro-modules* of possible interest.

The primarily self-contained nature of the units will provide additional flexibility. The *modules* in the *Première* and the *Troisième parties*, as well as the *Appendices*, can be studied in any order and at any point in the course. The *Deuxième partie* can be done before or after the others, but its *modules* should be studied in order.

The choice of topics has been dictated to a large extent by those covered on the DFA 1 and DFA 2 examinations. A good deal of material in *PAIFEC*, however, is not covered on either, or indeed in most business French textbooks. *Module 7*, the longest by far, uses the central concept of marketing, and in particular the "marketing mix," to bring together numerous elements that are often presented separately or without context. The material on résumés, cover letters and job interviews introduced in *Module 3* reflects the interests and concerns of today's students. So too does the basic information on computers and the Internet presented in *Module 2*. Here, of course, to a much greater extent than elsewhere, the content will already be familiar to students. What they will learn is the vocabulary needed to talk about it in French.

The material presented in the appendices will further enhance course flexibility while providing additional options. *Appendice A (Éléments de vocabulaire économique)* defines some basic macroeconomic terms in a question-and-answer format. A brief discussion of *impôts et taxes*, traditionally the subject of a separate chapter, is included here. The Socratic format is continued in *Appendice D,* on *Les services postaux.* New in this edition is a brief introduction to speaking on the telephone *(Appendice C).* New also are the summary remarks in *Appendice B* on a timely, important and controversial topic: the feminization of nouns related to the professions.

The activities are *module*-specific and vary according to the subject matter: *Mise en pratique, Et si l'on montait une petite affaire, Matière à réflexion,* etc. The latter provide food for thought, grist for class discussion and topics for presentations or projects. In addition, most *modules* contain the following:

- **Traduction.** Ten sentences to be translated from English to French *(thème)* and ten from French to English *(version)* recycle vocabulary presented in the core lesson. Sentences containing vocabulary from the optional mini-modules are preceded by the symbol ❖.

- **Entraînement.** These questions are based rather straightforwardly on the material in the core lesson, and are intended to be answered *orally,* as a form of *cognitive drill.* Research has proven what we all know from experience: *active* reading promotes comprehension and retention. To read *actively* is to look, while reading, for answers to questions. It involves approaching the material with a particular mind-set, best formulated thus: "I will have to explain this to someone else"—which is precisely what students should do, in groups of two or three. Students will be more likely to make this essential cognitive shift, from passive to active mode, if and when called upon to define terms, to clarify concepts, to answer others' questions—in effect, to *teach the material.* Subsequently and *secondarily,* the questions can also be used as written assignments or on tests. Questions relating to concepts presented in the optional mini-modules are preceded by the symbol ❖.

- **Pour se renseigner en ligne.** These are briefly annotated lists of websites relevant to the content of the *module.* Websites come and go, their addresses change and search engines continue to improve. I have therefore limited the lists to a few "standard" sites that are likely to remain online throughout the life of the edition and that represent particularly useful points of departure for further research.

A word about "the story". . . The premise and two of the three protagonists are introduced in the *Prologue.* Their efforts to start a business in France are recounted at the beginning of each *Partie* and in the *Épilogue.* The French here is more difficult, and only a very few expressions are glossed. To some extent and to some students these episodes might seem like *devinettes:* as such, they will hopefully prove to be stimulating and amusing. The story can be used as a *case study:* cultural differences are touched upon, and some of the topics will serve as advance organizers. The main purpose of these pages, however, is simply to provide what will no doubt be a welcome distraction for the reader—as writing them certainly did for me. They need not be assigned, although, I suspect, they will be read.

During the planning, writing and revision of *PAIFEC* I have tried to keep in mind both my own limitations and a bit of proverbial wisdom: *Qui trop embrasse, mal étreint.* My guiding principle throughout has been: *Embrasser moins pour mieux étreindre.* Numerous corollaries follow, for good and ill. Some readers will regret—and rightly so—the predominantly "hexagonal" focus of the book. Like any business French textbook, *PAIFEC* will best be used, then, in conjunction with other materials. There are many more options available today than when the first edition appeared, and the embarrassment of riches to be found online seems to grow daily. The web has surely made teaching and learning business French more interesting than ever before.

What's new in the second edition?

The numerous changes, major and minor, reflect valued feedback from instructors and reviewers, as well as my own classroom experience with the book.

- The scope and thrust of the book have been revised and updated to reflect trends in the discipline and student interests: not just business French, but *practical, career French* as well. The first edition already went well beyond the traditional business French "canon," and the revision moves further in that direction.
- All *modules* have been updated, revised and expanded, some extensively. Their order now accords first place to *les communications*. New appendices have supplanted some of the old.
- There is considerably more information on terminology and practices specific to Quebec.

The companion website at <http://parlonsaffaires.heinle.com> provides teaching and learning resources for both instructors and students. For most *modules*, the site will provide vocabulary activities, online mini-research projects with useful links and, in a password-protected section for instructors, sample tests as well as answers to the English-French translations. An e-mail link to the author will enable students and instructors to send their questions. A selection of the author's answers will be updated monthly.

Acknowledgments

I am grateful to all of the students and instructors whose comments and suggestions have made this a better book. I am indebted to the following reviewers for their helpful input: Linda R. Andersen (*California State University, Fullerton*), Janet Caulkins (*University of Wisconsin, Madison*), Rachel Criso (*University of Michigan*), Michel Laronde (*University of Iowa*), Hassan Melehy (*University of Connecticut*), Laurence Porter (*Michigan State University*), John B. Romeiser (*University of Tennessee*), and Steven Taylor (*Marquette University*).

Thanks also to the team at Heinle and to those, in particular, with whom I have been fortunate to work closely at one stage or another of this project: Lara Semones, Arlinda Shtuni, Jennifer Kostka and, at Progressive Publishing Alternatives, Heather Meledin.

R.-J. Berg, Bowling Green State University

Prologue

«Graduation Day» 2004

C'était un samedi de la mi-mai à Bowling Green, et l'après-midi s'annonçait belle. La cérémonie terminée et les photos prises, la ville s'était vidée en quelques heures. Près du campus, à GROUNDS FOR THOUGHT, deux clients, assis devant la grande baie vitrée qui donne sur Main Street, sirotaient leur Jamaican Blue. Ils parlaient de choses et d'autres — du beau temps, des rares passants, de la SLK 55 stationnée en face —, évitant soigneusement d'évoquer les diplômes qu'ils venaient de recevoir.

Jason O'Riley et Thierry Chalandon s'étaient connus à Tours trois ans auparavant, lorsqu'ils étaient étudiants à l'Université François-Rabelais. Jason suivait des cours pour se perfectionner en français; Thierry préparait une maîtrise. Le hasard les ayant mis dans le même séminaire, ils s'accrochèrent un jour, au grand amusement des autres, sur le sens du mot *entreprise* dans *Aube* de Rimbaud. Ils sympathisèrent malgré leurs goûts opposés, et se lièrent aussitôt d'une amitié solide.

On eut vite fait de les surnommer «Don Quichotte et Sancho Pança». Ni l'un ni l'autre n'appréciait la comparaison, mais ils durent reconnaître qu'elle avait du vrai, au physique comme au moral. Jason reprochait au Français son «défaitisme», son «esprit négateur»; Thierry plaisantait l'Américain sur son «irréalisme», son «optimisme béat». L'un et l'autre avaient raison: c'était un cas de parfaite complémentarité. Il serait difficile d'imaginer deux êtres plus différents — ou plus unis. Ils avaient, comme ils le disaient eux-mêmes, «des atomes crochus». Ainsi était-il tout naturel, quand Jason revint terminer ses études à Bowling Green State University, que Thierry l'y suivît.

Trois ans plus tard ils défilaient devant le Doyen pour recevoir un parchemin portant l'inscription «Master of Business Administration». De ce qu'ils allaient ou pouvaient en faire, ils s'étaient peu parlé jusqu'alors. Ayant pris goût au parcours, ils ne s'étaient pas préoccupés outre mesure de la destination. Ils y étaient arrivés pourtant, bien malgré eux. Et voilà pourquoi ils causaient d'autres choses, par cette belle après-midi de mai, dans ce café bien nommé où ils venaient tous les jours et dont ils avaient déjà la nostalgie.

Quand ils eurent vidé leurs tasses, Thierry demanda en regardant sa montre:

«Alors, qu'est-ce qu'on fait maintenant?»

Maintenant que nous avons fini nos cafés, se demanda Jason, *ou nos études?* Il choisit la seconde interprétation:

«Eh bien, moi, je pense retourner en France.

— Ah, bon? reprit Thierry sans broncher. Pour faire quoi?

— Pour créer une entreprise.

— Pour cré...»

Il se ressaisit vite, croisa les jambes, fit semblant de regarder dehors. Puis, sur un ton persifleur que son ami connaissait bien:

«Et quelle "niche" penses-tu occuper? Quel "créneau" rêves-tu d'exploiter? T'as évidemment une petite idée en tête.

— Oui, j'ai une idée, répondit Jason. Elle m'est venue l'été passé pendant mon séjour chez tes parents. Te souviens-tu de ce que j'appelais leur "rite du soir"? Tous les jours, après les infos, ton père ou ta mère allait dans leur chambre ouvrir la fenêtre, prenant soin de ne pas allumer et de ne faire aucun bruit, de crainte d'attirer les moustiques, qui ne manquaient jamais de venir quand même.

— J'ai grandi dans ce "rite", qui n'est en rien particulier à ma famille. Et alors?

— Alors, songe qu'il ne se pratique pas aux États-Unis. Qu'est-ce qui nous permet, à ton avis, de nous en passer?»

Le Français réfléchit un instant.

«*Screens*! s'écria-t-il.

— Exact. Et pourquoi l'as-tu dit en anglais?

— Parce que... enfin... parce qu'on en voit tellement ici. Toutes les fenêtres en sont munies, alors qu'en France...

— Justement.

— Alors... ton idée, c'est de vendre des *screens* aux Français?

— Des moustiquaires. Oui, c'est là mon idée.»

Thierry prit soudain un air sérieux.

«Jason, écoute-moi.»

Il fit alors de son mieux pour dissuader son ami, usant de tous les tons, déployant toute une panoplie d'arguments. Après une demi-heure d'échanges du genre: «Mais tu ne pourras pas... — Si, si, on n'aura qu'à...», Thierry comprit que la résistance était vaine. Jason avait réponse à tout.

Ils se turent alors, chacun à ses pensées. Thierry regardait Jason, qui semblait s'intéresser à une voiture qui passait. Puis, d'un air distrait, comme si la chose allait de soi:

«Bien entendu, dit l'Américain, on va faire ça ensemble.»

Là-dessus, n'ayant plus rien à opposer au projet, Thierry ne trouva mieux que de s'y associer. Une grande poignée de main scella le pacte.

Deux heures et six cafés plus tard, ayant réglé quelques questions préliminaires, ils en vinrent à parler du nom de la moustiquaire. Jason penchait pour une marque qui indiquât la fonction du produit; Thierry voulait jouer à fond la «carte américaine».

«Pourquoi pas les deux? demanda Jason.

— Eh bien, voyons..., poursuivit Thierry. Ça servira à quoi, ton... enfin, *notre* machin?... À bannir de la maison... les intrus volants... rampants... susurrants...»

Tout à coup ils se regardèrent, conscients d'avoir eu la même idée au même instant. Jason sourit en se frottant les mains. Thierry se mit à gémir en secouant la tête.

«Ah, non! Tu n'y penses pas!

— Si, mon vieux, j'y pense.»

Et c'est ainsi qu'est née la... *BanniBug.*

Née? Conçue, plutôt. La gestation fut courte et la naissance, difficile. Les premiers jours donnèrent lieu de s'inquiéter. Mais depuis lors la petite a pris de la force, et à présent elle semble promise au plus bel avenir.

PREMIÈRE PARTIE

Les communications

BanniBug I

Une semaine après avoir pris leur décision, Jason et Thierry étaient à Tours. Ils avaient divisé le projet en plusieurs «opérations», organisées quasi militairement. Une chambre d'hôtel, rue Leclerc, leur servait de quartier général; c'est là qu'ils mirent au point leurs plans de campagne et choisirent leurs missions. Jason devait d'abord trouver un local, alors qu'à Thierry incombaient les formalités administratives.

La mission de Thierry s'avéra bien plus facile que prévu, grâce en partie à la forme juridique choisie pour l'entreprise. Dès le début, avant même de savoir quel en était l'équivalent français, les deux amis avaient envisagé de s'associer à parts égales dans un «general partnership». Il s'agissait donc de créer une *société en nom collectif*.

Un spécialiste du Centre de formalités des entreprises (CFE) s'occupa de tout en trois heures: rédaction et enregistrement des statuts de la société; dépôt de la marque «BanniBug» à l'Institut national de la propriété industrielle (INPI); immatriculation au Registre du commerce et des sociétés (RCS). Il fallut enfin publier un avis de constitution dans un journal d'annonces légales: c'était l'acte de naissance de BanniBug SNC.

Chaque associé détenait 50% des parts, l'apport de Jason étant «en numéraire» (les 47 000 dollars dont il avait hérité deux ans auparavant), et celui de Thierry «en industrie» (le travail qu'il fournirait). Les bénéfices seraient donc partagés également, ainsi que les responsabilités de gestion.

Jason, de son côté, ne chômait pas. Après une visite à la préfecture pour obtenir sa carte de commerçant étranger, il se rendit à l'Agence Dauzat, spécialisée dans l'immobilier d'entreprise. En trois jours, il visita treize locaux. Ce fut en vain: tout était trop petit ou trop cher. Au matin du quatrième jour, dans le café de l'hôtel où il lisait le journal avant de repartir à la recherche d'un local, une annonce attira son attention: «Pptaire loue atelier tout usage,

170 m² + burx 30 m² + wc, précaire, 1 100 €/mois + ch. Tél. 47...». Jason prit rendez-vous, et une heure plus tard il serrait la main d'Alain Foulquier, propriétaire des lieux.

L'atelier avait bien les dimensions requises, mais les deux bureaux étaient de trop.

«Je ne sais pas, dit Jason. C'est un peu cher, et ces bureaux...»

Puis, se ravisant brusquement:

«Je vous offre 1 000 € par mois. Une convention d'occupation précaire de dix-huit mois, dont trois payés à l'avance, plus la caution.»

Monsieur Foulquier, qui aurait pris moins, accepta. À midi Jason y amena son associé qui conclut, après avoir fait le tour de l'atelier:

«C'est bien, mais à ce prix-là il ne nous restera plus grand-chose pour l'appart.»

Jason avait pensé à ce problème, et d'un geste il montra l'espace entre le lavabo et les W.-C.

«C'est là qu'on va faire installer la douche. Choisis ta chambre.»

Tout fut réglé dans l'après-midi: établissement de l'état des lieux, signature du bail, virement du loyer. Le lendemain ils emménagèrent.

Le soir même, ils passèrent à la prochaine étape: «Opération embauche équipe technique». Deux jours plus tard leur annonce parut dans les offres d'emploi de *La Nouvelle République:* «Recherchons menuisier OHQ°, bois et PVC°, pour atelier et pose, 10 ans d'expérience minimum. Tél 47... entre 9h–12h mercredi pr RV». Une vingtaine de postulants téléphonèrent, dont la moitié furent éliminés après quelques questions. Neuf rendez-vous furent fixés pour le lendemain.

À chaque candidat Jason et Thierry commencèrent par exposer les détails du projet. Les moustiquaires n'étaient évidemment pas inconnues en France — plusieurs vépécistes° en proposaient —, mais peu de fenêtres en étaient munies. Cette situation tenait sans doute à l'inadaptabilité des produits disponibles, ainsi qu'au travail qu'ils imposaient à l'acheteur (prise de dimensions, découpe, installation, etc.). La moustiquaire BanniBug, étant faite entièrement sur mesure, s'adapterait aux fenêtres abattantes, coulissantes et basculantes aussi bien qu'aux fenêtres classiques à deux vantaux s'ouvrant «à la française», et aux fenêtres rectangulaires comme aux fenêtres plein cintre et cintrées. Selon l'embrasure, la BanniBug serait en bois ou en PVC, posée à l'extérieur ou à l'intérieur, enroulable ou amovible.

Après avoir décrit ainsi le produit, Jason et Thierry interrogèrent chaque candidat sur la production. Comment s'y prendrait-il? Quel outillage lui faudrait-il? Quels problèmes envisageait-il?

L'un des candidats se distingua des autres: Marc Blondin, un artisan de la vieille école, cinquante-quatre ans, au chômage depuis huit mois. Il comprit tout de suite les possibilités du projet, et dans ses réponses, il semblait passer comme par réflexe des difficultés aux solutions:

OHQ ouvrier hautement qualifié
PVC d'après l'anglais *polyvinyl chloride* (matière plastique)

vépéciste entreprise qui fait de la vente par correspondance (VPC)

«... La fabrication elle-même sera un jeu d'enfant — un bricoleur moyennement doué serait à la hauteur —, mais pour la réaliser au prix que vous voulez, j'aurais besoin d'une machinerie importante. Voyons... faudra une scie à archet et une scie mixte, circulaire et à ruban... une limeuse, un touret... une perceuse radiale et une machine à table circulaire. Au départ on pourrait à la rigueur se passer de l'aléseuse-fraiseuse, mais pas question de faire ça à la main si les commandes affluent. Je pourrais vous trouver ça d'occase, pour une bonne partie. Et puis, je possède moi-même pas mal d'outils, que j'utiliserais, bien entendu.»

Jason échangea avec Thierry un regard rapide, avant de prendre la parole:

«Monsieur Blondin, vous avez le profil d'un chef d'atelier, et c'est en tant que tel que nous voudrions vous engager. En CDI°, 2 000 € par mois, plus 10% des bénéfices, dès qu'il y en aura. Nous aurions besoin de vous dès demain, et... Ah! très bien. Vous embaucherez vous-même votre assistant, parmi les autres "finalistes", en CDI également, 1 700 € par mois, plus le même intéressement, cela s'entend. On est jeudi. Nous aurons besoin de la liste des machines, réduite au strict minimum, avec des prix approximatifs... euh... demain, d'accord?»

Ravi de se voir en même temps embauché et promu, Marc Blondin s'exécuta avec toute la célérité qu'attendaient de lui ses nouveaux employeurs. Le lendemain il embaucha Gilles Péret, et dès lundi ils installaient la première machine. Avant la fin de la semaine tout était en place, la fabrication organisée et les tâches réparties. Marc ferait les devis, et Gilles le métrage; la pose se ferait à deux.

Pendant que les deux ouvriers aménageaient l'atelier, Jason et Thierry préparaient déjà la phase suivante. Comme toute la production serait réalisée aux dimensions requises par le client, il faudrait que chaque moustiquaire soit vendue avant d'être produite. Le moment était donc venu de procéder au troisième embauchage, le dernier et le plus important: celui d'un mercaticien.

CDI   contrat à durée indéterminée

4

La correspondance

Tout étudiant en français, après être tombé deux ou trois fois dans les pièges tendus par les *faux amis — opportunité/opportunity, réaliser/to realize, fastidieux/fastidious*, etc. —, apprend vite à s'en méfier. Voulez-vous, par exemple, expliquer à un Français qu'aux États-Unis, «Democrats are in general more liberal than Republicans»? Si vous lui dites qu'en *général les démocrates sont plus libéraux que les républicains*, vous aurez supposé que le mot *libéral* traduise fidèlement le mot américain auquel il ressemble — *alors qu'ici il signifie à peu près le contraire.*

Vous commettriez une erreur analogue en adressant une lettre commerciale à *Cher Monsieur Machin*, terminée par la formule *Sincèrement vôtre*. Il y a de nombreux «faux amis épistolaires» de ce genre, tant dans le domaine des formules que dans celui de la présentation. En prendre conscience, c'est non seulement apprendre un autre vocabulaire, mais aussi et surtout s'initier à d'autres pratiques culturelles.

Ces pratiques ne sont pas identiques dans tous les pays francophones. Dans les deux sections suivantes il s'agit des règles qui s'appliquent à la correspondance commerciale *française*. Nous résumerons ensuite les conventions en usage au Canada, et plus particulièrement au Québec.

Les parties de la lettre

La correspondance commerciale française revêt en général un caractère plus formel — certains diraient: plus *rigide* — que celle du monde anglophone. À partir de 1971 l'AFNOR (Association française de normalisation) a essayé d'imposer un modèle pour toute la correspondance commerciale, et elle y a réussi en grande partie. Si les logiciels de traitement de texte, en facilitant l'expérimentation, contrarient depuis une quinzaine d'années les efforts de l'AFNOR, il subsiste néanmoins une assez grande uniformité dans les lettres d'affaires françaises. La «norme maison» de telle entreprise peut différer à certains égards du modèle de l'AFNOR, mais il est rare qu'elle s'en éloigne de beaucoup.

Les parties d'une lettre d'affaires sont les suivantes: l'en-tête; la suscription; l'indication du lieu et de la date; les références; l'indication de l'objet; l'indication des pièces jointes; la formule d'appel; le corps; la formule de politesse; la signature. La Figure 1.1 illustre leur disposition sur la page.

1.1 L'en-tête°

Si vous rédigez une lettre au nom d'une entreprise, plusieurs renseignements seront déjà imprimés sur la feuille. On appelle *en-tête* l'ensemble de ces renseignements (bien qu'une partie en soit souvent portée au bas de la page)[1]. Si l'on rédige une lettre d'affaires en tant que particulier, il est traditionnel de placer son nom et son adresse en haut de la feuille, alignés sur la marge de gauche. Aujourd'hui, grâce aux logiciels de traitement de texte, il est facile et préférable de *centrer* un «en-tête» personnalisé, tout comme celui d'une entreprise.

1.2 La suscription°

Elle se compose du nom et de l'adresse du destinataire. Plusieurs cas peuvent se présenter.

Si le nom est celui d'une personne, il est précédé du titre de civilité: *Monsieur, Madame* ou *Mademoiselle,* sans abréviation. Lorsqu'on ne sait pas si la femme à qui l'on s'adresse est mariée ou célibataire, c'est *Madame* qu'il faut employer. Le titre de *Madame* tend en effet à se généraliser, quelle que soit la situation familiale de la destinataire[2]. L'usage veut que le nom patronymique soit en majuscules: *Monsieur Alain* B<small>ARBUSSE</small>.

Si le destinataire est un responsable dont on sait seulement la fonction au sein d'une entreprise, on indique généralement la fonction avant le nom de l'entreprise. Exemple:

Monsieur le Directeur (ou Madame la Directrice)
Consommaction Parisienne

Si l'on sait le nom aussi bien que la fonction du destinataire, l'indication de la fonction suit le nom, sur la même ligne si elle est brève, ou sur la ligne suivante. Exemple:

Figure 1.1

Disposition des parties d'une lettre commerciale.

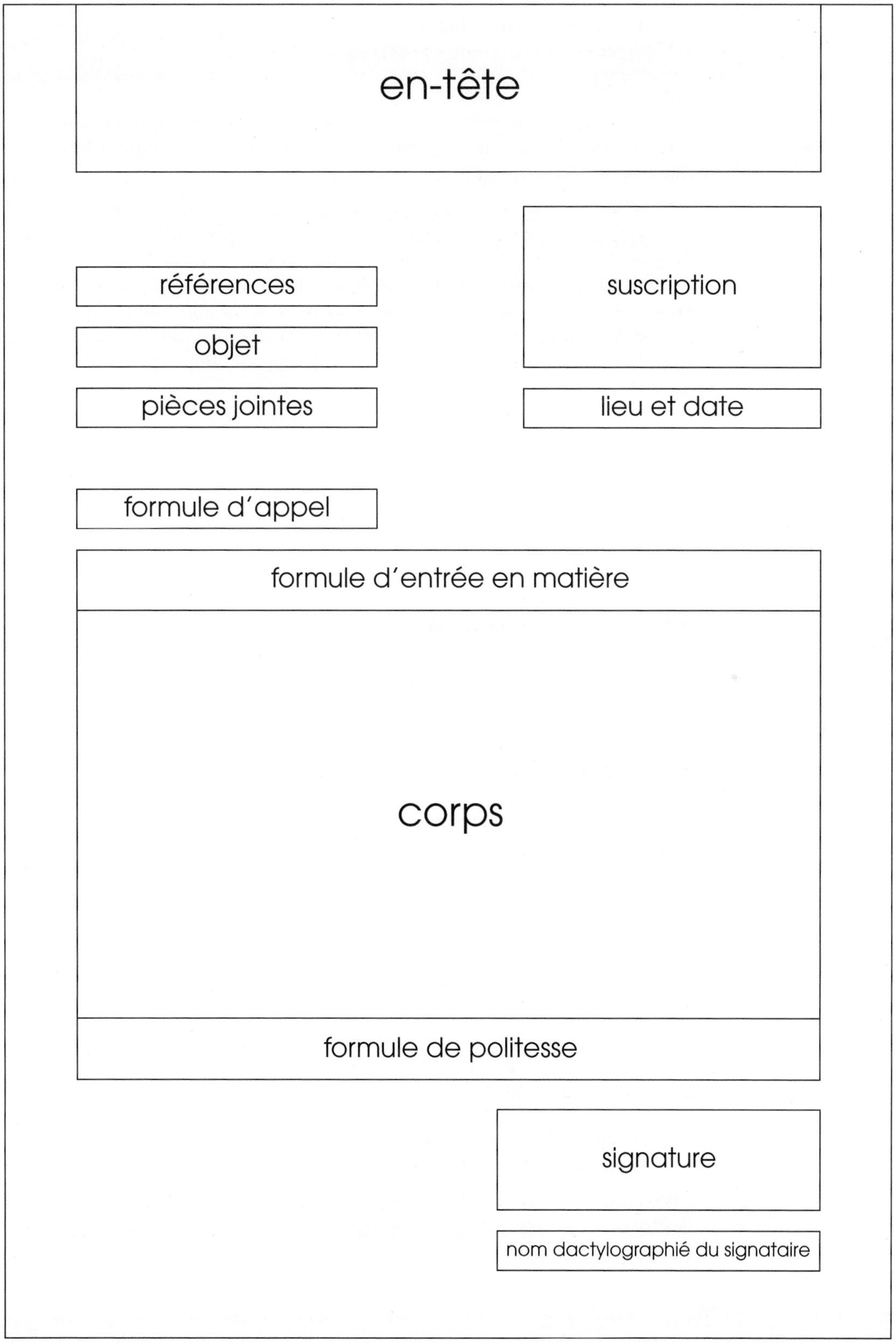

en-tête

références
objet
pièces jointes

suscription

lieu et date

formule d'appel

formule d'entrée en matière

corps

formule de politesse

signature

nom dactylographié du signataire

Madame A.-L. Moreau, Chef Comptable
Crédit Industriel de Lorraine

ou: Monsieur Gilles Breton
Directeur des communications par intérim
COGÉTEC

Si l'on ignore le sexe de la personne à laquelle on s'adresse, parce que son prénom est épicène (neutre) ou que l'on en connaît seulement l'initiale, c'est *Madame ou Monsieur* qu'il faut écrire:

Madame ou Monsieur Dominique Delattre
Monsieur ou Madame A. Dorly

Pour insister sur l'identité du destinataire, on peut employer la formule *À l'attention de...*, placée généralement après la suscription dont elle sera séparée par un double interligne°. Parfois on trouve cette formule avant le nom de l'entreprise, au début de la suscription, ou bien après l'indication des pièces jointes (voir ci-dessous), alignée sur la marge de gauche.

Une virgule sépare traditionnellement le numéro et le nom de la voie. Le code postal *précède* la ville, dont le nom s'écrit en majuscules:

34, rue de l'Église
37000 TOURS

On reproduit sur l'enveloppe les indications de la suscription[3].

1.3 Le lieu de départ et la date

Ils se mettent soit au-dessus de la suscription, soit — plus souvent, aujourd'hui — en dessous, séparés de celle-ci par un double interligne. Ils se présentent de la façon suivante:

Villeneuve-Loubet, le 3 novembre 2005

Le jour de la semaine n'est pas indiqué. Le mois, *dont l'initiale est une minuscule,* s'écrit en toutes lettres (sans abréviations) et n'est pas suivi d'une virgule.

1.4 Les références

Elles permettent de classer et de retrouver plus facilement la lettre, d'identifier le dossier dont il s'agit, etc. Les formules les plus courantes sont: *V/réf* et *N/réf,* formes abrégées de *Vos références* et de *Nos références*. On voit aussi: *Vos réf* et *V/r.*

Après la formule figurent: d'abord les initiales, en majuscules, de la personne qui a dicté et signé la lettre; ensuite les initiales, en minuscules, de la personne qui l'a dactylographiée; enfin un chiffre identifiant le dossier traité ou le numéro d'enregistrement de la lettre.

Une lettre traitant du dossier 242, par exemple, dictée par Florence Anquetil à son secrétaire Jean-Michel Leconte, sera référencée ainsi: *N/réf: FA/jml/242.* Le destinataire de cette lettre (qui s'appelle André Delorme) commencera, dans sa réponse, par rappeler les références de la lettre à laquelle il répond. Il emploiera pour ce faire la formule *V/réf*, puisqu'il s'adresse à Florence Anquetil. Puis, si nécessaire, il indiquera ses propres références en employant la formule *N/réf*. Dans la lettre dactylographiée par sa secrétaire Marie Dutilleul, les références seront donc les suivantes:

> V/réf: FA/jml/242
> N/réf: AD/md/37

L'indication des références n'est pas toujours indispensable, et elles sont souvent omises dans la correspondance échangée entre particuliers et petites entreprises.

1.5 L'objet

Indiquez brièvement après le deux-points la raison qui motive la lettre. Quelques exemples: *demande de rendez-vous (de documentation, de remboursement d'acompte, de devis, d'inscription); proposition de candidature; déclaration de sinistre; opposition sur chèque; contestation de facture; confirmation de réservation; résiliation de bail.*

Pour indiquer l'objet, il faut préférer les substantifs aux verbes. On n'écrira donc pas: *Objet: pour modifier notre commande*, mais plutôt: *Objet: modification de commande.*

1.6 Les pièces jointes°

Il s'agit des documents que vous *joignez* à la lettre, c'est-à-dire que vous envoyez dans la même enveloppe. Abrégez les mots (P majuscule, j minuscule ou majuscule), chaque lettre étant suivie d'un point; puis, après le deux-points, indiquez le nombre et la nature des documents joints. Exemple:

> P.j.: 1 curriculum vitæ
> P.J.: 1 facture, 3 catalogues

On voit aussi *Annexes* à la place de *P.j.* Parfois la mention des pièces jointes se met au bas de la page, après la signature.

1.7 La formule d'appel

C'est la suscription qui dicte le choix de la formule d'appel. Si, dans la suscription, on a écrit, par exemple, *Madame Pauline* Doubinski ou *Monsieur G.* Albert — avec ou sans indication de la fonction —, l'appel sera tout simplement le titre de civilité, *Madame* ou *Monsieur* (sans abréviation).

Une exception, pourtant: si le destinataire a un titre important et/ou officiel, celui-ci — indiqué, bien entendu, dans la suscription — sera repris dans l'appel. On écrira ainsi dans l'appel: *Madame la Présidente, Monsieur le Maire, Madame l'Ambassadrice*, etc. Mais *Madame Pauline* Doubinski, *Chef Comptable*, dans la suscription, deviendra *Madame* dans l'appel. Dans le cas de *Directeur/Directrice*, on a le choix: selon la taille et l'importance de l'entreprise ou de l'administration, on peut répéter ou omettre la fonction dans l'appel. Si on la garde, l'unité dirigée n'est pas mentionnée. *Madame Pauline* DOUBINSKI, *Directrice des Ressources humaines* se réduira donc dans l'appel à *Madame la Directrice*.

Et quelle sera la formule d'appel si vous écrivez à une entreprise ou à un organisme, sans savoir le nom d'une personne y travaillant? Ici, l'usage a évolué. La formule *Messieurs*, de rigueur il y a vingt ans, a peu à peu cédé la place à d'autres expressions: *Messieurs, Mesdames (Monsieur ou Madame)* et *Mesdames, Messieurs (Madame ou Monsieur)*[4].

Il est fortement déconseillé d'employer *Cher(s)* ou *Chère(s)* dans la formule d'appel. Évitez également d'y mettre le nom de votre correspondant. Le «Dear Mr. Corelli» de la correspondance anglo-américaine se traduit donc par: *Monsieur*. On peut, il est vrai, employer *Cher* ou *Chère* si l'on connaît bien et depuis longtemps son ou sa correspondant(e). Paradoxalement, le cas de la lettre publicitaire — et donc *impersonnelle* — présente une autre exception: «Chère Cliente... Cher Abonné et Ami... Chère Madame, Cher Monsieur». Ce sont pourtant des exceptions qui tendent à confirmer une règle qu'il vaudrait mieux tenir — ne serait-ce que provisoirement — pour absolue.

L'expression *À qui de droit*, l'équivalent approximatif de l'anglais *To whom it may concern,* ne doit jamais figurer dans une formule d'appel. Elle peut s'employer, au besoin, dans le corps de lettre: «Je vous serais reconnaissant de bien vouloir transmettre ma réclamation à qui de droit», c'est-à-dire à la personne qui s'occupe de pareilles réclamations.

La formule d'appel est toujours suivie d'une *virgule*.

1.8 Le corps

Deux présentations du corps de la lettre sont couramment employées. Dans la présentation traditionnelle, la première ligne de chaque paragraphe commence en retrait par rapport aux lignes suivantes; l'appel commence avec le même retrait (voir la Figure 1.2). Dans la présentation dite «américaine» — à laquelle les Français donnent de plus en plus leur préférence —, il n'y a pas de retrait au début des paragraphes; toutes les lignes, ainsi que l'appel, sont alignés sur la marge de gauche (voir la Figure 1.3)[5]. Dans les deux cas, la marge de droite peut être justifiée ou décalée[6]. Quelle que soit la présentation adoptée, il faut séparer les paragraphes par un double interligne.

Dans la section suivante *(2. Le corps de la lettre)* nous proposons un choix de formules toutes faites pour les différentes circonstances qui peuvent se présenter.

1.9 La formule de politesse

Elle forme, souvent à elle seule, le dernier paragraphe de la lettre. Il existe des dizaines de formules, dont les manuels de correspondance donnent la liste complète. On y apprend la formule qui s'impose lorsqu'on écrit au pape, au président de la République ou à la princesse de Monaco. Pour les circonstances plus quotidiennes, il suffira de choisir — quitte à la modifier légèrement — l'une des deux formules suivantes. N.B.: À la place du tiret dans ces exemples, on reproduira la formule d'appel (*Monsieur, Madame,* etc.), *exactement comme elle paraît au début de la lettre.*

Figure 1.2

Lettre de réclamation (présentation traditionnelle).

BanniBug

275 avenue Béranger
37000 Tours
☎ 47.38.38.00
bannibug@hourra.com

Monsieur Jacques BARTOLI
Service des ventes
Bellefonds et Cie
41 rue Henri-Barbusse
37100 Tours

Tours, le 24 mai 2005

V/réf: JB/sp/2598
Objet: annulation de commande

Monsieur,

Nous avons reçu ce matin les 12 rouleaux de toile en fibre de verre que nous vous avions commandés le 29 avril.

Malheureusement, nous avions précisé dans notre commande que la livraison devait nous être faite, sous peine d'annulation, avant le 15 mai (date notée et acceptée dans votre confirmation du 2 courant).

Nous étant approvisionnés d'urgence ailleurs, nous nous voyons obligés de vous renvoyer les rouleaux en port dû et d'annuler votre facture.

Veuillez agréer, Monsieur, nos salutations distinguées.

Jason O'Riley
Jason O'RILEY
Gérant

Figure 1.3
Présentation «américaine».

Bowling Green State University

Department of Romance Languages
Bowling Green, Ohio 43403-0230
419 / 372-2667
fax 419 / 372-7332

À l'attention de Madame Sylvie DUPUY
Chambre de Commerce et d'Industrie de Paris
Direction de l'Enseignement, Relations Internationales
Service Examens
28 rue de l'Abbé-Grégoire
75279 Paris Cedex 06

Bowling Green, le 15 mars 2006

Objet: règlement des droits d'inscription
Pj.: 1 bordereau récapitulatif; 9 fiches d'inscription

Madame,

Je vous remercie d'avoir répondu favorablement à notre demande d'ouverture de session.
- Examen: DFA-1
- Session: avril 2006
- Nombre exact des candidats: 9
- Langue: anglais

En règlement global des droits d'inscription, la somme de 765 € (85 € x 9 candidats) sera virée prochainement de notre compte au Crédit Lyonnais (Tours) sur votre compte à la Société Générale.

Vous trouverez ci-joint:
- 9 fiches d'inscription;
- le bordereau récapitulatif des droits.

Je vous prie d'agréer, Madame, mes salutations respectueuses.

R.-J. Berg
R.-J. BERG
Responsable de Centre
de formation

Trois mises en garde

La première est syntaxique, la deuxième, sémantique, et la troisième… culturelle.

1. Dans la formule-type n°1, le verbe *agréer* est employé transitivement: il prend un complément d'objet direct (*mes salutations, l'expression de mes sentiments,* etc.). Dans la formule-type n°2, *croire* est un verbe transitif *indirect,* dont le complément d'objet est introduit par la préposition *à.*

2. Les différentes parties de ces formules ne sont pas toutes interchangeables. *Agréer,* par exemple (formule-type n°1), signifie accueillir avec faveur. Ce ne sont pas les sentiments que l'on agrée, mais leur *expression.* Ce à quoi l'on *croit,* par contre (formule-type n°2), ce sont les sentiments eux-mêmes. Priez donc votre correspondant de *croire à* vos sentiments (distingués, etc.) ou bien d'agréer *leur expression.* Pour ce qui est des *salutations,* on n'y croit pas, on les agrée (reçoit, accepte) — les salutations elles-mêmes, et non pas leur expression.

3. On annonce depuis longtemps une simplification, un assouplissement des formules de politesse. La dernière édition (2002) de *La Correspondance commerciale française* nous assure qu'«on trouve de plus en plus souvent des formules de politesse très simples, similaires à celles utilisées par les Anglo-saxons. Ex.: *cordialement vôtre, sincèrement…*». Mais ici la prudence s'impose. D'abord, comme le font très justement remarquer Noëlle Guilloton et Hélène Cajolet-Laganière dans *Le Français au bureau,* «les expressions *Sincèrement vôtre* et *Cordialement vôtre,* calquées sur l'anglais, sont à éviter». D'ailleurs, «de plus en plus souvent» nous semble exagéré: il serait plus juste de dire que les formules à l'anglo-saxonne se font *moins rares,* mais leur emploi n'en reste pas moins *exceptionnel.* Ne vaudrait-il pas mieux, dans ces conditions, s'en tenir aux bonnes vieilles formules ampoulées, à moins de connaître son destinataire, qui pourrait toujours se formaliser d'une salutation trop «familière»? Réservez donc à votre correspondance personnelle les expressions telles que *Amitiés, Bien à vous, À très bientôt, j'espère,* etc., et à vos courriels d'affaires les formules tronquées comme *Salutations distinguées, Mes meilleurs sentiments,* etc. (Voir, au sujet du courrier électronique, le Module 2.)

- Je vous prie (Nous vous prions) d'agréer, —, l'expression de mes (nos) sentiments distingués.
- Je vous prie (Nous vous prions) de croire, —, à mes (nos) sentiments distingués.

À l'indicatif de *prier,* certains préfèrent l'impératif de *vouloir: Veuillez agréer…, Veuillez croire…* Il n'y a pas de différence protocolaire entre les deux constructions.

Voilà donc les deux thèmes principaux — *agréer* et *croire* —, sur lesquels la plupart des formules courantes sont autant de variations. Selon la nuance que l'on veut marquer, on modifiera telle partie de la formule. En voici quelques exemples.

Distingués est le qualificatif le plus neutre et le plus passe-partout. On peut y substituer *respectueux* lorsqu'on s'adresse à un supérieur hiérarchique, *dévoués,* en écrivant à un client, et *meilleurs* pour un correspondant avec qui l'on entretient des relations plus amicales (*mes sentiments les meilleurs,* ou bien, plus familièrement, *mes meilleurs sentiments*).

On peut marquer une nuance plus cordiale en remplaçant, dans la première formule-type, *agréer* par *recevoir* ou *accepter*, et *l'expression de mes sentiments...* par *salutations*. N.B.: On écrira: *Veuillez recevoir, —, mes salutations distinguées* (et non pas: *l'expression de mes salutations distinguées* (voir, page 13, la deuxième mise en garde).

Dans les deux formules-types, on peut, pour se rapprocher encore plus de son correspondant, mettre *agréer (recevoir, accepter)* et *croire* directement à l'impératif: *Agréez, —, mes cordiales salutations; Croyez, —, à mes meilleurs sentiments.*

Une dernière nuance: dans la première formule-type, *l'assurance* peut souvent remplacer *l'expression*, mais jamais quand on écrit à un supérieur hiérarchique (qui, en principe, n'a pas besoin d'être assuré...).

La formule la plus froide, à la limite de la politesse, est la suivante: *Recevez, —, mes salutations.*

Si la situation semble bien compliquée — et elle l'est, en effet —, vous n'avez qu'à apprendre par cœur la formule suivante. Elle est banale, certes, mais elle conviendra à presque toutes les circonstances, sans vexer personne: *Veuillez agréer, Madame (Monsieur, etc.) l'expression de mes sentiments distingués.*

1.10 La signature

Alignée sur la date et la suscription, la signature est toujours suivie du nom dactylographié du signataire. On indique, s'il y a lieu, la fonction du signataire, soit avant la signature, soit après le nom dactylographié.

Si le nom dactylographié ne correspond pas à la signature, c'est que le signataire a signé au nom et à la place du responsable. Dans ce cas, l'abréviation *p.p.* (par procuration) précède le nom dactylographié du signataire[7]. Par exemple:

Martin Delbor, Gérant
Cécile Hébrard
p.p. Cécile Hébrard

2 Le corps de la lettre

Cette partie de la lettre sera souvent elle-même composée de trois parties:

- l'introduction, où sera précisée la raison pour laquelle on écrit;
- le développement, où seront fournis de plus amples détails; et
- la conclusion, qui formera parfois avec la formule de politesse une seule et même phrase.

Quelles que soient votre raison d'écrire et l'identité de votre destinataire, il importe de toujours respecter la règle des trois C: la lettre doit être *claire, concise* et *courtoise.*

La lettre s'ouvre par une *formule d'entrée en matière* dont le choix dépendra évidemment de l'objet de la lettre. Si, par exemple, vous faites suite à un document que vous avez reçu ou à un entretien téléphonique, vous y ferez référence dès le début. Voici quelques possibilités.

- En réponse à votre lettre du 3 courant[8], nous (je)...
- Nous accusons réception[9] de votre lettre du 3 mai par (dans) laquelle... / Nous avons bien reçu votre lettre du 3 mai... / Votre lettre du 3 mai nous est parvenue, et...
- Je vous remercie de votre lettre du 3 mai relative à...
- Nous nous référons à votre lettre du 3 mai nous demandant...
- Nous avons pris connaissance (bonne note) de votre demande du 3 mai, au sujet de...
- Pour faire suite à notre conversation téléphonique du 3 mai, je...
- Conformément aux termes de notre entretien téléphonique du 3 mai, je...

S'il s'agit, par contre, d'un premier contact, abordez directement l'objet de votre lettre. Voulez-vous, par exemple, demander un renseignement? commander une marchandise? modifier une commande? Remarquez, dans les formules suivantes, les tournures équivalant à l'anglais *please*. (Les mots facultatifs entre crochets ajoutent une nuance de politesse.)

- Nous vous serions reconnaissants / obligés de [bien vouloir] nous faire parvenir...
- Je vous saurais gré[10] de [bien vouloir] m'envoyer...
- Veuillez [avoir l'obligeance de] nous expédier...
- Vous nous obligeriez en nous adressant...
- Je vous prie de bien vouloir m'expédier...

L'emploi de *s'il vous plaît* avec l'impératif *(Expédiez-moi, s'il vous plaît...)* est à éviter.

Êtes-vous pressé de recevoir la réponse, la documentation ou la marchandise? Priez votre correspondant de vous la faire parvenir...

- dès que possible
- le plus tôt possible
- le plus rapidement possible
- dans les meilleurs délais
- dans les plus brefs délais
- par retour du courrier
- sous huitaine

S'agit-il de régler une facture au moyen d'un chèque inclus dans l'enveloppe?

- Nous vous prions de bien vouloir trouver ci-joint° / ci-inclus° / ci-annexé° un chèque s'élevant à 2 230 € en règlement de votre facture du 3 courant.
- Veuillez trouver en annexe° / sous ce pli° notre chèque bancaire n°343, d'un montant de 2 230 €...

Les documents que vous ne joignez pas à la lettre seront expédiés *sous pli séparé.* N.B.: *Ci-joint*, *ci-inclus* et *ci-annexé* sont considérés comme des adverbes et restent donc invariables lorsqu'ils précèdent le nom (*Veuillez trouver* ci-joint *la facture...*), mais s'accordent comme des adjectifs s'ils le suivent (*la facture* ci-jointe).

S'agit-il de refuser? d'exprimer un regret? de présenter des excuses?

- Il nous est malheureusement impossible de donner suite à votre demande...
- Nous sommes actuellement dans l'impossibilité de vous donner satisfaction...

- J'ai le regret de vous informer...
- C'est avec regret que nous vous annonçons...
- Nous regrettons [vivement] de ne pas pouvoir retenir votre proposition...
- Nous vous prions de [bien vouloir] nous excuser du désagrément que nous vous avons causé...

Remarquez bien la syntaxe de cette dernière formule. Il faut éviter d'écrire: *Nous nous excusons du désagrément...* (C'est à l'autre de vous excuser, n'est-ce pas?)

Souhaitez-vous remercier votre correspondant? C'est souvent en fin de lettre, dans le paragraphe où figure la formule de politesse, que s'expriment les remerciements. Voici quelques formules:

- Vous remerciant / En vous remerciant [vivement] d'avance de..., nous vous prions...
- Nous vous remercions de... et vous prions...
- Avec nos [vifs] remerciements anticipés, nous vous prions...

Remerciez votre correspondant *de* — et non pas *pour* — sa compréhension, son accueil, son empressement, etc. Et pour préciser: *... de la compréhension dont vous avez fait preuve à l'occasion de...,* ou bien: *... d'avoir bien voulu faire preuve de compréhension...* La tournure *Merci [beaucoup] de...* est à éviter dans la correspondance commerciale.

Il existe bien d'autres formules qui permettent de lier ainsi la formule de politesse aux paragraphes qui la précèdent. Selon les circonstances évoquées dans le corps de la lettre et le ton que l'on souhaite donner à l'ensemble, on écrira, par exemple:

- Dans l'attente de votre réponse / d'une prompte réponse / d'une réponse rapide / de recevoir une réponse positive de votre part, nous vous prions...
- En attendant d'avoir le plaisir de vous parler de vive voix, je vous prie...
- Dans l'espoir d'une décision favorable / que votre décision sera favorable[11], nous vous prions...
- Espérant que cette solution vous donnera satisfaction, je vous prie...
- En souhaitant avoir répondu à votre attente, nous vous prions...
- En vous souhaitant bonne réception [de ce qui a été ou sera expédié], nous vous prions...
- En souhaitant que ce contretemps ne nuise pas à nos relations commerciales, je vous prie...
- En regrettant de ne pas pouvoir vous donner une réponse favorable, nous vous prions...
- Avec tous nos regrets, nous vous prions...
- Je me tiens à votre disposition pour tout renseignement supplémentaire, et vous prie...[12]
- Veuillez nous excuser de ce retard et agréer...

Ces expressions doivent former avec la formule de politesse une seule phrase. Rien d'autre ne doit figurer au dernier paragraphe, lequel sera donc toujours composé d'une phrase unique.

Si vous employez une de ces formules de liaison, n'oubliez pas que c'est *vous* qui êtes «dans l'attente» ou «dans l'espoir», qui souhaitez ou qui regrettez, etc. Il faut donc que le sujet de la proposition principale qui suit — celle qui contient la formule de politesse — soit *je* ou *nous*. *Dans l'espoir d'un accord rapide, veuillez agréer...* serait incorrect. Remarquez à cet égard le dernier exemple [ci-dessus], qui ne ressemble pas aux autres: un seul verbe à l'impératif *(veuillez)* suivi de deux compléments infinitifs *(excuser* et *agréer).*

La Figure 1.4 présente un exemple de lettre de réservation; la Figure 1.5, la *page de garde°* d'un envoi par télécopie°. (Pour la lettre de candidature et la lettre de déclaration de sinistre, voir respectivement les Modules 3 et 10.)

3 Au Québec

Pour ce qui est de l'alignement des éléments de la lettre, trois présentations sont en usage au Québec:

- Dans la lettre à un seul alignement, peut-être la plus répandue, *toutes* les parties sont alignées sur la marge de gauche (voir la Figure 1.6).
- Dans la lettre à trois alignements, l'indication du lieu et de la date, ainsi que la signature, sont alignées sur la marge de droite. L'indication de l'objet est centrée, et les autres éléments, y compris la première ligne de chaque paragraphe, commencent à la marge de gauche (voir la Figure 1.7).
- La lettre à quatre alignements ressemble à la précédente, à cette différence que les paragraphes commencent en retrait.

Vous aurez remarqué dans nos trois exemples que les différents éléments de la lettre ne sont pas présentés dans le même ordre au Québec qu'en France. L'indication du lieu et de la date suit immédiatement l'en-tête et précède toujours la suscription. Les initiales d'identification — celles, en majuscules, du signataire de la lettre, et celles, en minuscules, de la personne qui l'a tapée — ne font plus partie des références; elles figurent au bas de la page, juste au-dessus des pièces jointes.

L'indication du lieu peut être omise s'il est indiqué dans l'en-tête; dans ce cas, la date figure seule sous l'en-tête. L'indication de l'objet est <u>soulignée</u> ou — plus souvent — en **caractères gras.**

Dans la suscription on respectera, bien entendu, les règles de l'adressage canadien. Il faut, en particulier...

- employer l'abréviation *CP* (case postale) à la place de *BP* (boîte postale);
- désigner la province par un code à deux lettres (QC pour le Québec, ON pour l'Ontario, etc.)[13];
- mettre le code postal à la fin de l'adresse, juste après le code de la province et sur la même ligne;
- séparer les deux groupes du code postal, composés chacun de trois caractères, par un espace.

Figure 1.4

Lettre de réservation.

Jason O'Riley
275 avenue Béranger
37000 Tours
☎ 47.38.38.00
bannibug@hourra.com

Monsieur Yves Duvignier, Directeur
Hôtel Le Globe
51 boulevard Napoléon-III
06000 NICE

Tours, le 1er novembre 2006

Objet: réservation de chambre
P.j.: 1 chèque bancaire

Monsieur le Directeur,

J'ai bien reçu votre documentation, et je vous en remercie.

Je souhaiterais retenir une chambre pour une personne, avec vue sur la mer, douche et wc, pour la période du 27 décembre au 4 janvier (départ le 4 en fin de matinée, donc huit nuitées).

Vous trouverez ci-joint un chèque de 400 euros d'arrhes°.

En attendant votre confirmation par écrit, je vous prie d'agréer, Monsieur le Directeur, mes salutations distinguées.

Jason O'Riley
Jason O'Riley

Figure 1.5

Page de garde (bordereau) de télécopie.

(En-tête de l'entreprise émettrice)

<u>Télécopie</u>

Date:

Émetteur . . . .

   Service . . . .

   N° télécopie . . . .

Destinataire . . . .

   Service . . . .

   N° télécopie . . . .

Nombre de pages (y compris celle-ci):

Message:

_____

_____

_____

_____

_____

En cas de transmission incomplète, veuillez nous en informer.

Figure 1.6

Lettre à un alignement (au Québec).

Éditions Diptyque
43 rue Marie-Anne Est
Montréal (Québec) H7W 5R5
☎ (514) 555-5555
diptyque@canular.com

Montréal, le 1er avril 2006

Monsieur Michel MARTY
502 rue de la Tourelle
Québec (Québec) G1B 1C3

N/réf: annonce.Devoir.867

Objet: convocation

Monsieur,

Votre candidature a retenu toute notre attention, et nous souhaiterions vous
en parler plus longuement.

Nous vous demandons donc de bien vouloir vous présenter à nos bureaux
vendredi le 13 avril à 14h30. Au cas où vous ne seriez pas disponible à cette
date, nous vous saurions gré de nous en informer dès que possible.

Vous trouverez ci-joint un formulaire à remplir et à nous renvoyer par retour du
courrier.

En attendant votre confirmation par téléphone ou courriel, nous vous prions de
recevoir, Monsieur, nos salutations distinguées.

Andrée Dauzat, la Directrice littéraire

Antoine Galichet

p.p. Antoine GALICHET

AD/ag
Pj.: 1 formulaire

Figure 1.7

Lettre à trois alignements (au Québec).

Éditions Diptyque
43 rue Marie-Anne Est
Montréal (Québec) H7W 5R5
☎ (514) 555-5555
diptyque@canular.com

Montréal, le 1er avril 2006

Monsieur Michel MARTY
502 rue de la Tourelle
Québec (Québec) G1B 1C3

N/réf: annonce.Devoir.867

Objet: convocation

Monsieur,

Votre candidature a retenu toute notre attention, et nous souhaiterions vous en parler plus longuement.

Nous vous demandons donc de bien vouloir vous présenter à nos bureaux vendredi le 13 avril à 14h30. Au cas où vous ne seriez pas disponible à cette date, nous vous saurions gré de nous en informer dès que possible.

Vous trouverez ci-joint un formulaire à remplir et à nous renvoyer par retour du courrier.

En attendant votre confirmation par téléphone ou courriel, nous vous prions de recevoir, Monsieur, nos salutations distinguées.

Andrée Dauzat
Directrice littéraire

Antoine Galichet

p.p. Antoine GALICHET

AD/ag
P.J.: 1 formulaire

Figure 1.8

Disposition typique des parties d'une note interne.

| Entreprise
Service émetteur | Destinataire(s) |

Note interne n° [ ]

Objet:

(texte du message)

Date:
Fonction: *signature*
Nom:

Pour aller plus loin

La communication interne

Il a été question jusqu'ici de la communication *externe,* et de la *lettre commerciale* qui la matérialise. C'est au moyen de *notes* que se réalise au sein de l'entreprise la communication écrite. L'usage varie d'une entreprise à l'autre, mais on appelle généralement *note d'information*° celle qui a pour fonction d'informer, et *note de service*° celle qui transmet un ordre. Affichées sur un panneau réservé à cet effet, elles s'adressent à plusieurs personnes. Il s'agit grosso modo du type d'écrit qu'on désigne en anglais sous le nom de *notice.* On appelle *note interne* un écrit adressé par une personne *à une autre;* l'expression traduit assez bien l'anglais *memorandum (ou memo)*[14]. La note, quel qu'en soit le genre, comporte plusieurs mentions obligatoires figurant sur un imprimé: 1. le nom de l'entreprise et du service émetteur; 2. la date d'émission; 3. un numéro de référence; 4. le(s) destinataire(s); 5. l'objet; 6. le nom, la fonction et la signature de l'émetteur. Les différentes parties de la note interne (mentions obligatoires et texte du message) se disposent typiquement sur l'imprimé de l'entreprise ainsi que le montre schématiquement la Figure 1.8.

Lexique français–anglais

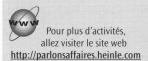

Pour plus d'activités, allez visiter le site web http://parlonsaffaires.heinle.com

ci-annexé(e) *(adv.* ou *adj.)*   enclosed
ci-inclus(e) *(adv.* ou *adj.)*   enclosed
ci-joint(e) *(adv.* ou *adj.)*   enclosed
en annexe *(adv.)*   enclosed
en-tête *(m.)*   letterhead
interligne *(m.)*   space between lines
note de service *(f.)*   notice
note d'information *(f.)*   notice
note interne *(f.)*   memorandum
   (memo)

page de garde *(f.)*   cover sheet (for fax)
pièce(s) jointe(s) *(f.)*   enclosure(s)
sous ce pli *(adv.)*   enclosed
suscription *(f.)*   inside address
télécopie *(f.)*   fax
   télécopier   to fax
   télécopieur *(m.)*   fax machine

Activités

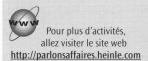

Pour plus d'activités, allez visiter le site web http://parlonsaffaires.heinle.com

I. Mise en pratique

1. *Histoire d'eau.* Vous faites partie d'un groupe de quatre personnes qui souhaitent passer deux mois dans les environs de Villeneuve-Loubet, à quelques kilomètres de Nice. Élu(e) «correspondancier (-ière)» du groupe — «Mais toi, t'as suivi ce cours de français commercial...» —, vous écrivez au syndicat d'initiative[15] de la ville pour demander des renseignements sur les locations saisonnières de villas situées dans la ville et aux environs.

2. *Histoire d'eau (suite).* Dans la documentation fournie par le syndicat d'initiative il y a une brochure sur une villa qui vous intéresse tout particulièrement: «Les Échardes unies». Vous écrivez au propriétaire pour demander de

plus amples renseignements: À quelle distance de la plage et du centre-ville la villa est-elle située? Y a-t-il de la place pour deux voitures dans le garage? Quelles sont les dimensions des chambres à coucher? Le «bureau» pourrait-il servir de chambre? Pourquoi n'y a-t-il pas de photo de la piscine dans la brochure? Etc.

3. *Histoire d'eau (suite et fin)*. Les réponses du propriétaire vous ayant satisfait(e), vous lui écrivez pour confirmer la location. Vous rappelez à cette occasion tous les détails du contrat: dates, prix, termes et conditions. Vous joignez à la lettre un chèque de 1 000 €, somme à valoir[16] sur le montant total.

4. *Infiltrations d'eau*. Vous louez une «chambre de bonne» au sixième étage d'un immeuble situé dans le cinquième arrondissement à Paris. Le site et le loyer vous conviennent, mais avant de reconduire (renouveler) le bail, qui arrive à terme, vous voulez que le propriétaire s'occupe de certaines réparations urgentes. Vous l'en informez par écrit.

5. *De l'eau dans le gaz*[17]. Il y a un mois votre employeur vous a chargé(e) de commander des articles dont il avait un besoin *urgent*. Or les marchandises viennent d'arriver… deux semaines après la date-limite convenue. Qui pis est, la livraison n'est pas tout à fait conforme à la commande, et une partie en a été endommagée en cours de route. Rédigez la lettre de réclamation qui sera adressée au fournisseur.

II. Pour se renseigner en ligne

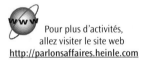

Pour plus d'activités, allez visiter le site web http://parlonsaffaires.heinle.com

1. Le site du magazine français *L'Entreprise*, à <www.lentreprise.com>, propose des centaines de lettres modèles téléchargeables. Cliquez dans la *Boîte à outils* sur le lien «lettres/contrats».

2. Pour le Québec, le site du *Français en affaires au Québec et en Amérique du Nord*, à <www.francais-affaires.com>, vaut bien le déplacement. Il s'agit d'«un site de référence et de ressources pédagogiques sur le français, tout particulièrement sur le français des affaires et des professions». Pour les règles de la correspondance, cliquez sur le lien «usages/pratiques».

3. Comme La Poste aime le rappeler à ses clients, «adresse bien présentée, courrier plus vite distribué». Pour tout savoir en la matière, visitez son site à <www.laposte.fr>, lien: «Toutes les règles de l'adresse en un clic». Pour le Québec, consultez le *Guide canadien d'adressage*, qui fait partie du *Guide des postes du Canada et outils de référence*, accessible au site des Postes Canada, à <www.postescanada.ca>.

Notes

1. Dans l'en-tête d'une société, certaines mentions sont obligatoires: le nom de la société; sa forme juridique; le montant de son capital; son numéro d'immatriculation au Registre du commerce et des sociétés. Ce dernier se présente ainsi, «RCS Nice B 123 456 789». Déchiffrement: *RCS* est le sigle du Registre du commerce et des sociétés; Nice est la ville où la société a été enregistrée; la lettre suivante indique le type d'entreprise (B pour les sociétés, A pour les entreprises individuelles, etc.). D'autres mentions obligatoires, à l'usage de l'Insee (Institut national de la statistique et des études économiques) sont les codes SIREN (Service informatique pour le répertoire des entreprises) et APE (activité principale exercée). Bien d'autres mentions, sans être obligatoires, figurent normalement dans un en-tête: ce sont les nombreuses «coordonnées» de la société (adresse du siège social, numéros de téléphone, de télécopie (fax), de télex, de compte courant postal, etc.).

2. Il n'existe pas en français d'équivalent du *Ms.* américain. En 1980, pour suppléer à cette lacune, les Québécois ont proposé *Madelle*, formé de *Madame* et de *Mademoiselle*. L'usage n'a pas accepté le néologisme.

3. Cependant, *sur l'enveloppe*, La Poste a banni la virgule qu'elle avait exigée auparavant. «Ne jamais mettre de virgule après le numéro de rue», lit-on sur son site à <www.laposte.fr>, lien: «Toutes les règles de l'adresse en un clic».

4. Dans un manuel récent (2000) on trouve le conseil suivant: «Si vous écrivez à un service sans connaître le nom de la personne qui en est responsable, vous commencerez votre lettre par *Messieurs*»; et encore: «Si vous ne savez pas si votre interlocuteur est un homme ou une femme, employez *Messieurs*» (Claire Pinson, *Guide de votre courrier*, Marabout, pp. 31, 140). Conseil périmé, à notre avis. Pour préparer la présente édition nous avons parcouru une cinquantaine de lettres de ce genre (adressées à un groupe ou à quelqu'un dont on ignore le nom et le sexe, et toutes rédigées en France depuis 1998). Les formules d'appel se sont réparties ainsi qu'il suit: *Madame ou Monsieur*, 27%; *Mesdames, Messieurs*, 23%; *Monsieur ou Madame*, 21%; *Messieurs, Mesdames*, 21%; *Messieurs*, 8% (4 lettres). Rien ne garantit, bien entendu, la représentativité de notre échantillon...

5. La présentation dite «américaine» convient mieux lorsqu'il y a, comme c'est le cas ici, des «listes à puces» (anglais: *bulleted lists*) avec composition en sommaire (anglais: *hanging indentation*).

6. Une marge *décalée à droite* («en drapeau») correspond à ce qu'on appelle en anglais *ragged right*.

7. D'autres abréviations analogues (mais pas synonymes): *p.i.* (par intérim) et *p.o.* (par ordre).

8. C'est-à-dire: *du 3 de ce mois-ci.*

9. Accuser réception de quelque chose, c'est donner avis qu'on l'a reçu. Anglais: *to acknowledge receipt*. Substantif: *un accusé de réception*.

10. À noter: l'expression *savoir gré à quelqu'un de quelque chose, ou de faire, d'avoir fait quelque chose*. Ne pas écrire: «Je vous *serais* gré...».

11. Le verbe se met au futur après *Dans l'espoir que... / Espérant que...*, et au subjonctif après *En souhaitant que...*

12. À éviter: la version franglaise de cette formule (version qui commence, hélas, à se répandre): *N'hésitez pas à me contacter si vous avez des questions.*

13. Selon les manuels d'avant 2002, «on écrit le nom de la province en toutes lettres, entre parenthèses». Postes Canada a récemment simplifié cette règle, ainsi que bien d'autres. Pour une liste complète, consulter son *Guide canadien d'adressage* (octobre 2002), téléchargeable en PDF.

14. Le mot *mémorandum*, abrégé *mémo*, existe en français, mais il a un autre sens: il s'agit, conformément à l'étymologie, d'une «note qu'on prend d'une chose qu'on ne veut pas oublier» (*Nouveau Petit Robert*).

15. Organisme ayant pour fonction de développer le tourisme dans une localité.

16. Qui constitue un paiement partiel (un *à-valoir*).

17. *Il y a de l'eau dans le gaz*, locution qui signifie: *L'atmosphère est à la querelle; il y a de l'orage dans l'air.*

 Micro-informatique, Internet, courrier électronique

C'est vers le milieu des années 70 que le terme de *bureautique* commence à s'employer pour désigner l'application de *l'informatique*° au travail du bureau. La «révolution bureautique» — ainsi parlaient les médias de l'époque — date du jour où la machine à écrire *électrique*, en se dotant d'un peu de mémoire, devint *électronique*. L'automatisation du bureau ne pouvait que s'accélérer lorsqu'arriva peu après la machine de *traitement de texte*°, suivie de près par les innovations de la *télématique*, née du

mariage de l'informatique et des télécommunications. Avec le lancement du Minitel en 1983, la France fut le premier pays à mettre en place un réseau télématique à grande échelle.

Le Minitel est un terminal composé d'un écran et d'un clavier, et relié par la ligne téléphonique à un ordinateur central. Conçu au départ comme un annuaire électronique en ligne, le Minitel devait prendre au fil des années une extension considérable: à son apogée, vers 1993, les services auxquels il donnait accès se chiffraient à plus de 25 000[1].

Avertissement, plaidoyer

Parler d'informatique en français, c'est pénétrer au cœur même de la franglophonie. Dans aucun autre domaine il n'y a autant de termes américains, employés tels quels ou à peine francisés. Cela se comprend, certes. N'est-il pas «naturel», étant donné le rythme vertigineux du progrès technologique, que les mots soient importés en même temps que les choses qu'ils désignent? Les conséquences peuvent en être tout de même saugrenues, et quand les commissions de terminologie s'avisent de trouver des équivalents français, il est souvent trop tard.

«Tant pis», nous dira-t-on, «car il faut, en la matière, *suivre l'usage.*» À quoi d'autres — minoritaires, sans doute, mais de plus en plus nombreux — répondront: «Pas toujours, car il y a un bon et un mauvais usage...» Dans cette vieille dispute entre laxistes et puristes, à qui donner raison?

Reconnaissons la part du vrai dans les deux camps. Une langue n'appartient-elle pas à ses locuteurs? Et ne serait-il pas vain, une fois qu'ils se sont prononcés, de leur opposer notre veto sous prétexte que «c'est une faute»? Mais si l'usage a toujours le dernier mot, il peut être lent à se décider. Souvent il hésite entre plusieurs expressions, et c'est alors que l'on peut intervenir intelligemment pour *l'infléchir* dans le bon sens.

Intelligemment... tout est là. Vaudrait-il mieux, devant tel ou tel anglicisme, s'incliner ou résister? copier ou corriger? À défaut d'une règle, on procédera au cas par cas. Considérons, par exemple, les perles suivantes: «L'e-mail marketing à l'épreuve du spam... Dépanner et upgrader son PC... Un petit programme qu'on peut downloader, puis forwarder à qui l'on veut...»[2]. N'a-t-on pas l'impression, en lisant ces échantillons d'un certain «usage», qu'un seuil a été franchi et qu'il faut réagir? C'est, de toute façon, ce qu'ont fait de nombreux organismes en France, au Québec, en Belgique et ailleurs. Lorsqu'ils proposent de substituer à l'anglais ou au franglais une expression française qui nous paraît prometteuse, nous l'utiliserons de préférence — *tout en indiquant les différents termes en concurrence.*

Ni laxiste donc, ni puriste. Envers cette langue que nous servons en nous en servant, soyons d'un *réalisme exigeant*. Il ne suffit pas d'aimer le français; il faut aussi le respecter.

Le Minitel contribua grandement à *l'informatisation*° du bureau dans les années 80, mais la grande étape ne devait être franchie, la «révolution» ne pouvait s'accomplir, qu'après l'introduction dans l'entreprise du *micro-ordinateur*[3]. Jusqu'alors le système informatique, fortement centralisé, reposait sur l'omniprésence, sous forme de terminaux, d'un gros ordinateur dont dépendaient tous les services de l'entreprise. On recourait alors à l'image d'une étoile pour décrire cette structure, ainsi qu'au néologisme *connectique* pour désigner les technologies de liaison entre «cerveau» et «extrémités». Le micro-ordinateur, en remplaçant le macro-ordinateur et ses terminaux, permit au système de se décentraliser et conféra aux postes de travail une autonomie importante. L'étoile fit place à une *toile*, et à la connectique succéda la *réseautique*. La micro-informatisation des entreprises fut ainsi la grande innovation bureautique des années 90.

1 ▶ La micro-informatique

Dans le domaine de la micro-informatique, deux camps se partagent inégalement le terrain: d'une part les utilisateurs, largement majoritaires, de PC, c'est-à-dire les IBM et les compatibles IBM; d'autre part les fidèles du Macintosh[4]. Les uns répétaient naguère que leur machine coûtait moins cher, alors que les autres vantaient la convivialité de la leur. À présent que les prix se rapprochent et que la fameuse «interface graphique» du Mac s'est généralisée, les deux camps restent néanmoins sur leurs positions, se parlant, s'il le faut, par disquettes interposées.

Qu'il soit PC ou Mac, un micro-ordinateur est composé d'un ensemble d'éléments physiques, désignés collectivement sous le nom de *matériel*°, et animés par des programmes appelés *logiciels*°.

Les éléments matériels d'une configuration typique sont les suivants:

Dans le boîtier de l'*unité centrale* se trouve le processeur, véritable cerveau de l'ordinateur, dont la vitesse se mesure en MHz (mégahertz) ou en GHz (gigahertz)[5]. C'est là aussi que se trouve le siège de la RAM *(random access memory)*, appelée aussi *mémoire vive*, ou tout simplement *mémoire*[6]. La mémoire est qualifiée de *vive* parce que son contenu disparaît chaque fois que l'ordinateur s'éteint. C'est donc sur le *disque dur*°, situé lui aussi dans le boîtier de l'unité centrale, que sont enregistrés de façon permanente tous les fichiers et logiciels. *Enregistrer*° *(sauvegarder*°*)* un document, c'est le transférer de la RAM au disque dur[7]. La mémoire vive, ainsi que la capacité du disque dur, se mesurent en *octets*°. La plupart des ordinateurs sont actuellement dotés en standard d'au moins 256 *mégaoctets*° (abréviation: Mo) de mémoire vive, et certains disques durs peuvent stocker jusqu'à plusieurs centaines de *gigaoctets*° (Go) d'informations. N.B.: Ne pas confondre *mémoire (vive)* et *capacité de stockage*.

Pour que l'ordinateur et son utilisateur puissent communiquer, il faut un *clavier*°, classique ou étendu (comprenant des touches supplémentaires); un dispositif de pointage (*souris*°, *pavé tactile*° ou *boule de commande*°) et un *écran*°. Les anciens écrans à tube cathodique, appelés *moniteurs*° CRT *(cathode ray tube)*, font place aujourd'hui à l'affichage à cristaux liquides des écrans LCD *(liquid crystal display)*.

En plus des composants mentionnés ci-dessus, intégrés ou non au boîtier, d'autres éléments matériels — appelés *périphériques*° parce qu'ils sont considérés comme auxiliaires — peuvent être connectés à l'unité centrale. Parmi les périphériques les plus fréquemment utilisés figurent le *disque dur supplémentaire*, le *scanner*, le *modem* (voir à ce sujet la section suivante) et l'*imprimante*°. Cette dernière, qu'elle soit *à laser* ou *à jet d'encre*°, a pour fonction de fournir des *tirages*° *(sorties papier*°, *copies papier*°)* des documents mis au point sur l'écran. Le *lecteur*° de *disquettes*° peut être intégré ou périphérique. Il en va de même du lecteur et du *graveur*° de CD et de DVD[8].

À la différence des *ordinateurs de bureau*° et des portables, le PDA *(personal digital assistant)* n'a pas de clavier, la saisie d'informations se faisant au stylet. Les fonctions de base du PDA sont: l'agenda, le carnet d'adresses, la liste de tâches et le bloc-notes. En France la traduction officielle et peu employée de *PDA* est *ADP* (a̲ssistant électronique d̲e p̲oche); au Québec, *ANP* (a̲sssistant n̲umérique p̲ersonnel) a été proposé mais n'est guère plus utilisé. L'équivalent français le plus répandu est *ordinateur de poche*.

Tout ce matériel, essentiellement inerte, a besoin pour s'animer de deux sortes de logiciels: un logiciel d'exploitation et des logiciels d'application.

Le logiciel d'exploitation, appelé couramment *système d'exploitation°* ou *système*, est le logiciel de base qui commande l'ensemble des opérations matérielles et logicielles de l'ordinateur. Trois exemples bien connus sont Windows XP (Microsoft), OS X (Macintosh) et GNU/Linux. Le système est assisté par des mini-logiciels — les *utilitaires°* — affectés à des tâches strictement délimitées, telles que la gestion de fichiers, le diagnostic ou la réparation.

Les logiciels d'application — les *applications* (ou *programmes*), comme on dit couramment — se divisent en plusieurs grandes familles selon la tâche qu'ils permettent d'effectuer:

- Logiciels de *traitement de texte°*. On fait souvent l'ellipse des mots «logiciel de»; Word, par exemple, est *un traitement de texte*. Le terme officiel, mais assez peu usité, est *texteur* (*JO* 7 mar 1993).
- *Tableurs°,* qui permettent la manipulation et l'organisation de données sous forme de tableaux numériques appelés *feuilles de calcul°*. Deux exemples bien connus sont Excel (Microsoft) et 1-2-3 (Lotus).
- Logiciels d'*éditique°*, tels que PageMaker (Adobe) et Quark XPress, qui permettent à l'utilisateur disposant d'un matériel suffisant de réaliser une *mise en page°* complète et de se lancer dans la *micro-édition°*. *Éditique*, terme officiel en France et au Québec, remplace le sigle PAO (publication assistée par ordinateur), étant donné qu'aujourd'hui toute édition est «assistée par ordinateur». Au Québec on voit de temps en temps le mot-valise *édiciel°*, formé de *éditique* et de *logiciel*.
- Logiciels de *présentation* ou de *présentation assistée par ordinateur* (PréAO), tels que PowerPoint (Microsoft) et Freelance Graphics (Lotus). Au Québec, le néologisme *présentatique* est peu usité.
- Logiciels de traitement d'images, tels que PhotoShop (Adobe), utilisés pour l'illustration (le DAO: dessin assisté par ordinateur) et le dessin technique (la CAO: conception assistée par ordinateur). À ne pas confondre avec les *grapheurs,* qui permettent de présenter des données sous forme de graphiques (anglais: *graphs*): camemberts, courbes, histogrammes, etc.
- Le suffixe *-ciel* (*-iel*), on le voit, a donné naissance à de nombreux néologismes, dont certains sont employés de temps en temps — mais bien moins souvent que le terme anglais. Citons en exemple: le *partagiciel (shareware),* le *gratuiciel (freeware),* le *synergiciel (groupware)* et l'*espiogiciel (spyware)*. On appelle *ludiciels°* (de *ludique* et *logiciel*) les logiciels de jeu, et *didacticiels°* ceux qui servent un but pédagogique. Au Québec la traduction officielle de *plug-in* est *plugiciel*, mot-valise formé évidemment de *logiciel* et de… *plus:* il s'agit d'un «plus» qui augmente les capacités du logiciel principal[9]. (En France on utilise le terme *module d'extension*.) Un *progiciel* (*lo*giciel *pro*fessionnel)[10] est destiné à une tâche bureautique particulière: soutien technique, gestion de la relation client (GRC), gestion d'horaires variables, etc.
- Logiciels de communication (de navigation, de courriel, etc.), à l'aide desquels l'utilisateur peut se mettre en contact avec d'autres ordinateurs, et dont il sera question dans la section suivante.

La première version d'un logiciel a souvent quelques défauts de conception ou de réalisation que l'on appelle *bogues°*. Le néologisme a engendré toute une descendance en français: *déboguer, débogueur, débogage…*

2 L'Internet

Qu'est-ce donc que l'Internet? Il s'agit d'un *réseau*° international d'ordinateurs ayant un système d'adresses commun. «Comment? C'est tout?» Ajoutons qu'aux yeux de plus d'un expert, ce réseau représente le développement technologique le plus important du siècle dernier, et qu'il est en passe de devenir le principal moyen de communication des pays industrialisés.

Comment se connecter au réseau? Pour devenir internaute[11] il faut (a) s'équiper en matériel et en logiciel et (b) souscrire un abonnement auprès d'un *fournisseur d'accès Internet* (FAI). Le matériel comprendra normalement un ordinateur et un modem[12]. Quant au FAI, le choix dépendra du mode d'accès: via la

Internet ou l'Internet?

Question vedette de notre FAQ°: «Faut-il, oui ou non, l'article défini?» Et ce n'est certainement pas en consultant l'usage que l'on trouvera la réponse. À la radio, à la télévision, dans la presse généraliste comme dans la presse spécialisée, les deux formes se partagent à peu près également le terrain — *souvent dans le même article, voire dans le même paragraphe, à quelques lignes l'une de l'autre*[13]. Tout se passe comme si les journalistes, hésitant devant le choix, employaient indifféremment l'une et l'autre forme pour être sûrs d'avoir parfois raison.

Si l'usage est indécis, qu'en disent les experts? Les avis sont partagés, mais la plupart des commentateurs suivent la Commission générale de terminologie et de néologie en recommandant l'emploi de l'article (*JO* 16 mars 1999). Leur argument: il s'agit d'un nom commun et non d'un nom propre, d'un média et non d'une marque. Ainsi, on dit: «Je me suis abonné à Canal Plus», mais «J'ai *le* téléphone chez moi». Dirait-on: «Je regarde souvent télé»? Non, évidemment, et voilà pourquoi il faut dire: «Je vais me connecter à l'Internet».

À ces considérations viennent s'ajouter deux autres. D'abord, on dit toujours «*le* Net» en français. Ne vaudrait-il pas mieux accorder l'emploi de l'article devant *Internet* et son emploi devant la forme abrégée? Deuxièmement, si, à l'heure actuelle, *Internet* jouit dans l'usage d'une petite avance sur *l'Internet,* la *tendance* favorise l'article, qui s'emploie de plus en plus.

«Mais alors, réplique l'autre camp, pourquoi la majuscule? Vous conviendrez qu'elle fait mauvais ménage avec l'article.»

Bonne question, à laquelle il n'est pas aisé de répondre. Le fait qu'en anglais, langue d'origine du mot, la majuscule s'impose toujours y est sûrement pour quelque chose. En outre, la majuscule insiste parfois sur l'unicité d'une chose (la Terre, l'État...) ou bien, dans le cas de l'Internet, sur sa nouveauté, sa singularité. Parions que la majuscule disparaîtra peu à peu, à mesure que se banalisera le «réseau des réseaux»[14].

En attendant, nous la retiendrons, ainsi que l'article «officiellement» recommandé.

N.B.: Il ne faut pas confondre *Internet* substantif, précédé de l'article, et *Internet* en apposition employé adjectivement: *un site Internet, une connexion Internet, les services Internet,* etc.

ligne téléphonique, via le câble de la télévision, ou bien sans fil, par voie hertzienne (ondes radio) ou par satellite (faisceaux lumineux).

L'avenir est aux connexions sans fil, mais pour quelques années encore les modes d'accès filaires (par fil) auront, pour des raisons pécuniaires et techniques, la préférence des internautes. Le type de connexion le plus répandu est toujours la «classique» liaison RTC (réseau téléphonique commuté), laquelle se fait par téléphone *analogique* (par opposition à *numérique°*). Ce mode d'accès *par ligne commutée* — on dit aussi: *sur appel* ou *à la demande* (autant d'équivalents français de l'anglais *dial-up*) — est voué à l'obsolescence dans un proche avenir, car en plus de sa lenteur, il a le grand inconvénient d'occuper la ligne téléphonique pendant le temps de la connexion.

En France comme ailleurs les internautes se tournent de plus en plus vers des connexions permanentes et à meilleur débit. Le mot *débit* désigne ici la vitesse du transfert des informations. Le débit se mesure en bits par seconde (bps); il est qualifié de *haut* lorsqu'il atteint 512 kbps. C'est le cas de la plupart des connexions par câble, mais en France seules sont câblées les grandes agglomérations. De là, le succès remporté depuis quelques années par la grande concurrente du câble dans le haut débit: l'ADSL *(asymmetric digital subscriber line)*. Une liaison ADSL utilise la ligne téléphonique, mais en y occupant une bande à haute fréquence qui lui est réservée, par où transitent les informations numérisées de l'Internet. La connexion n'interrompt donc pas les conversations téléphoniques transmises par les autres canaux de la ligne.

Bien qu'il s'agisse d'une norme technologique, le sigle ADSL s'emploie partout en Europe comme un nom propre. La traduction officielle, mais rarement utilisée en France, est RNA (raccordement numérique asymétrique, *JO* du 16 mars 1999). Au Canada francophone le sigle LNPA (ligne numérique à paire asymétrique) est assez répandu mais perd du terrain face à son concurrent américain.

3 Le World Wide Web (WWW)

Parmi les nombreuses «traductions», citons: la *Toile d'araignée mondiale* (TAM), la *Toile mondiale*, la *Toile*[15], l'*Hypertoile*, sans oublier le *Ouèbe*, graphie francisée conçue pour railler les tentatives de francisation...

Lorsqu'il est question dans les médias des «autoroutes de l'information», c'est le plus souvent au Web que l'on pense, au point qu'aujourd'hui, pour certains, *Web* et *Net* sont devenus synonymes. C'est pourtant à tort que l'on confond les deux, le Web n'étant qu'une partie de l'univers virtuel — une grande partie, certes, et celle, à coup sûr, dont on *parle* le plus.

Il faudrait imaginer l'Internet comme un immense palais. Aux étages, dans un enchevêtrement d'escaliers et de corridors, fourmillent d'innombrables pièces: salles de réunion, parloirs, salons privés, alcôves secrètes (voir, plus loin, *Le courrier électronique* et *Les communautés en ligne*). Au rez-de-chaussée domine un vaste hall où se bousculent, de plus en plus nombreux, visiteurs et convives. Demandez-leur pourquoi ils ne tiennent pas à monter, ils répondront: «Ah! On est tellement mieux ici. Il y a plus de couleur, plus de bruit, plus d'animation. Et comme c'est un grand espace ouvert, on arrive plus facilement, malgré la foule, à s'y retrouver.» Ce hall, c'est le Web.

La notoriété du Web tient non seulement à la richesse des informations et des images qu'il présente, mais aussi à leur facilité d'accès. C'est en effet le logiciel de navigation, appelé *navigateur°*, qui fait le gros du travail. Il suffit de taper l'adresse du site que l'on veut visiter pour s'en faire *télécharger°* le fichier[16]. L'adresse commence par le sigle *http* (HyperText Transfer Protocol), et c'est là que réside la clé du succès du Web.

Forgé dans les années 60, le mot *hypertext* désignait à l'origine un système d'informations dont les éléments sont disposés de façon non-linéaire (*hyper:* «au-delà»). Cette définition décrit assez bien le Web actuel. Chaque page[17] peut contenir des *liens°* hypertexte — des *hyperliens:* mots ou images mis en relief — sur lesquels on peut cliquer pour que s'affiche aussitôt la page qui leur est reliée, *où qu'elle se trouve dans le réseau*. Cette nouvelle page contient à son tour des liens vers d'autres pages, et ainsi de suite. Le système hypertextuel permet ainsi de *feuilleter* indéfiniment les pages du Web, de *papillonner* de site en site, de *fureter* dans tous les coins du réseau afin d'en *butiner* les informations. On le voit: les images prolifèrent, comme les termes correspondants que l'on a proposés pour désigner les logiciels de navigation: *feuilleteur, papillonneur, fureteur* (au Québec), *butineur*, etc. Tous avaient pour objet de traduire l'anglais *browser*, qui fut longtemps le terme le plus employé en français et qui concurrence encore aujourd'hui le terme «officiel» *(navigateur)*.

Comme le préfixe <http://> indique le protocole par défaut de la plupart des adresses, les navigateurs récents le suppléent automatiquement. Il suffit donc de taper dans le champ de saisie la partie de l'adresse qui suit les deux barres obliques°. Dans l'adresse <www.icijhabite.fr/aupremier/adroite>, tout ce qui précède la première barre indique le nom du serveur hébergeant le site, et ce qui la suit, les chemins d'accès vers la page.

Et si l'on ignore la bonne adresse? Les pages Web, dont chacune a sa propre adresse, se chiffrent actuellement en *centaines de milliards*. Pour dénicher dans cet embarras de richesses l'information précise dont on a besoin, il faudra recourir à l'un des nombreux outils de recherche Web. Il en existe deux sortes: les *annuaires°* (ou *répertoires°*) et les *moteurs de recherche°* (ou *index°*):

- Un annuaire répertorie les *sites*, les classant hiérarchiquement par thèmes en catégories et sous-catégories. Exemple: Yahoo! (version française à <fr.yahoo.com>).
- Un moteur de recherche fouille dans le contenu des *pages* pour y trouver des mots-clés. Exemple: Google (version française à <www.google.fr>).

Les deux exemples cités permettent de limiter une recherche au Web francophone.

On confond parfois la notion d'*annuaire* (ou *répertoire*) et celle de *portail°*. On appelle *portail*, par extension du sens ordinaire du terme[18], un site Web conçu comme une sorte de «porte d'entrée» par où l'on accède, accompagné d'un guide, aux richesses du réseau ou d'une partie du réseau. Les portails se rangent en deux catégories:

- Le *portail généraliste* se veut le *point de départ* incontournable de toute navigation. Il propose un large éventail d'informations et de services: actualités, dossiers, sondages, horoscopes, résultats sportifs, galeries marchandes, sélections de sites, espaces communautaires (forums, bavardoirs), boîtes aux lettres gratuites, etc. Le but est d'attirer un maximum de «trafic» en amenant l'internaute à faire du portail la *page de démarrage*[19] de son naviga-teur. Un exemple particulièrement riche se trouve à <voila.fr>.

- Le *portail spécialisé* réunit des liens vers une sélection de sites se rapportant tous au même centre d'intérêt. À titre d'exemple, le Portail de l'Archéologie, «un site communautaire dont le but est de faciliter vos recherches, [...] rassemble en un lieu unique, l'information archéologique dispersée sur Internet» (www.antony-aubert.org). Une recherche Google sur les mots «le portail du/de la/de l'» donne un demi-million de résultats.

Le mot et la chose ont la cote depuis quelques années, à tel point que cer-taines entreprises, par un abus de langage compréhensible, se sont mises à appe-ler «portails» leurs *pages d'accueil*. Les deux termes ne sont pourtant pas synonymes. Une page d'accueil est tout simplement la page d'entrée d'un site multi-pages. Elle donne accès aux autres *pages* du même site, alors qu'un portail donne accès à d'autres *sites*.

Une autre confusion consiste à assimiler le «portail» d'entreprise à un *intranet*[20]. Comme l'indique le préfixe, un *intranet* est un réseau privé, à l'in-térieur d'une entreprise, qui utilise les technologies et les protocoles du réseau public[21]. L'objet en est de faciliter la communication et la prise de décision au sein de l'entreprise. Entre l'intérieur (l'intranet) et l'extérieur (l'Internet) s'inter-pose une barrière de sécurité appelée *pare-feu*°, un dispositif logiciel ou matériel ayant pour fonction de bloquer les tentatives de pénétration[22]. Un intranet est par définition et par essence fermé, protégé, *sécurisé,* alors qu'un portail nous invite à entrer et à explorer.

4 ◆ Le courrier électronique

Tout le monde sait ce que c'est, mais il n'est pas toujours facile d'en parler *en français*. Le terme le plus répandu en France est, en effet, *e-mail*, prononcé [imɛl], souvent abrégé en *mail*. C'est là un anglicisme que déplore l'Office québécois de la langue française: «Le terme *e-mail* est bien sûr à éviter en français», lit-on dans son *Grand Dictionnaire terminologique*, à l'article «courriel». Ce néologisme, formé de *courrier* et *électronique*, est bien implanté dans l'usage au Québec.

Et que pensent les Français du terme québécois? Voici ce qu'en dit la Commission générale de terminologie et de néologie: «Évocateur, avec une sonorité bien française, le mot *courriel* est largement utilisé dans la presse et con-currence avantageusement l'emprunt à l'anglais *mail*. La commission se range donc à la proposition québécoise désormais consacrée par l'usage, tout en main-tenant la forme *courrier électronique* comme synonyme»[23]. Sans avoir été précisé-ment «consacré par l'usage» en France, *courriel* y est, depuis le 20 juin 2003, le terme *officiel*[24].

Le verbe *courrieller,* forgé au Québec à partir du substantif, signifie, selon le contexte, *expédier un courriel* («Alors, tu me courrielles demain?») ou *expédier par courriel* («Il m'a courriellé ses photos»). Le néologisme est peu usité au Québec, et encore moins en France, où l'on voit assez souvent, surtout dans les forums, le verbe *mailer* («Maile-moi ta réponse»).

Le spam

Signe des temps, un récent article de *Libération* commence ainsi: «L'année passée a été prétexte à de nombreux palmarès. Celui des spams, dits aussi "courriers non sollicités", y a trouvé sa place tant le phénomène ne cesse de grossir. Fléau de l'Internet, le "pourriel" est d'abord...» (2 janvier 2004). Trois expressions en autant de lignes pour désigner le problème, c'est dire à quel point l'usage est flottant.

Parmi ces trois expressions, *spam*, seule à se passer de guillemets, est de loin la plus employée en France. La deuxième est en même temps la désignation officielle et une définition. La troisième est l'un des nombreux néologismes proposés au Québec pour éviter le franglais.

Pourquoi le mot *spam*? Il s'agit à l'origine, en 1937, d'un acronyme de *spiced pork and meat*. Mais pourquoi nommer «le fléau de l'Internet» d'après une viande en boîte? Pour l'explication il faut remonter au 15 décembre 1970, date historique à laquelle fut télévisé, dans le vingt-cinquième épisode du *Monty Python's Flying Circus,* un sketch devenu mythique. Un couple entre dans un restaurant où sont assis des Vikings. «Well, what've you got?» demande l'homme à la serveuse. Hélas, les plats du jour contiennent tous du spam. Là-dessus les Vikings se mettent à scander crescendo une chanson dont les paroles se réduisent à celles-ci: «Spam, spam, spam spam! Lovely spam! Wonderful spam!» La femme du couple crie à tue-tête: «I don't like spam!», mais les Vikings chantent si fort que la serveuse n'entend plus rien.

«Quel rapport?» demanderez-vous. *Le spam, en inondant nos boîtes aux lettres électroniques et nos forums de discussion, nous empêche de recevoir les messages qui nous importent.*

Le mot a engendré en franglais une famille nombreuse: *spamming, spammer* (verbe), *spammeur, déspammeur, anti-spam, spammeux* (adjectif), etc. En France, la Commission générale de terminologie et de néologie a proposé *arrosage* comme traduction de *spamming,* mais personne n'emploie le terme dans ce sens. (*To spam,* ce serait évidemment *arroser,* mais comment désignerait-on les messages individuels? *Arrosages*?) Au Québec, où se poursuit avec acharnement la chasse au franglais, les organismes de veille linguistique ont été mieux inspirés. Parmi les termes qu'ils ont proposés figurent: *polluposter (to spam), pollupostage (spamming)* et *polluposteur (spammer);* et pour désigner les messages eux-mêmes, *polluriel (*de *pollution* et *courriel), pourriel (*de *courriel* et *pourri)* et *courriel-rebut.* De tous ces néologismes, *pourriel* est le plus usité au Québec et commence à s'employer en France.

Post scriptum intéressant: Dans son *Grand Dictionnaire terminologique,* l'Office québécois de la langue française propose *polluriel,* trois synonymes et huit quasi-synonymes pour désigner *en français* le courriel non sollicité. Puis, à la fin de l'article: «Terme(s) à éviter: *spam*». Chapeau bas, OQLF!

Pour envoyer ou recevoir des courriels il faut disposer d'une *adresse de courrier électronique (adresse électronique, adresse e-mail).* Elle sera toujours composée des éléments suivants:

- d'abord, le nom ou le pseudonyme de l'utilisateur (ou d'un groupe de destinataires, dans le cas d'une liste de diffusion);
- ensuite, le caractère @, appelé *arobase*[25];

- enfin, le nom de domaine, composé de l'identité du serveur (un ordinateur) qui héberge la boîte aux lettres de l'utilisateur, suivi d'un point et d'un code en deux ou trois lettres[26].

L'adresse <blaise_pascal@univ-nancy.fr> se prononcera ainsi: *blaise souligne-ment pascal arobase univ trait d'union nancy point fr.*

Il faut disposer aussi d'un logiciel dont le choix dépendra du type de courriel. Deux options se présentent:

- Si votre boîte aux lettres est hébergée sur le serveur de votre FAI, vous aurez, pour y accéder, un *logiciel de courrier électronique (de courriel, de messagerie)* — un *courrielleur*, disent certains au Québec —, tel que Outlook Express, Netscape Messenger ou Eudora.
- Si votre boîte est domiciliée sur le serveur d'un service de courriel Web *(web-mail)*, il suffira d'un navigateur (Internet Explorer, Safari, Netscape Navigator, etc.) pour y accéder, le plus souvent gratuitement, à partir de n'importe quel ordinateur connecté au Net.

4.1 Le courriel professionnel

À chaque époque, ses usages; à chaque moyen de communication, ses conven-tions. Celles du courrier électronique évoluent rapidement et présentent déjà d'importantes divergences par rapport aux règles de la lettre classique. En voici les principales:

- La mise en page est simplifiée, tous les éléments s'alignant à gauche[27].
- Certains éléments s'affichant automatiquement dans les zones situées en tête du courriel, il est inutile de les répéter dans le champ de saisie du mes-sage. Parmi ces indications figurent la date et l'objet. Il en va de même, le plus souvent, du nom et de l'adresse (électronique) du destinataire; la suscription est donc supprimée. Il arrive pourtant que l'adresse électronique soit celle d'une entreprise ou d'un organisme. Dans ce cas la formule clas-sique *À l'attention de...* (ou bien: *Message destiné à...*) permettra de préciser l'identité du destinataire, si on la connaît.
- Si l'on joint au courriel un ou des fichier(s), la formule traditionnelle *(P.j.)* suffira pour en informer le destinataire. Puisqu'il s'agit de documents numérisés, l'usage tend à préférer l'expression *Fichier(s) joint(s)*. Il vaut mieux éviter les anglicismes *attaché* et *attachement*.
- La formule de politesse traditionnelle se fait de plus en plus rare dans le cour-rier électronique. Le plus souvent on y substitue des formes abrégées, telles que *Sentiments distingués (Avec mes/nos...)*, *Salutations distinguées (Avec mes/nos...)*, *Avec mes/nos remerciements*, et «en interne» (au sein d'une entre-prise), *Cordialement*.
- On «signe» le courriel en tapant son prénom et son nom. On ajoutera éventuellement, sur la ligne suivante, d'autres renseignements tels que sa fonction ou son titre, le nom de son entreprise, son numéro de téléphone, etc. Ces indications remplacent l'en-tête de la lettre classique.

Dans les logiciels disponibles en version française, le sigle *cc (copie conforme)* garde le même sens qu'en anglais *(carbon copy)*. Une *cci — copie conforme invisible,* traduction française de *blind carbon copy (bcc)* — est envoyée à l'insu du destinataire principal[28].

Il est à noter qu'en France, comme aux États-Unis, le cadre juridique fait de son mieux pour ne pas se laisser distancer par le progrès technologique. Aux termes de la loi, l'écrit sous forme électronique a désormais «la même force probante que l'écrit sur support papier»; autrement dit, le courriel peut, sous certaines réserves, constituer une preuve en justice. C'est bon à savoir…

Il va de soi que l'on évitera d'utiliser, dans la correspondance électronique professionnelle, les abréviations et les binettes dont on use et abuse dans les courriels personnels (voir à ce sujet la section suivante).

5 Les communautés en ligne

Listes de diffusion ou de discussion, news, newsgroups, groupes de news, groupes de nouvelles, groupes de discussion, forums, chats, tchats, t'chats, tchaches, tchatches… mais comment se retrouver dans ce chaos terminologique et orthographique? Essayons d'y mettre un peu d'ordre.

Au commencement, avant même la création de l'Internet, il existait des *listes de diffusion°* qui permettaient aux abonnés° de recevoir, sur leurs réseaux privés, des messages de toute sorte sous forme de courrier électronique: annonces, brèves, lettres d'information (*newsletters* en anglais[29]). C'était au départ une communication à sens unique, de l'administrateur vers les abonnés. Mais la prochaine étape fut bientôt franchie: la *liste de discussion,* dont tout inscrit pouvait *répondre* aux messages reçus. Chaque courriel envoyé par un abonné à l'adresse électronique de la liste était retransmis automatiquement aux autres abonnés. Ainsi purent se constituer de véritables communautés en ligne, dont tous les membres se «connaissaient»[30].

Parallèlement aux listes de diffusion et de discussion s'est développé Usenet *(Users' Network),* l'un des principaux sous-réseaux de l'Internet. À la différence des listes, dont les abonnés se courriellent, Usenet archive ses messages sur des serveurs auxquels peuvent accéder tous les utilisateurs. Une fois connecté, on rejoint le *newsgroup* de son choix pour lire les messages échangés jusqu'alors. Seuls sont affichés les titres; le contenu des «articles» n'est téléchargé qu'à la demande de l'utilisateur, qui pourra, s'il le veut, publier à son tour.

Le mot *newsgroup* s'est peu à peu francisé au fil des années: à moitié d'abord, et timidement, en *groupe de news,* plus hardiment ensuite, et complètement, en *groupe de nouvelles.* Mais une fois toute l'expression ainsi traduite, on s'aperçut que *nouvelles* n'était pas le mot juste, car il ne s'agissait en rien d'actualités en ligne, mais plutôt de *groupes de discussion.* Toutes ces appellations continuent à s'employer, mais depuis que les lexicographes se sont saisis de la question en 1999, le terme officiel, assez largement répandu en France comme au Québec, est *forum (de discussion).* Est considéré désormais comme un *forum* tout cybergroupe thématique, quel qu'en soit le support: courrier électronique, Usenet ou Web.

Dans certains forums, tous les messages envoyés sont publiés. D'autres sont administrés par un responsable dont le rôle consiste à filtrer les messages reçus: seuls sont publiés ceux qui se conforment au thème et aux règles de la

Binettes°, sigles et netiquette

D'après les historiens qui se sont penchés sur la question, le *smiley* fut inventé le 18 septembre 1982 par un chercheur américain à Carnegie Mellon University. Bien plus tard, le mot ayant traversé l'Atlantique, on eut la drôle d'idée ;-) de le traduire en français, ce qui donna *trombine*, *bouille* et *tronche* (quasi-synonymes en français familier de *tête*, *visage*), entre autres. Rien n'y fit, on préférait *smiley*. On essaya *souriard* (quoique la plupart des «souriards» n'eussent rien de souriant), puis *émoticon* ou *émoticône* (bien qu'il ne s'agît pas du tout d'icônes, au sens informatique du terme). C'est alors, vers 1995, que les Québécois, imbattables en néologie, proposèrent *binette (visage)*. Le mot a fait fortune au Québec, et il s'emploie bien plus souvent en cybérie francophone que le terme officiel en France: *frimousse* (visage agréable d'enfant)[31]. De quelque manière qu'on les désigne, il en existe des centaines, dont une poignée seulement — surtout le sourire, la moue et le clin d'œil — sont d'un usage courant. À la première génération ont succédé une deuxième, composée d'images au format JPEG, et une troisième, de pictogrammes *animés*. Pour quand, les têtes parlantes?

Les binettes sont sérieusement concurrencées par les nombreuses abréviations du cybersabir dont certaines — si invraisemblable que cela puisse paraître — ont été empruntées telles quelles à l'anglais (ASAP, LOL, BTW). Parmi celles d'un usage fréquent qui se traduisent en français figurent les suivantes: ALP (à la prochaine), ASV (âge, sexe, ville), MDR (mort de rire), Re (rebonjour), STP (s'il te plaît), TTB (très très bien)[32].

N'oublions pas de mentionner la *netiquette* (l'étiquette du Net), dont les conseils ont pour objet de faire régner courtoisie et bonne entente dans le cyberespace. Les centaines de versions que l'on peut consulter en ligne se contredisent souvent, mais un noyau dur, composé d'une vingtaine de règles, figure sur presque toutes les listes: «Veillez à votre orthographe, et ne corrigez jamais celle des autres... N'envoyez jamais de message hors sujet à un forum... Prenez garde à l'humour: vos plaisanteries risquent de ne pas être comprises» (d'où, justement, l'utilité des binettes). En outre, chaque communauté virtuelle a sa propre charte de bonne conduite qu'il faut respecter sous peine d'expulsion.

«communauté». On appelle *modéré* un forum encadré de la sorte, et *modérateur* celui qui l'encadre. Ces termes, calqués sur *moderated* et *moderator*, sont entrés dans l'usage aux dépens de ceux, nombreux, qu'ont proposés les défenseurs de la langue *(administrateur, gestionnaire, responsable...)*[33].

C'est sans doute ici plus qu'ailleurs sur le Net, dans ce foisonnement de groupes virtuels, que les cybernovices ont l'impression d'entrer dans un monde d'initiés dont l'argot et les sigles, la netiquette et les binettes semblent conçus tout exprès pour éloigner le profane.

6 ▶ Dialoguer en temps réel

Les forums, si fréquentés soient-ils, ont l'inconvénient de se dérouler «au ralenti». Pour ceux qui aiment mieux causer en direct qu'en différé, les services ne manquent pas. Il en existe à foison sur le Web, mais le grand ancêtre de la conversation en ligne habite une autre région du Net qui s'appelle l'IRC (Internet Relay Chat). Il s'agit d'un énorme réseau de serveurs qui partagent le même protocole («langage» informatique) et qui permettent à ceux qui s'y connectent de dialoguer à plusieurs en mode texte (par clavier interposé) — *et en temps réel*[34].

Internet Relay... *Chat* — c'est naturellement sous ce nom que le phénomène s'est répandu en France. L'ennui, c'est que le mot existait déjà en français dans un tout autre sens et avec une tout autre prononciation. Solution: modifier l'orthographe afin d'obtenir la prononciation voulue. Résultat: *tchat*, prononcé [tʃat]. Les deux graphies coexistent aujourd'hui avec leur cortège de dérivés: *chatter, tchatter* (verbes), *chatteur, tchatteur*... Elles se voient concurrencer depuis quelques années par le régionalisme *tchatche* et sa forme verbale *tchatcher*, issus de l'espagnol *chacharear* («bavarder»)[35].

La Commission générale de terminologie et de néologie, fidèle à ses habitudes[36], a proposé qu'à *chat* soit substitué *causette* (*JO* 16 mars 1999). L'usage ne l'a pas suivie. L'Office québécois de la langue française a préféré, comme de coutume, créer un mot nouveau à partir de lexèmes existants, d'où sa

Le *weblog* (ou *blog*)

«De l'anglais *Web* et *log* (journal de bord)», expliquent les glossaires. Les allergiques au franglais ont l'embarras du choix: *blogue, weblogue, carnet Web, joueb* (journal Web), *blog-notes*...[37]

Et qu'est-ce qu'un blogue? Il s'agit d'un genre particulier de page perso (site personnel), mise à jour plus ou moins régulièrement par son créateur qui s'exprime librement sur le(s) sujet(s) de son choix. Les «billets», typiquement brefs, se présentent sur une seule page dans l'ordre chronologique inverse (les plus récents en haut).

À ses débuts, vers 1998, le blogue n'était guère plus qu'une liste d'hyperliens commentés. Mais le genre a vite évolué pour revêtir différentes formes qui vont du journal «intime» (en ligne!) au journalisme engagé en passant par la création littéraire. Dans cette «blogosphère»[38] en expansion on peut trouver de tout: des pages intéressantes, quelques petits chefs-d'œuvre, d'autres sites encore qui démontrent amplement que l'on peut beaucoup écrire sans rien dire.

Au début de l'année 1999 il y avait, en tout et pour tout, vingt-trois blogues dans le monde entier. Aujourd'hui on estime leur nombre à bien plus d'un million[39]. Comment expliquer cet extraordinaire essor? Citons d'abord le développement de nouveaux outils logiciels et matériels grâce auxquels la création, la mise à jour et l'hébergement des blogues sont désormais à la portée de tous. Pour les sociologues, le phénomène représenterait *l'anti-communauté en ligne,* une réaction contre la cacophonie grégaire des forums: seul maître à bord, le blogueur (jouebeur, carnetier) ne passe la parole que s'il le veut — et si quelqu'un l'écoute.

Sur l'avenir du genre, les avis sont partagés. Là où certains ne voient qu'un feu de paille, d'autres trouvent, du moins en puissance, «une révolution aussi lourde de conséquences pour l'édition que l'invention de la presse à imprimer»[40]. Bon nombre de commentateurs s'accordent désormais sur le pronostic à moyen terme: que l'on s'en félicite ou s'en afflige, c'est grâce au blogue que le Web pourra enfin remplir la promesse de ses débuts *en donnant à tout un chacun les moyens de publier n'importe quoi...*

recommandation: *clavardage* (le *chat* n'étant autre chose qu'un bav<u>ardage</u> par <u>clav</u>ier interposé). Le néologisme, affirme l'OQLF, a été «adopté par un grand nombre d'usagers du Québec et de la francophonie»[41] (très peu, nous semble-t-il, en dehors du Québec).

Quels que soient l'appellation retenue et le support utilisé (Web, IRC), le principe et le mode d'emploi restent les mêmes:

- On se connecte à un serveur via un navigateur (Web) ou un logiciel IRC.
- On choisit un pseudonyme et un groupe d'interlocuteurs — un salon (Web) ou un canal (IRC) — selon sa région, sa tranche d'âge et/ou le sujet dont on veut «parler», pour rejoindre une conversation en cours.
- S'affichent alors sur l'écran les pseudos des participants suivis de leurs messages. Pour entrer à son tour dans la conversation, on n'a qu'à taper son message dans le champ de saisie et l'envoyer pour le voir s'afficher aussitôt sur l'écran.
- Si l'on veut «parler» à quelqu'un en particulier, il suffit de cliquer sur son pseudo pour l'inviter dans un salon privé où la discussion peut se poursuivre plus tranquillement.

Dans les salons les plus fréquentés, où plusieurs dizaines d'interlocuteurs tapent en même temps, les messages sont affichés dans l'ordre de leur réception. Les délais d'affichage varient d'une seconde à une minute, ou pire, et l'on comprend, dans ces conditions, que le fil de la discussion, s'il existe, soit difficile, sinon impossible à suivre. En cela le *chat* ressemble à une conversation de vive voix: nous sommes ici à l'extrême pointe de la «communauté en ligne». En attendant, bien entendu, que se banalisent les outils de visioconférence avec micros et webcams...

Mais peut-être une réaction s'annonce-t-elle déjà. Après tant de causeries à bâtons rompus, il peut arriver à l'internaute d'éprouver le besoin d'un espace personnel, d'un cybercoin à soi — *ouvert à toute la planète*. De là, sans doute, la mode des «weblogs».

Sigles

ADP	assistant électronique de poche (France)	**FAI**	fournisseur d'accès Internet
ANP	assistant numérique personnel (Québec)	**FAQ**	foire aux questions (questions souvent posées)
CAO	conception assistée par ordinateur	**PréAO**	présentation assistée par ordinateur (syn: **présentatique**)
DAO	dessin assisté par ordinateur		

Lexique français–anglais

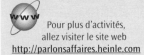

Pour plus d'activités, allez visiter le site web http://parlonsaffaires.heinle.com

abonner (s')	to subscribe	**annuaire** *(m.)*	directory (syn: **répertoire**)
abonné(e) *(n. et adj.)*	subscriber	**barre oblique** *(f.)*	slash
abonnement *(m.)*	subscription	**binette** *(f.)*	smiley
désabonner (se) (~ **de**)	to unsubscribe		

→

blogue *(m.)* blog, weblog
(syn: **weblogue, joueb, carnet Web, blog-notes**)
bogue *(m.)* bug
boule de commande *(f.)* trackball
clavier *(m.)* keyboard
copie papier *(f.)* hard copy
(syn: **sortie papier, tirage**)
courriel *(m.)* e-mail (message)
courrier électronique *(m.)* e-mail
(message) (**un ~**); e-mail (in general)
(**le ~**)
didacticiel *(m.)* educational software
(program); courseware; teachware
disque dur *(m.)* hard disk
disquette *(f.)* (floppy) disk
écran *(m.)* screen
édiciel *(m.)* desktop publishing (page
lay-out) program
éditique *(f.)* desktop publishing (syn:
micro-édition)
enregistrer to save
feuille de calcul *(f.)* spreadsheet
gigaoctet (Go) *(m.)* gigabyte (GB), i.e.
one billion bytes
graveur *(m.)* burner (recorder, writer)
imprimante *(f.)* printer
~ à jet d'encre ink-jet printer
~ (à) laser laser printer
index *(m.)* search engine (syn: **moteur
de recherche**)
informatique *(f.)* computer science
and technology
informatisation *(f.)* computerization
lecteur *(m.)* drive (**~ de disquette, de
CD, de DVD**)
lien (hypertexte) *(m.)* link (syn:
hyperlien)
liste de diffusion *(f.)* mailing list
logiciel *(n.m.* et *adj.)* software (**le ~**);
program (**un ~**); pertaining to software
ludiciel *(m.)* game software
matériel *(n.m.* et *adj.)* hardware
mégaoctet (Mo) *(m.)* megabyte (MB),
i.e. one million bytes

micro-édition *(f.)* desktop publishing
mise en page *(f.)* page lay-out
module d'extension *(m.)* plug-in
(France)
moniteur *(m.)* screen
moteur de recherche *(m.)* search
engine (syn: **index**)
navigateur *(m.)* browser
numérique *(adj.)* digital
numériser to digitize
numérisation *(f.)* digitizing
octet *(m.)* byte (= 8 bits, enough
memory for one character)
ordinateur de bureau *(m.)* desktop
computer (as opposed to *laptop*)
page d'accueil *(f.)* home page
pare-feu *(m.)* firewall
pavé tactile *(m.)* trackpad
périphérique *(n.m.* et *adj.)* peripheral
plugiciel *(m.)* plug-in (Québec)
portail *(m.)* portal
répertoire *(m.)* directory (syn: **annuaire**)
réseau *(m.)* network
sauvegarder to save; to back up
sortie papier *(f.)* hard copy (syn:
copie papier, tirage)
souris *(f.)* mouse
système (d'exploitation) *(m.)* operating system
tableur *(m.)* spreadsheet program
télécharger to download, to upload (a
file)
téléchargeable *(adj.)*
downloadable; uploadable
téléchargement *(m.)* downloading;
uploading
texteur *(m.)* word-processing program
(syn: **logiciel de traitement de
texte**)
tirage *(m.)* hard copy (syn: **copie
papier, sortie papier**)
traitement de texte *(m.)* word pro-
cessing; word-processing program
utilitaire *(m.)* utility

Activités

Pour plus d'activités, allez visiter le site web http://parlonsaffaires.heinle.com

I. Traduction

A. Français–anglais (version)

1. Au macro-ordinateur a succédé le mini, et au mini le micro. Maintenant il y a des ordinateurs de poche et même des «ardoises électroniques»! (N.B.: Avant de traduire, lire la note 2.)

2. On ne pourra jamais se passer de la «sortie papier»; par conséquent l'imprimante ne devrait pas être considérée comme un périphérique, mais plutôt comme une partie intégrante de la configuration.

3. Pour faire de l'éditique il faut un édiciel, et pour faire des feuilles de calcul, un tableur.

4. Moi, acheter un portable? Ayant grandi la souris à la main, je ne m'habituerais jamais au pavé tactile.

5. J'ai deux options: mettre à niveau mon vieux PC ou m'acheter un nouvel ordi doté de 256 Mo de mémoire et d'au moins 100 Go de disque dur.

6. Je veux aussi un écran LCD 20 pouces et un graveur de CD et de DVD.

7. Notre entreprise vient d'installer un pare-feu pour protéger son intranet contre les... les braqueurs?... les fouineurs?... mais comment appelle-t-on en français ces cyberpirates qui s'amusent à pénétrer les réseaux sécurisés?

8. Enfin le haut débit décolle en France, grâce à l'ADSL. Et la concurrence entre FAI fait baisser les prix.

9. Yahoo! a un répertoire excellent, mais pour trouver ce que vous cherchez il faut un moteur de recherche.

10. Hier j'ai passé une heure dans un bavardoir... enfin un clavardoir. C'était de l'algèbre! Toutes ces binettes, tous ces acronymes et ces graphies phonétiques! CT 1Bcil, 1 Kta! G Krémen 10jonKT.

B. Anglais–français (thème)

1. First, download the file, then save it to your hard drive, back it up on a Zip disk and print out a hard copy.

2. Too much e-mail! I've got to unsubscribe from all these mailing lists and install some spam-blocking software.

3. Every morning I upload my daily blog entry.

4. With a scanner you can digitize analog images.

5. Word is an incredible word-processor, but you can also do page lay-out with it.

6. Install this utility. It'll help you get rid of the bugs.

7. I'm going to buy a PC. Do you recommend a desktop or a laptop? How much memory do I need? How much storage space? (N.B.: Avant de traduire, lire la note 4.)

8. For desktop publishing and graphics, the Mac's operating system is definitely superior.

9. Software seems to be evolving faster than hardware these days.

10. My browser is telling me that the page won't display without some plug-in.

II. Matière à réflexion

1. Nous avons indiqué plusieurs équivalents «officiels» proposés en France et au Québec pour remplacer le franglais qui pullule dans le domaine de l'informatique. Que pensez-vous de ces efforts, en général, et des termes proposés, en particulier?

2. Projet de recherche: Pour vous faire une idée de l'étendue du problème — si problème il y a —, offrez-vous un petit voyage en cyberie «francophone» et faites un rapport sur vos découvertes. Un bon point de départ serait un portail pour internautes tel que *01net* (à <www.01net.com>) ou *Le Journal du Net* (à <www.journaldunet.com>).

3. Débat: Quelle attitude faut-il adopter devant la prolifération de mots anglais dans la langue française? Devrait-on s'incliner devant l'usage? y résister? essayer de le changer, de l'améliorer?

   «Améliorer l'usage? Mais c'est une contradiction dans les termes! C'est précisément *l'usage* qui définit ce qui peut se dire. À qui une langue appartient-elle, sinon à ses "usagers"?

   — Vous vous faites de l'usage et des "usagers" une idée réductrice. Il y a de nombreux "usages". Devant lequel voulez-vous que je m'incline? Certains valent bien mieux que d'autres, n'est-ce pas? De là, évidemment, la notion de faute, d'erreur linguistique...

   — Une langue peut s'enrichir d'emprunts. Pour rester vivace, elle doit s'ouvrir, évoluer...

   — Certes. Mais dans ce domaine il s'agit moins d'une évolution que d'une *invasion*. Là où vous voyez enrichissement, je ne vois qu'appauvrissement et paresse...»

   Continuez le dialogue.

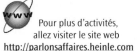
Pour plus d'activités, allez visiter le site web
http://parlonsaffaires.heinle.com

III. Pour se renseigner en ligne

1. Pour la France, le site de référence est celui de la Délégation générale à la langue française et aux langues de France, à <www.culture.gouv.fr:80/culture/dglf/garde.htm>, lien «Vocabulaire et terminologie». Sa base de données CRITER (Corpus du réseau interministériel de terminologie) contient toutes les recommandations de la Commission générale de terminologie et de néologie publiées au *Journal officiel*.

2. Au site de l'Office québécois de la langue française (www.oqlf.gouv.qc.ca), le *Grand Dictionnaire terminologique* est indispensable. À consulter aussi, dans la rubrique *Technologies de l'information*, les liens «Le signet informatique», «Vocabulaire d'Internet» et «Je clique en français» (ce dernier date considérablement).

3. Il existe de très nombreux dictionnaires informatiques en ligne, dont le plus complet, le plus à jour, le plus «convivial» est de loin *Le Jargon français* de Roland Trique. Consultez-le à <www.linux-france.org/prj/jargonf/index.html>.

Notes

1. Au tournant du siècle on se demandait régulièrement dans les médias si l'on pouvait «encore sauver le Minitel», et les commentateurs se divisaient sur le traitement à suivre: acharnement thérapeutique? non-intervention? euthanasie? Depuis plusieurs années déjà le nombre des minitelistes était en chute libre face à la concurrence de l'Internet, dont les avantages étaient écrasants (moindre coût, capacités multi-médias, diffusion mondiale, gamme infinie de sites et de services). Aujourd'hui le pronostic fait l'unanimité, la question n'étant plus *si*, mais *quand* le Minitel sera définitivement... débranché. Dans son dictionnaire du *Jargon français* (www.linux-france.org/prj/jargonf), ouvrage aussi amusant qu'utile, Roland Trique définit ainsi le Minitel: «Médium Interactif par Numérotation d'Informations TÉLéphoniques. Dinosaure particulièrement lent provoquant la fierté des *loosers* et de certains *wannabees* français. [...] En fait, dans l'ancien temps, c'était pas mal pour l'époque, même si la Direction Générale des Télécoms fut accusée d'avoir mis au point un "Concorde Électronique"» (par allusion, bien enten-du, au Concorde supersonique, mis au placard en octobre 2003).

2. Il s'agit respectivement: (a) d'un séminaire tenu à Suresnes le 28 janvier 2004, (b) du titre d'un livre et (c) d'une phrase cueillie dans un forum de discussion.

3. Ordinateur individuel, par opposition au *macro-ordinateur* (néologisme créé en 1993 pour traduire *mainframe*) et au *mini-ordinateur*, de taille et de capacité intermédiaires entre le macro et le micro. L'ordinateur central d'une entreprise ou d'un établissement était normalement ce qu'on appelle aujourd'hui un mini-ordinateur.

4. *PC* est le sigle, employé également en français, de *Personal Computer*. Depuis le 19 février 1984 les défenseurs de la langue sont formels: il faut traduire par *ordinateur individuel* ou *micro-ordinateur (JO)*. L'ennui, c'est que l'usage est tout aussi formel, qu'il contredit les prescriptions des terminologues et qu'il s'appuie sur l'histoire. À l'origine *PC* désignait uniquement les ordinateurs d'IBM. Il s'est appliqué par la suite aux «clones» (qu'à présent on appelle *compatibles*), c'est-à-dire aux ordinateurs dont le *matériel* (voir plus loin) ressemblait suffisamment à celui des PC IBM pour permettre l'utilisation des mêmes *logiciels*. Aujourd'hui le sigle PC s'emploie *parfois* en français au sens d'*ordinateur individuel (micro-ordinateur)*, mais le plus souvent — et sans exception chez les «accros du micro» (accrochés du micro-ordinateur) — il désigne *tout ce qui n'est pas Mac*.

5. Le hertz est une unité de mesure de fréquence; un mégahertz représente un million de hertz; un gigahertz, un milliard. De l'entrée de gamme au haut de gamme, les ordinateurs récents sont équipés de processeurs allant d'environ 500 MHz à plusieurs GHz.

6. Il existe aujourd'hui plusieurs sortes de RAM: SRAM, DRAM, SDRAM (static, dynamic, synchronous-dynamic), etc. Aucun de ces sigles et désignations n'a été francisé.

7. Les puristes insisteront ici sur une distinction. *Enregistrer*, c'est transférer sur un support durable (disque dur ou dis-quette), alors que *sauvegarder* consiste à créer une copie d'un document déjà enregistré («au cas où»).

8. *CD (compact disc)* et *DVD* (d'abord *digital video disc*, puis *digital versatile disc*) ont fait l'objet, au fil des années, de nombreuses tentatives de francisation: *disque compact*, *cédérom* (pour *CD-ROM: compact disc, read-only memory*); *disque numérique universel (polyvalent)*, etc. Aucun de ces termes ne s'est imposé. Même l'OQLF a dû s'incliner devant l'usage: l'utilisation du sigle anglais CD, écrit-il dans son *Grand Dictionnaire terminologique*, «s'est généralisée en français, mais avec la prononciation française: [cé dé]. Une façon de l'intégrer à la langue française. Arrivé tardivement, le sigle français DC (pour *disque compact*) est peu répandu». *Mais avec la prononciation française?* Certains s'étonneront de cette précision, d'apparence superflue: «Cela ne va-t-il pas sans dire? Ah! De quelles victoires en sont réduits à se con-tenter les défenseurs de la langue?», etc. Et cependant, la prononciation francisée n'est en rien automatique, comme en témoignent les nombreux anglicismes lexico-*phonétiques*: *prime time* [prajm tajm], *remake* [rimejk], *live* [lajv], les innombrables mots en *e-* (*e-mail, e-commerce, e-marketing...*), prononcés [i], pour ne pas mentionner les tout nouveaux mots en *i-*, prononcés... [aj]!

9. *Grand Dictionnaire terminologique* de l'Office québécois de la langue française. Le *g* se prononce comme celui de *logiciel*.

10. Selon d'autres sources, *progiciel* serait à l'origine une fusion de <u>pro</u>duit et de <u>logiciel</u>. Le mot est parfois employé au sens de *suite bureautique* (dans cette acception on dit plutôt *progiciel intégré*), c'est-à-dire un ensemble de logiciels complémen-taires, comme Microsoft Office. Depuis l'entrée du terme au *Journal officiel* le 17 janvier 1982, le sens a beaucoup évolué et demeure, aujourd'hui encore, plutôt flou.

11. Un(e) internaute est un(e) voyageur(-euse) du cyberespace. Le mot est une contraction d'<u>Inter</u>net et d'<u>astro</u>naute.

12. Normalement mais pas forcément: il est possible d'accéder au Net via un téléphone mobile, par exemple, et on peut se passer d'un modem si l'on dispose à son lieu de travail d'une connexion directe.

13. Notre petit dépouillement de la presse généraliste quoti-dienne (*Le Figaro* et *Le Monde*) et hebdomadaire (*L'Express, Le Point*), ainsi que de la presse spécialisée (*SVM* et *SVM Mac*), a donné pour la semaine du 1er au 7 mars 2004 les résultats suivants: *Internet* (sans article), 58%; *l'Internet* (avec l'arti-cle), 42%. Dans près de la moitié des cas, les deux formes se cotoyaient allégrement dans le même article.

14. Certains commentateurs veulent la bannir depuis quelques années déjà. Henry Landroit, par exemple, qui écrivait dès février 2000: «Écrire *l'Internet* (avec majuscule) ne se justifie donc plus, puisque ce terme ne désigne plus une sorte de "marque"» (éditorial intitulé «Internet, l'Internet ou l'inter-net?», paru en ligne dans *Verba volant: le journal des traduc-teurs de langue française*).

15. Ces trois équivalents furent officialisés au *JO* du 16 mars 1999. L'APFA (Actions pour promouvoir le français des affaires) «préconise de mettre une majuscule à Toile, en

application de l'usage selon lequel la majuscule est utilisée pour distinguer une acception particulière d'un nom commun (la Bourse, l'Église, l'État, le Tour, la Résistance, la Chambre, etc.)». Visiter leur site à <www.apfa.asso.fr>.

16. En français un seul mot, *télécharger*, doit faire double emploi *(to download, to upload)*. S'il faut préciser que l'on envoie un fichier au lieu de le récupérer, on peut dire: *télécharger vers le serveur* (ou *vers l'amont*). *Téléverser* et *téléversement* ont été proposés pour traduire *to upload* et *uploading*. Ce fut une trouvaille, mais les mots s'emploient rarement.

17. Ne pas confondre *page* et *site*. Un site peut être composé d'une seule page ou de plusieurs pages reliées. Dans le deuxième cas le visiteur du site trouve d'abord *une page d'accueil°* contenant des liens vers les autres pages du site.

18. *Portail:* entrée d'un édifice ou d'une propriété, comportant une grande porte.

19. *Page de démarrage:* la page qui s'affiche automatiquement chaque fois qu'on lance le navigateur (anglais: *default home page*).

20. Confusion assez répandue dont voici un exemple typique: «Le portail d'entreprise est, lui, un Intranet qui donne au personnel...» (www.etouch-solutions.com).

21. On parle d'*extranet* lorsqu'une entreprise ouvre son intranet à certains de ses partenaires et collaborateurs (clients, fournisseurs, succursales ou filiales).

22. D'autres équivalents de l'anglais *firewall* ont été proposés, dont *coupe-feu* (Québec), *barrière de sécurité* et *pont-levis électronique*.

23. Communiqué de la Délégation générale à la langue française et aux langues de France (www.culture.fr/culture/dglf/garde.htm).

24. À cette date fut publié dans le *Journal officiel* l'arrêté relatif au terme. Plus d'un an auparavant, on lisait déjà dans *Le Monde:* «Il a fallu batailler ferme, l'année dernière, pour que *Le Monde* adopte le terme *courriel*, inventé par les Québécois: plus court et plus pratique que *par courrier électronique*, il permettait d'éviter l'*e-mail* anglo-saxon qui donne des boutons aux défenseurs de la langue française» (23 mars 2002). Pour une discussion approfondie de la question, visiter *Arobase.org* (<www.arobase.org>, lien: «Doit-on dire *e-mail* ou *courriel?*»). N.B.: Avant l'adoption officielle de *courriel*, la Commission avait déjà proposé *mél* comme abréviation de *messagerie électronique* pouvant «figurer devant l'adresse électronique sur un document (papier à lettres ou carte de visite, par exemple), tout comme *tél* devant le numéro de téléphone». La Commission précise que «*mél* ne doit pas être employé comme substantif» (*JO* 20 juin 2003).

25. Cette graphie tend à s'imposer, aux dépens de *arobas, arobace* et *arrobe*. L'étymologie est fort discutée: *arrobe*, mesure espagnole? déformation de *a rond bas* (c'est-à-dire *minuscule*)? L'expression *a commercial* s'entend aussi. Pour tout savoir sur la question, visiter <www.arobase.org>, lien: «Qu'est-ce que l'arobase?».

26. Dans le nom de domaine, ce qui suit le point représente le «domaine de premier niveau», soit le ccTLD *(country code top level domain)* en deux lettres (fr, uk, be, de, etc.), soit le gTLD *(generic top level domain)* en trois lettres (com, edu, gov, etc.) qui indique la catégorie d'activité.

27. Plusieurs logiciels sont capables d'une belle mise en forme du courriel. Mais le message risque d'être illisible à l'arrivée si le logiciel du destinataire est incapable de digérer et d'afficher le formatage de l'expéditeur. Dans le doute, il vaut mieux s'abstenir de formater.

28. Certains persistent à préférer l'expression *copie cachée* à *copie conforme invisible*. À ceux-là, il arrive de prendre la zone *cc* pour celle qui se réserve aux destinataires «secrets»...

29. Malgré la pléthore de mots disponibles en français, *newsletter* est celui qui se voit le plus souvent dans les forums et sur les sites d'expression française.

30. L'expression *liste de discussion*, produit d'un croisement hâtif de *liste de diffusion* et *groupe de discussion*, n'est sans doute pas des mieux choisies. Condamnée par les terminologues, elle s'emploie encore, quoique de moins en moins. Souvent le terme *liste de diffusion* est employé pour désigner les deux services, unidirectionnel (la liste d'envoi) et interactif (le forum). Dans l'argot du Net on appelle *lidies* les deux sortes de listes.

31. Terme proposé par la Commission générale de terminologie et de néologie et publié au *JO* du 16 mars 1999 avec cette précision: «En France *frimousse* doit être préféré à *binette*.»

32. Ce sont là quelques-unes des abréviations (sigles pour la plupart) utilisées dans les cybersalons. Nous réservons à l'Appendice B *(Communiquer au téléphone)* une petite initiation aux *graphies phonétiques* des SMS, télémessages, minimessages, textos, etc., utilisés en téléphonie mobile: A2M1 (à demain), C (c'est), KC (cassé) OQP (occupé), etc.

33. Le modérateur s'appelle familièrement le *taulier* (en argot, propriétaire ou gérant d'un hôtel) ou le *graphite* (matériau qui sert à ralentir — à *modérer* — une réaction nucléaire).

34. Nous simplifions, évidemment (nos excuses aux «IRCiens»). Peu après ses débuts l'IRC s'est scindé en plusieurs sous-réseaux ayant chacun son propre protocole. Les centaines de (sous-)réseaux actuels sont autonomes, mais ils gardent un «air de famille» (protocoles, interfaces et commandes similaires) sans être identiques. Quelques-uns des grands réseaux IRC comprenant de nombreux canaux francophones sont: IRCnet, DALnet, EFnet et Undernet. EpiKnet est un réseau francophone «alternatif».

35. En Provence, *avoir (de) la tchatche*, c'est être enclin à beaucoup parler (cf. *avoir du bagout*). *Yahoo!* appelle *Tchatche* son service de dialogue en direct (fr.chat.yahoo.com).

36. La Commission préfère en général le *néologisme de sens* (emploi d'un mot existant dans un sens nouveau) au *néologisme de forme* (création d'un mot nouveau).

37. *Weblog* et surtout *blog* restent les termes les plus employés en français. *Blogue* est la forme francisée proposée par l'Office québécois de la langue française. Une comparaison de deux recherches Google, effectuées l'une en février 2004 et l'autre en janvier 2005, indique que *blogue* commence à s'implanter en France, mais lentement.

38. Il s'agit, selon Laurent Gloaguen, du «sous-ensemble du Web constitué par l'ensemble des blogues». Voir son *Lexicoblogue* à <embruns.net>. Le synonyme *carnetosphère* a été proposé par «la Grande Rousse», qui préfère *carnet Web* à *blogue*, et dont le *Glossaire subjectif du jargon carnetier*, à <www.francopee.com/carnet>, se lira aussi avec profit. Les deux

lexiques proposent de nombreux néologismes — utiles ou fantaisistes —, et se recommandent à tous ceux qui cherchent «des mots pour le dire»... *en français.*

39. Ainsi disent les historiens, déjà nombreux, du genre. On aimerait savoir précisément quels critères sous-tendent leur chiffres. En quoi, par exemple, les vingt-trois blogues recensés en 1999 différaient-ils des myriades de pages personnelles déjà en existence? Le critère serait-il l'outil de provenance? Un blogue est-il, par définition, créé à l'aide de *blogware? Pointblog.com* considère «leur caractère "unipersonnel" ou "individuel"» comme un point commun aux blogues (<www.pointblog.com>, lien: «L'abc du blog»). C'était vrai au début, mais aujourd'hui la plupart des blogues sont plus ou moins ouverts aux contributions des lecteurs. À quel point un blogue collaboratif (collectif, multi-auteur) devient-il un forum? Se pose ainsi le problème de la définition, si souvent abordé dans les blogues eux-mêmes.

40. Ainsi opinait — sérieusement, paraît-il — Andrew Sullivan en mai 2002 dans un article souvent cité: «The Blogging Revolution» (*Wired Magazine*, à <www.wired.com/wired/archive/10.05/mustread.html?pg=2>). Un tout autre point de vue avait été exprimé peu avant par John Dvorak dans «The Blog Phenomenon» (*PC Magazine*, 5 février 2002, à <www.pcmag.com/article2/0,4149,12899,00.asp>). Les blogues, écrivait-il, «often have serious elements of Hyde Park corner blather, besides blatant exhibitionism and obvious self-indulgence. And whatever you think of them, you'll admit that they are much more interesting than the static vanity site from years ago».

41. *Grand Dictionnaire terminologique* de l'Office québécois de la langue française.

3 À la recherche d'un emploi

L'Américain qui cherche un emploi en France s'aperçoit vite que les règles du jeu ne sont pas les mêmes. Pour s'en convaincre, on n'a qu'à parcourir les pages d'annonces d'un journal français: «Envoyer lettre manuscrite, CV et photo à…» Pourquoi faut-il, dans près du tiers des cas, que la lettre soit *manuscrite*? Tout simplement parce qu'elle fera l'objet d'une analyse graphologique. Il est vrai que l'écriture ne révèle guère plus sur les capacités d'un postulant que son signe du zodiaque, ce qui n'empêche pas d'autres employeurs de recourir… à l'astrologie[1]! Et la photo? «La veulent-ils», se demandera-t-on, «pour savoir si j'ai "la tête de l'emploi"?»

Si le candidat a la chance d'être convoqué par l'entreprise, il passera, dans 60% des cas, une batterie de tests de personnalité. Pour les tests dits «projectifs», utilisés par le tiers des DRH[2], le candidat doit dessiner un arbre, commenter une gravure, décrire ce qu'il voit dans une tache d'encre, le but étant de fouiller son inconscient, de sonder sa personnalité profonde. Son épreuve ne sera terminée qu'après l'entretien d'embauche, au cours duquel il risque de s'entendre poser des questions personnelles sur ses loisirs et sa famille.

«Mais ce sont», objectera-t-on, «d'inacceptables atteintes à la vie privée.» Assurément; du moins peut-on les qualifier ainsi du point de vue américain. Les Français commencent d'ailleurs à s'en rendre compte et s'américanisent à cet égard comme à tant d'autres. Selon une loi en vigueur depuis 1993, «les informations demandées, sous quelque forme que ce soit, au candidat à un emploi [...] ne peuvent avoir comme finalité que d'apprécier sa capacité à occuper l'emploi proposé ou ses aptitudes professionnelles. Ces informations doivent présenter un lien *direct* et *nécessaire* avec l'emploi proposé ou avec l'évaluation des aptitudes professionnelles»[3]. Les termes de la loi sont pourtant si généraux qu'on peut facilement la contourner, et bon nombre de recruteurs ne s'en privent pas. «Ces questions que l'on voudrait nous interdire», répliquent-ils, «ne sont-elles pas révélatrices de la personnalité du postulant? Et sa personnalité n'a-t-elle pas un "lien direct" avec le poste qu'il souhaite occuper?»

Le Code du Travail interdit les mesures discriminatoires, c'est-à-dire les distinctions opérées selon certains critères définis par la loi: «Aucune personne ne peut être écartée d'une procédure de recrutement [...] en raison de son origine, de son sexe, de ses mœurs, de son orientation sexuelle, de son âge, de sa situation de famille, de son appartenance ou de sa non appartenance, vraie ou supposée, à une ethnie, une nation ou une race, de ses opinions politiques, de ses activités syndicales [...], de ses convictions religieuses, de son apparence physique, de son patronyme ou, sauf inaptitude constatée par le médecin du travail [...], en raison de son état de santé ou de son handicap»[4]. Cependant, la loi n'est pas appliquée avec rigueur et les tribunaux sont rarement saisis[5].

Les règles du recrutement évoluent en France, mais lentement...

1 Les offres d'emploi

La chasse à l'emploi commence souvent par une petite annonce. La Figure 3.1 présente un échantillon d'offres et de demandes d'emplois. Les abréviations couramment employées sont présentées dans la Figure 3.2.

2 Le curriculum vitæ (CV)

Les mots latins signifient «course de la vie», ce qui exagère un peu l'objet du CV. Il s'agit, comme l'indique assez la traduction anglaise, d'un *résumé* des qualifications d'un demandeur d'emploi.

Figure 3.1

Offres et demandes d'emplois.

Offres d'emplois

Enseignement

ECOLE INTERNATIONALE PARIS 5ᵉ recherche **ENSEIGNANTE ANGLAIS** (enfants de 3 à 7 ans) Temps partiel Tél.: 43.74.90.47

Ecole privée pr adultes rech. ENSEIGNANTS, 4 h. par jour **INFORMATIQUE** Ayant BTS. Libre de suite. Env. CV, photo et prétent. à REDA, 31, quai Carnot 75013 PARIS. Ne pas téléphoner.

CABINET DE CONSEIL DE FORMATION EN LANGUES recherche pour adultes francophones **PROFESSEURS D'ANGLAIS QUALIFIÉS** Qualification pédagogique supérieure. 1 an d'expérience minimum exigé. Env. CV et prétentions à A.U.B., B.P. 765 94208 IVRY **NE PAS TÉLÉPHONER**

Le centre de formation continue de ESC recherche **ENSEIGNANTS** anglais, espagnol, secrétariat, dactylo, gestion, comptabilité, management, marketing, techniques de vente. Env. CV + photo à:

ESC, 36, rue de Silly 92300 LEVALLOIS-PERRET

FELLER FRANCE-MUSIQUE L'expérience de la Fondation Feller pour la musique, en matière d'éducation, montre que 4 ans est l'âge idéal pour commencer une INITIATION MUSICALE. Votre formation (piano, chant) CNSM, ENM, CNR, votre sens pédagogique et votre contact avec les enfants font de vous notre **PROFESSEUR H/F** Envoyer votre dossier de candidature (lettre manuscrite, CV, photo) à: SERVICE DU PERSONNEL BP 93, 94000 CRÉTEIL

Divers

RECHERCHE **PRÉCEPTEUR H/F** entre 25 et 35 ans, pour fille de 9 ans afin de lui faire suivre à plein temps des cours par correspondance d'une école privée de grande notoriété. Bilingue anglais/français (anglais langue maternelle apprécié); bonne connaissance espagnol. Licence ou équiv., excellente culture générale, aimant la vie à la campagne et les voyages. Ecr. au journal sous réf. 7567 qui transmettra.

Rech. JF ou MAMY gaie pour garder enfant difficile + travx mén. et repas soir. Temps complet, logée. Sérieuses réf. exigées. Déclaré. 42.68.76.10

PARIS 16ᵉ petite fille de 3 ans rech. sa nounou, anglais langue

maternelle, français courant, bonne éducation. Tél 40.67.84.03

EDITEUR cherche **SECRÉTAIRE STÉNO-DACTYLO TTX BILINGUE ANGLAIS** Env. lettre manus. + CV + photo + prétent. à: 11, rue d'Artois 92400 COURBEVOIE

Agence Conseil en communication recherche **STANDARDISTE RÉCEPTIONNISTE BILINGUE ANGLAIS** Maîtrise Macintosh, excellente présentation exigées. Merci d'adresser lettre, CV et photo à: IMAGES DE MARQUE 11, rue Mesnil 92112 CLICHY

Restaurant du 16ᵉ ch. **SERVEUR(EUSE)** qualifié(e). Poss. de logement. Tél. 43.65.97.89.

Cherche **ETUDIANT(E)S VENDEURS(EUSE)S.** Salaire motivant. Tél. 43.68.13.90.

Recherche **TRADUCTEUR(TRICE)** français-anglais et français-allemand. 03.12.83.64.

Demandes d'emploi

Etud. amér. donne cours anglais ts niveaux Tél: 49.97.33.86

Dame tte confiance, cinquantaine dynamique, douce, grand sens relationnel, rech. pl. 1 ms ou +. Tél. 01.57.28.90

H. sérieux rech. pl. employé de maison, libre de suite, excellentes réf. contrôlables. Tél. 02.47.86.70

JF expérimentée, sérieuses réf., rech. garde pers. âgée, jour/ nuit, semaine ou w-end. Tél. 01.32.25.81

H. rech. pl. cuisine, ménage, repassage, serv. table, excellentes présentation et réf. Tél. 04.93.88.65

J.H. cherche travaux divers (mécanique, peinture, papiers peints, jardinage, etc.). Tél. 03.57.68.52.

Figure 3.2

Abréviations couramment employées dans les offres et demandes d'emploi.

adr. adresser	**imm** immédiat(e)
bac + 3 baccalauréat plus 3 années d'études	**JF** ou **Jne F** jeune fille/femme
BP boîte postale	**manus** manuscrite
BTS brevet de technicien supérieur	**ms** mois
CDD contrat à durée déterminée	**nat** nationalité
CDI contrat à durée indéterminée	**pers** personne(s)
ch cherche	**pl** place
crs cours	**poss** possibilité
CV curriculum vitæ	**pr** pour
DESS diplôme d'études supérieures spécialisées (= bac + 5)	**prét** ou **prétent** prétentions (de salaire)
de suite tout de suite	**rech** recherche
DUT diplôme universitaire de technologie	**réf** référence
écr. écrire	**RV** rendez-vous
env ou **envoy.** envoyer	**s/réf** sous référence
ERP entreprise recevant du public	**sté** société
étud étudiant(e)	**TB** très bon (~ relationnel, par exemple)
exig exigé(e)(s)	**travx mén** travaux ménagers
H/F homme/femme	**ts/tt/tte** tous/tout/toute
	TTX traitement de texte
	5ᵉ cinquième arrondissement (Paris)

Les ouvrages spécialisés distinguent plusieurs types de CV, allant du *CV chronologique* au *CV-flash*, en passant par le *CV fonctionnel* et le *CV chrono-fonctionnel*. À chaque profil de candidat correspond un type de CV. Pour simplifier un peu cette situation complexe, nous proposerons ici un modèle qui convient à un(e) candidat(e) relativement jeune, plus riche en études qu'en expériences et qui débute dans la vie professionnelle.

Les recruteurs français consacrent en moyenne trente secondes à la «lecture» de chaque CV. Si la première impression est mauvaise, ils risquent de ne pas aller plus loin. De là l'importance capitale de la *présentation*. Voulez-vous valoriser le *fond* (votre expérience, vos compétences)? Soignez la *forme*. En particulier:

- En matière de CV, la brièveté prime l'exhaustivité. Quelle que soit donc l'expérience du candidat, et si long que soit son parcours professionnel, son CV ne devrait jamais dépasser deux pages. Le CV d'un jeune candidat peut et doit toujours tenir sur *une seule page*.

- Veillez à ce que la mise en page soit suffisamment «aérée»: marges de 2 à 3 cm (au moins 0,75 pouce); sections séparées par un double interligne; et pour les listes, le format «à puces»[6] — comme celui de la liste que vous êtes en train de lire.
- Évitez les polices de caractères[7] décoratives, fantaisistes ou «m'as-tu-vu». Vous ne tapez pas à la machine à écrire: évitez donc également la police Courier. Dans la famille des polices à empattements[8], choisissez l'une des classiques, telles que Garamond, Bodini ou Times. Pour donner au CV une allure plus contemporaine, utilisez de préférence une police bâton comme Arial, Verdana ou Helvetica. Ne mélangez pas plus de deux polices différentes; une seule vaut mieux.
- Pour la mise en relief, le soulignement, vestige de la machine à écrire, ne se justifie plus. Préférez-y **le gras** (pour les titres des rubriques, par exemple), *l'italique* (pour les fonctions et les réalisations), l'encadré ou le grisé (pour l'accroche).
- Le point final est suivi d'*un seul espace*, et non pas de deux; en cela, la typographie française ressemble à l'anglo-américaine. Il y a cependant quelques différences. En typographie française un espace insécable précède le point-virgule, les deux points, le symbole pour cent (% ou ‰), le point d'interrogation et le point d'exclamation. (Mais il vaut mieux éviter ces deux derniers dans un CV...) Le tiret est précédé et suivi d'un espace (sécable).

Votre CV se composera de plusieurs *rubriques* ou sections. En voici les principales, présentées dans l'ordre de leur apparition dans le CV (voir la Figure 3.3).

2.1 L'état-civil

Il est déconseillé d'écrire *Curriculum vitæ* en tête de votre CV: à en croire les experts, cette indication inutile agace les recruteurs. Le CV commencera donc par le nom et les coordonnées personnelles du candidat: adresses postale et électronique, numéro(s) de téléphone. Le prénom précède le nom, et ce dernier s'écrit en majuscules. Il est inutile d'indiquer *M.*, *Mlle* ou *Mme*, à moins d'avoir un prénom mixte (comme Leslie ou Robin), auquel cas l'usage actuel tend à préférer la lettre H ou F entre parenthèses placée après le nom. Dans cette rubrique, située presque toujours en haut et à gauche — moins souvent, centrée —, il est d'usage d'indiquer aussi son âge[9].

2.2 La photo

Elle n'est indispensable que si vous répondez à une annonce qui la demande. Dans ce cas elle aidera le recruteur à se souvenir de votre CV lors du premier triage, et de vous, lors de l'entretien. Placez-la en haut de la feuille, à droite, en évitant les agrafes, les trombones et la colle. Aujourd'hui la meilleure solution est d'insérer dans le fichier du CV une photo numérique ou une photo classique scannée.

2.3 L'accroche

Les publicitaires appellent *accroche* un dessin ou un slogan destiné à accrocher l'attention du consommateur. Dans un CV il s'agit d'une brève formulation de *l'essentiel* sur laquelle on souhaite attirer l'attention du recruteur. Le contenu dépendra de la situation:

- Répondez-vous à une offre d'emploi? Vous mentionnerez précisément le poste annoncé.
- Si vous écrivez à une entreprise pour lui proposer vos services sans savoir si elle en a besoin (*candidature spontanée*), vous indiquerez plus largement votre *objectif de carrière* ou *projet professionnel*.
- On peut indiquer ici ses principaux atouts en rapport avec le (genre de) poste visé: *8 ans d'expérience dans le secteur de..., Bonne connaissance de..., Spécialiste de*, etc.
- Une variante récente est la citation, que l'on choisira évidemment en fonction du poste. À éviter: les banalités édifiantes qui dévalorisent une candidature. Mais les citations plus intéressantes présentent, elles aussi, un risque. *«Les faibles ont des problèmes; les forts ont des solutions. — Louis Pauwels»* est une maxime qui convient à un poste de directeur de haut niveau. Elle pourrait vous valoir d'être engagé(e) sur l'heure ou reconduit(e) sur-le-champ; tout dépend du recruteur.

Sans être obligatoire, l'accroche facilite la tâche du recruteur et tend aujourd'hui à se généraliser.

2.4 Formation

Il s'agit de vos études et de vos diplômes: n'écrivez donc pas *Éducation*, qui signifie tout autre chose. Présentez vos études *dans l'ordre rétro-chronologique* (en commençant par la date la plus récente). Il est inutile de traduire les noms propres: l'University of Illinois n'est pas «l'Université de l'Illinois». Inutile aussi, et parfois trompeur, de «traduire» les diplômes: un *M.A.* n'est pas une maîtrise[10].

2.5 Langues

Vous avez, en matière de langues étrangères, des compétences particulières: faites-en donc une rubrique à part. La formule *lu, écrit, parlé* est souvent — trop souvent — employée. Il vaut mieux l'éviter en faveur d'une indication de votre niveau, selon l'échelle suivante:

- Français: notions
- Français: connaissance moyenne
- Français courant
- Bilingue anglais (langue maternelle)/français[11]

2.6 Expérience(s) professionnelle(s)

Présentez vos expériences en commençant par votre emploi actuel ou le plus récent. L'ordre normal des indications est le suivant: d'abord les dates; ensuite l'employeur; enfin le poste occupé avec une brève description de vos activités. Pour les dates, il suffit dans la plupart des cas d'indiquer les années. Deux exceptions: les stages («mai–août 2006») et un emploi occupé depuis moins d'un an («septembre 2006 à ce jour»). Dans la description des activités, la forme grammaticale peut varier selon qu'il s'agit de responsabilités (tâches) ou de réalisations (résultats obtenus). Pour décrire les premières, employez des substantifs («gestion de...») ou l'imparfait («je gérais...»), et pour les secondes, des substantifs («conception et mise en place de...») ou le passé composé («j'ai conçu et mis en place une...»).

2.7 Centres d'intérêt

C'est ainsi que s'intitule le plus souvent cette rubrique, mais on voit aussi: *Loisirs, Activités extra-professionnelles, Autres activités, Violons d'Ingres*[12], *Renseignements personnels, Hobbies* et *Passions*[13]. Nous sommes ici à la limite des vies professionnelle et privée, mais bien des recruteurs estiment qu'il existe d'étroits liens entre les deux, et aujourd'hui une telle rubrique figure dans la moitié des CV. Sont bien reçus par les DRH: les sports d'équipe et d'endurance, les activités artistiques et associatives. À éviter: tout ce qui risque de banaliser votre CV (la lecture, le cinéma, la marche...).

2.8 Divers

C'est dans cette rubrique, intitulée parfois *Autres mentions,* que l'on peut indiquer son âge et sa situation de famille: *23 ans, célibataire* ou *38 ans, marié, 2 enfants,* par exemple. Ces mentions sont facultatives, mais elles figurent dans la plupart des CV, souvent au début, juste après les coordonnées. Pour ces renseignements la règle est simple: s'ils constituent un atout pour le poste auquel vous postulez, indiquez-les; s'ils sont sans rapport avec le poste ou s'ils risquent même de vous desservir, ne les mentionnez pas[14]. Exception: votre nationalité, dont l'indication est de rigueur si vous envisagez de travailler en dehors de votre pays.

D'autres rubriques peuvent se justifier, selon le secteur de l'emploi et le profil du candidat: *Organisations professionnelles, Publications,* etc. On mettra généralement de telles rubriques après celle de l'expérience professionnelle. N.B.: Les références ne sont presque jamais mentionnées dans un CV français. De temps en temps on voit, sans indication de noms: *Références: Communiquées* [ou *Fournies*] *sur demande.*

Figure 3.3
Modèle de CV.

Linda DANNESKJÖLD
141 West Wooster Street
Bowling Green, Ohio 43402
États-Unis

☎ 419.352.5555 (portable)
☎ 419.373.5555 (répondeur)
✎ lindan@youpi.com

MON OBJECTIF DE CARRIÈRE
Exploiter à fond mes atouts principaux:
la maîtrise du français et de l'informatique

FORMATION _____

2005	MA (Master of Arts) de français, Bowling Green State University (Ohio, États-Unis)
2005	*Diplôme de français des affaires, 1er degré* de la Chambre de Commerce et d'Industrie de Paris (mention très bien)
2003	BA (Bachelor of Arts) de français et d'art, Bradley University (Illinois, États-Unis)

INFORMATIQUE _____

- Maîtrise des logiciels Adobe: PageMaker, Photoshop, Illustrator et Acrobat
- Spécialiste en création de sites Web

SÉJOURS À L'ÉTRANGER _____

- 2 ans en France, dont une année d'études à l'Université François-Rabelais, Tours (2003–04)
- 6 mois au Québec, dont 4 mois d'études à l'Université Laval (semestre d'automne 2002)

LANGUES _____

- Bilingue français/anglais (langue maternelle)
- Espagnol: connaissance moyenne

EXPÉRIENCES PROFESSIONNELLES _____

2004–2005	*Chargée de cours à Bowling Green State University. J'ai assuré des cours de français, niveaux élémentaire et moyen.*
Été 2004	*Stagiaire dans l'agence de conception graphique IMAGES DE MARQUE (Tours), où j'ai conçu et réalisé des sites Web pour de nombreuses entreprises.*
Été 2003	*Hôtesse d'accueil à Euro Disney, au restaurant L'ASTRAL.*

CENTRES D'INTÉRÊT _____

Peinture à l'huile et à l'acrylique, dessin, photographie

DIVERS _____

23 ans • nationalité américaine

RÉFÉRENCES ET ADRESSES DES SITES WEB RÉALISÉS _____

Fournies sur demande

3 La lettre d'accompagnement

Un dossier de candidature comprend toujours une lettre dont l'objet est de *faire lire le CV*. Deux cas peuvent se présenter:

- Vous adressez votre candidature à une entreprise qui a annoncé un poste à pourvoir.
- Vous écrivez à une entreprise pour lui proposer vos services sans savoir si elle en a besoin (*candidature spontanée*).

Dans le cas d'une candidature spontanée la lettre sera dactylographiée. Sur ce point tous les «experts» sont d'accord. Et si l'on répond à une offre d'emploi? Ici les avis sont partagés. Selon les uns, «l'usage, en France, favorise la lettre [d'accompagnement] manuscrite et une grande majorité des lettres le sont encore aujourd'hui»[15]. Selon les autres, «les lettres [d'accompagnement] ne sont quasiment plus manuscrites aujourd'hui. [...]»[16].

Les deux camps se contredisent non seulement sur ce qui se fait, mais encore sur ce qui doit se faire. Les traditionalistes, de plus en plus minoritaires, demeurent partisans fidèles de la plume: «La lettre en réponse à une petite annonce est un acte unique et, à ce titre, doit être écrite à la main. Avec une lettre manuscrite, vous montrez toute l'attention et l'intérêt que vous portez à cette candidature»[17]. Mais les modernistes sont tout aussi formels: «La lettre manuscrite accompagnant un CV fait vieux jeu. De plus, elle donne du chercheur d'emploi une image pas très favorable». D'où «ce conseil très ferme: jamais de lettre manuscrite» — même si l'annonce en demande une[18] !

Sans doute, grâce à l'Internet, la lettre d'accompagnement manuscrite est-elle vouée à l'extinction dans un proche avenir. Mais en attendant que tous les dossiers de candidature soient transmis électroniquement, il vaut mieux respecter les annonces — de moins en moins nombreuses — qui précisent: «lettre manuscrite». Sans cette mention, la lettre sera dactylographiée.

La lettre se composera de trois parties. Dans l'entrée en matière vous motiverez la prise de contact en indiquant s'il s'agit d'une réponse à une offre d'emploi ou d'une candidature spontanée. Si vous répondez à une annonce, écrivez, par exemple:

- *En réponse à votre annonce parue dans* Le Figaro *du 2 août, je vous adresse ma candidature pour le poste de...*
- *Votre annonce parue le 2 août dans* Le Figaro *a retenu toute mon attention. En effet...*
- *Pour faire suite à votre offre d'emploi parue dans* Le Figaro *du 2 août, je vous soumets ma candidature au poste de...*

Pour une candidature spontanée la tâche se complique et les options se multiplient. On pourrait entrer en matière ainsi:

- *Passionné(e) par le secteur du..., je souhaiterais intégrer votre société en tant que...*
- *Actuellement étudiant(e) à... / Titulaire du..., je vous adresse ma candidature pour un poste de...*
- *C'est avec un vif intérêt que j'ai lu, dans* Le Figaro *du 2 août, l'article consacré à votre projet de... Je pense avoir le profil requis pour rejoindre votre équipe.*

Figure 3.4
Modèle de lettre d'accompagnement pour une candidature spontanée.

LINDA DANNESKJÖLD
147 rue Victor-Hugo
37000 TOURS

Monsieur Pierre D'ALVÉDRE
Restaurants «Chez Pierre»
42 rue de l'Arrivée
75733 PARIS

Tours, le 10 août 2006

Objet: offre de collaboration
P.j.: 1 CV

Monsieur,

Je profite de votre passage à Paris pour vous proposer mes services.

J'ai lu récemment dans le *Journal officiel* un rapport de Patrice Martin-Lalande intitulé «Internet: un vrai défi pour la France». Le député y fait état de l'inquiétante sous-utilisation par les Français des technologies de l'information, et notamment de la cyber-présence plutôt... *discrète* des entreprises françaises. Cette situation pourrait desservir en particulier une entreprise — telle justement que la vôtre — qui cherche à conquérir un marché aux États-Unis.

La réputation de vos restaurants dans la région newyorkaise n'est plus à faire. Vos nouveaux établissements aux environs de Chicago gagneraient à être mieux connus. Comment réunir offre et demande dans ce marché important? Une campagne publicitaire bien ciblée, à partir d'annonces-presse et de panneaux gros format bien placés, invitant vos clients potentiels, internautes pour la pupart, à visiter un site Web bien conçu qui mette en valeur les richesses de votre cuisine et de votre cave — voilà quelques éléments de la stratégie que j'envisage pour faire affluer «Chez Pierre» les habitants de Winnetka, de Kenilworth et de Wilmette.

J'aimerais avoir l'occasion de vous en parler. Un entretien me permettrait de vous montrer mes réalisations en matière de sites Web, et de vous entretenir de l'expérience dont fait état le CV ci-joint. À cet effet je me permettrai de vous appeler dans le courant de la semaine prochaine afin de convenir d'un rendez-vous.

Veuillez agréer, Monsieur, l'expression de mes sentiments les meilleurs.

Linda Danneskjöld

Linda Danneskjöld

Dans la deuxième partie de la lettre vous expliquerez ce que vous pouvez apporter à l'entreprise et pourquoi l'entreprise vous intéresse. La règle d'or: *personnaliser,* autant en ce qui *vous* concerne qu'en ce qui concerne *les besoins de l'entreprise.* Il s'agit de motiver votre candidature tout en amenant l'entreprise à s'y intéresser. Il n'est pas inutile d'annoncer ici que vous joignez votre CV à la lettre:

- *Le CV ci-joint résume mon parcours dans... met en valeur mes capacités à... vous montrera que...*
- *Vous pourrez constater à la lecture du CV ci-joint que...*
- *Comme nous avons convenu lors de notre conversation téléphonique de ce jour, je joins à cette lettre mon curriculum vitæ.*

Dans la troisième et dernière partie, juste avant la formule de politesse, n'oubliez pas de *demander un rendez-vous.*

La Figure 3.4 présente un modèle de lettre d'accompagnement.

4   L'entretien d'embauche

Votre CV a plu, votre lettre a fait mouche. Vous avez peut-être le profil recherché. Vous voilà donc convoqué(e) à un entretien d'embauche[19]. C'est l'étape décisive de votre parcours. Comment la réussir?

Il existe, pour vous y entraîner, des centaines de livres, des milliers de sites Internet. On y apprend, par exemple, qu'avant l'entretien il faut *se renseigner sur l'entreprise, s'habiller correctement, arriver à l'heure, jeter son chewing-gum,* etc. De bons conseils, certes, que le candidat aura intérêt à suivre, mais... ne vont-ils pas sans dire?

Et pendant l'entretien? Ici non plus, les conseils ne manquent pas. En voici quelques exemples glanés au hasard, tous authentiques et cités textuellement: «*Ayez de l'entrain... Évitez de gesticuler... Ne répondez pas par "oui" ou par "non". Essayez de faire des phrases complètes... Ne soyez pas trop bavard... Vendez-vous... Évitez l'image du demandeur... Soignez l'entrée: le pas décidé, la poignée de main ferme, le regard soutenu... Présentez-vous simplement et humblement... Montrez-vous le plus volontaire et confiant possible... Essayez de deviner la personnalité de votre interlocuteur afin de vous y adapter... Caressez-le dans le sens du poil... Soyez souriant. Même si avez de grosses difficultés, ne les montrez pas.*» Et après tout cela: «*Restez vous-même, soyez naturel*»!

Nous ne pensons pas que les conseils de ce genre soient d'une grande utilité.

Nous estimons, en revanche, que le candidat doit anticiper les questions qu'il risque de s'entendre poser et préparer ses réponses. La Figure 3.5 présente «les vingt questions auxquelles vous devez vous attendre... et vous préparer» — celles qui reviennent le plus souvent dans les entretiens d'embauche. Elles portent pour la plupart sur les sujets «classiques»: études, expériences professionnelles, compétences, disponibilité, mobilité, motivation, etc. Mentionnons, en outre, trois cas particuliers:

1. Les *mises en situation* sont à la mode depuis quelques années. Il s'agit d'un jeu de rôle conçu pour évaluer les qualités de contact, la résistance au stress, l'*aplomb* du candidat. Votre interlocuteur vous dit, par exemple: «Vous voyez

Figure 3.5

Les vingt questions auxquelles vous devez vous attendre... et vous préparer.

1. Parlez-moi de vous. (Qui êtes-vous?)
2. Que savez-vous de notre entreprise? (de nos produits? de notre concurrence?)
3. Pourriez-vous me résumer vos études?
4. Décrivez-moi rapidement vos expériences professionnelles.
5. Pourquoi voulez-vous changer d'emploi? (Pourquoi avez-vous quitté votre emploi précédent?) Décrivez-moi vos (anciennes) responsabilités (actuelles).
6. Pourquoi avez-vous répondu à notre annonce? (Qu'est-ce qui vous intéresse dans ce poste? Pourquoi voulez-vous travailler pour nous?)
7. Définissez le poste auquel vous postulez. Quelles sont, à votre avis, les qualités nécessaires pour réussir dans ce poste? Les possédez-vous?
8. Comment vous voyez-vous dans cinq ans? (Quel poste souhaitez-vous occuper dans cinq ans? Qu'attendez-vous des cinq années à venir? Quel est votre objectif de carrière à moyen terme?)
9. Pourquoi devrais-je vous embaucher? (Quel intérêt aurions-nous à retenir votre candidature plutôt qu'une autre?)
10. Accepteriez-vous de vous déplacer souvent? à l'étranger? Êtes-vous prêt(e) à déménager? à suivre des formations supplémentaires?
11. Combien d'heures par semaine travaillez-vous? Combien d'heures hebdomadaires pensez-vous que ce poste exige? pourriez-vous travailler?
12. Quelles sont vos qualités? Quels sont vos défauts? (vos points forts? vos points faibles?)
13. Comment décririez-vous votre personnalité? Êtes-vous optimiste ou pessimiste?
14. Préférez-vous travailler seul(e) ou en équipe?
15. De quel résultat (quelle réalisation) êtes-vous fier (fière) dans votre vie professionnelle?
16. Quels ont été vos échecs?
17. Faites le portrait du collègue (ou du patron) idéal. Quels traits de caractère supportez-vous le moins? Avec quel genre de personne vous est-il difficile de travailler?
18. Si vous êtes embauché(e), que ferez-vous d'abord? De combien de temps pensez-vous avoir besoin pour devenir performant(e)?
19. Postulez-vous ailleurs? Avez-vous d'autres contacts (offres)?
20. Quel salaire souhaitez-vous? (Combien espérez-vous gagner chez nous? Combien gagnez-vous actuellement? Quel était votre ancien salaire?)

ce... ce... cette agrafeuse? Essayez de me la vendre.» Souvent la situation est problématique, voire conflictuelle: «Vous n'êtes pas du tout d'accord avec votre supérieur hiérarchique sur un projet qui lui est cher mais que vous croyez voué à l'échec. Comment vous y prenez-vous?»

2. Les questions personnelles sont permises, comme nous l'avons vu, si elles ont un «lien direct» avec le poste. Comprenez: *Si elles peuvent être considérées comme ayant un lien direct.* Le candidat ne devrait donc pas s'étonner — ni, surtout, se formaliser — de questions telles que les suivantes: «Qu'avez-vous fait ce matin? Qu'allez-vous faire cet après-midi? Avez-vous des frères ou des sœurs? Que font (faisaient) vos parents? Quelle est la profession de votre conjoint(e)? Que feriez-vous s'il/elle était muté(e)? Avez-vous des enfants? (l'intention d'en avoir?) Comment sont-ils gardés?». Si le «lien direct» d'une question vous échappe, le recruteur aura beau jeu de vous expliquer en quoi elle lui permet, comme l'exige la loi, «d'apprécier [votre] capacité à occuper l'emploi proposé»[20]. Seules sont interdites — et rarement posées, de nos jours — les questions portant sur les opinions politiques, les convictions religieuses et la vie sexuelle.

3. N'oublions pas, pour clore, les questions que vous, candidat(e), poserez au recruteur en fin d'entretien. Selon le niveau du poste, elles porteront sur l'entreprise, sur le poste et/ou sur le recrutement (de préférence dans cet ordre). Voici quelques possibilités.

- Quels sont vos projets à court terme? vos concurrents? Quel est votre taux de croissance? votre objectif commercial pour l'année prochaine? Comment se développe votre marché? Comment vous y positionnez-vous?
- Pourquoi (Depuis quand) le poste est-il vacant? S'agit-il d'une création de poste? Comment la personne engagée sera-t-elle évaluée? Y a-t-il des perspectives d'avancement (d'évolution)? Quelles sont, à votre avis, les difficultés majeures du poste? les aspects les plus positifs?
- Quelle est la prochaine étape? Quelle sera la suite de la procédure d'embauche? Quand pourrai-je savoir le résultat?

La plupart des candidats posent trop peu de questions et les recruteurs s'en plaignent. En posant les vôtres — trois, au minimum, et davantage si l'occasion s'en présente — votre but sera moins de vous renseigner que de faire preuve d'initiative et de motivation.

Activités

Pour plus d'activités, allez visiter le site web http://parlonsaffaires.heinle.com

I. **Mise en pratique**

1. Choisissez une offre d'emploi publiée dans un journal ou en ligne et postulez au poste proposé. Votre dossier de candidature comprendra votre CV et une lettre d'accompagnement.

2. Posez votre candidature spontanée à un poste de stagiaire. Votre dossier comprendra votre CV et une lettre d'accompagnement (tapée). Votre correspondant(e) saura, à la lecture de votre lettre, que vous vous êtes bien renseigné(e) sur son entreprise.

3. Vous faites un séjour d'un an à Tours et vous avez besoin d'un travail à temps partiel pour arrondir vos fins de mois. Rédigez une demande d'emploi dans laquelle vous proposez vos services en tant que prof d'anglais, baby-sitter, etc. Inspirez-vous de demandes d'emploi trouvées sur un site Web ou dans un journal.

4. Consultez quelques-uns des nombreux «guides du CV» en ligne. Comparez leurs conseils aux nôtres.

Pour plus d'activités, allez visiter le site web http://parlonsaffaires.heinle.com

II. Pour se renseigner en ligne

1. Une recherche Google sur «offres d'emploi» donne près de deux millions de résultats! Ciblez donc vos navigations en visitant un *site portail* consacré à l'emploi. Tous proposent une «CV-thèque» (banque de CV), un moteur de recherche multicritères pour les offres, ainsi que de nombreuses fiches pratiques sur le CV, la lettre d'accompagnement (de motivation) et l'entretien d'embauche. Voici quelques-uns parmi les meilleurs:

   • Cyber Emploi Centre (www.cyber-emploi-centre.com)
   • Monster.fr
   • Net-Work.fr

   N'oublions pas l'ANPE (l'Agence nationale pour l'emploi), dont le site (à www.anpe.fr) propose plus de 100 000 offres d'emploi, ainsi que toute la gamme des conseils (CV, lettre, entretien), téléchargeables au format PDF.

2. Pour vous renseigner sur une enterprise, visitez Kompass (www.kompass.fr) ou Bottin (www.bottin.fr).

3. La plupart des portails généralistes comprennent des «sous-portails» sur l'emploi. C'est le cas, par exemple, de *Yahoo!* (fr.yahoo.com); cliquez sur le lien «Emploi» dans la rubrique «C'est pratique».

Notes

1. Combien d'employeurs recourent à ces pratiques? Les chiffres sont difficiles à obtenir, personne ne voulant avouer. Pour la graphologie, les sondages d'il y a une décennie évoluaient autour de 80%. Actuellement le chiffre se situerait sans doute aux environs de 20%. Dans la presse écrite près du tiers des annonces demandent une lettre manuscrite, mais dans les offres d'emploi publiées en ligne c'est plutôt exceptionnel. Aujourd'hui la plupart des dossiers de candidature sont transmis électroniquement (et par conséquent sans lettre manuscrite). Quant à l'astrologie, 15% des entreprises y recouraient encore en 1996, selon «Capital: Entreprise sous silence», une émission diffusée sur M6 le 5 janvier 1997. Nous voulons croire que ce chiffre ait beaucoup baissé depuis lors.

2. <u>D</u>irecteurs des <u>r</u>essources <u>h</u>umaines, responsables du recrutement.

3. Code du Travail, article L 121–6 («la loi Aubry» du 31 décembre 1992); c'est nous qui soulignons.

4. Code du Travail, article L 122–45 (16 novembre 2001).

5. La première étude scientifique dans ce domaine, menée par Jean-François Amadieu, professeur de gestion à l'Université Paris-I et directeur de l'Observatoire des Discriminations, s'est achevée en 2004. Sept CV types, ne différant que par une variable (sexe, apparence, ethnicité, etc.), ont été envoyés à 258 offres d'emploi (1 806 CV au total). Les résultats ont été publiés dans *Le Figaro* du 19 mai 2004: «À diplôme égal, un Maghrébin a cinq fois moins de chance [sic] de décrocher un entretien d'embauche pour un emploi de commercial qu'un Français dit "de souche". Une personne handicapée a quinze fois moins de chance qu'une personne valide. Un quinquagénaire ou encore une personne laide ou vivant dans un quartier à la mauvaise réputation sont également refoulés». La conclusion de l'étude se résume dans le titre du dossier, signé Cécilia Gabizon: «Les préjugés à l'embauche ont la vie dure».

6. L'expression *liste à puces* (ou *liste non numérotée*) a été proposée pour traduire l'anglais *bulleted list*.

7. Police de caractères: «assortiment complet des caractères de même famille (même forme)» (*Petit Robert*). Anglais: *font*.

8. *Police de caractères à empattements* et *police de caractères bâton* traduisent respectivement *serif font* et *sans serif font*. (Contrairement à ce que l'on pourrait penser, *sans serif* n'est pas français.) L'*empattement* (anglais: *serif*) est un petit trait horizontal à la tête ou au pied du jambage (trait vertical). L'absence d'empattements, comme dans la police bâton Arial, confère au texte un aspect plus aéré, plus «léger». À comparer, par exemple, à Palatino, police à empattements.

9. «Cette mention est obligatoire [...]. Ne pas spécifier son âge attirera l'attention», lit-on dans *Le Guide de la recherche d'emploi* (Paris: VMP, 2003), p. 193. Tous les experts ne sont pas de cet avis, mais le fait est que l'âge est indiqué dans la quasi-totalité des CV français (95%), soit au début, dans la rubrique d'état-civil, soit à la fin, dans une rubrique intitulée «Divers» ou «Autres mentions».

10. L'harmonisation européenne des diplômes est actuellement en cours et se généralisera à terme dans les pays de l'UE. Dans le nouveau système, appelé LMD (licence = bac + 3, master = bac + 5, doctorat = bac + 8), l'équivalence *M.A./master* est moins problématique (comme celle, d'ailleurs, du *B.A.* et de la *licence*), mais même ici il vaut mieux, à notre avis, garder l'intitulé américain des diplômes américains et laisser au recruteur le soin de «traduire».

11. Tout lecteur du présent ouvrage possède au moins une «connaissance moyenne» du français. «Courant» indique au recruteur que vous pouvez vous entretenir avec lui (pas forcément sans fautes), ce qu'il ne manquera pas de vérifier. «Bilingue» signifie (dans un CV) que l'on peut s'exprimer avec presque autant de facilité dans les deux langues.

12. Activité secondaire où l'on excelle, par allusion au peintre Ingres, qui jouait du violon. Au pluriel l'expression ne convient pas. À combien de choses peut-on *exceller*?

13. Ces trois derniers sont déconseillés: *Renseignements personnels* fait un peu «fiche de police»; avec *Hobbies* on risque de tomber sur un recruteur qui n'apprécie pas le franglais; et *Passions* pourrait donner l'impression que les loisirs passent avant le travail. À éviter absolument dans cette rubrique: le style «Amélie Poulain», dont la mode s'est répandue dans le sillage du film et qui, fort heureusement pour les recruteurs, se démode quelque peu aujourd'hui. Exemple: un titre tel que «Et aussi...», suivi de: «J'aime: arroser mes fleurs quand elles ont soif; les films de Woody Allen; marcher sous la pluie; les cœurs ouverts... Je n'aime pas: poireauter dans les embouteillages; les images violentes; être toujours occupé; les esprits fermés...»

14. Le fait d'être célibataire ou de ne pas avoir d'enfants (ou d'avoir des enfants majeurs) signifie pour la plupart des recruteurs mobilité et disponibilité.

15. *Le Guide de la recherche d'emploi* (Paris: VMP, 2003), p. 293.

16. Nicolas Barrier, *Guide du CV et de la recherche d'emploi 2004* (Paris: Éditions Générales First, 2003), p. 219.

17. Cadremploi.fr, à <www.cadremploi.fr/conseil_cv2.jhtml>.

18. Pierre-Éric Fleury, *Guide du CV et de la recherche d'emploi* (Paris: Éditions Générales First, 2002), p. 176.

19. Au Québec on parle à ce propos d'*entrevue* (d'emploi, de sélection, de recrutement).

20. L'emploi du temps d'un candidat, par exemple, peut indiquer plus généralement la façon dont il (n')organise (pas) sa vie. En outre, nombreux sont les recruteurs qui voient dans la *fratrie* (ensemble des frères et sœurs) une influence importante, voire déterminante, sur le développement de la personnalité (l'enfant unique aurait du mal à travailler en équipe, etc.). Idem pour le milieu (et le métier) parental. Quant aux questions portant sur les enfants et sur le conjoint, il s'agit d'évaluer la disponibilité, l'éventuel absentéisme ou la possibilité d'un départ inopportun.

DEUXIÈME PARTIE
Le monde de l'entreprise

BanniBug II

Le mardi 7 juin, au moment où Marc et Gilles installaient la deuxième machine, Thierry affichait une annonce à l'Université et à l'École supérieure de commerce de Tours. Le lendemain elle parut dans les offres d'emploi de *La Nouvelle République*:

PME (TPE°) à Tours recherche
Responsable Communication
Votre mission: Pour développer les ventes d'un produit nouveau, vous aurez l'entière responsabilité d'élaborer et de mettre en œuvre une stratégie efficace.
Votre profil: De formation mercatique supérieure (type ESC° ou DESS°-marketing), vous avez de l'initiative, le goût du défi et le sens des résultats. Chez vous l'esprit d'entreprise prime l'esprit d'équipe.
Télécopiez CV + lettre à 47...

Douze candidatures furent transmises, dont Jason et Thierry retinrent six. Les entretiens eurent lieu vendredi, dans le bruit et la poussière des travaux d'installation. Déçus par les cinq premiers, les associés en discutaient — «... ne semblait pas piger... avait quand même un peu d'expérience... vingt minutes en retard... à court d'idées... pourrait sans doute faire le boulot... oui, mais...» — lorsqu'arriva pour son rendez-vous la dernière candidate.

Céline Hautvianne terminait à l'université un DESS de mercatique. Son curriculum vitæ faisait état de plusieurs séjours en entreprise, mais dans sa lettre, dont Jason et Thierry avaient apprécié le franc-parler, elle semblait en minimiser l'importance. Sans nier l'utilité «certaine mais limitée» de ces «travaux de terrain» — upeps°, stages diplômants, formations en alternance —, elle préféra mettre l'accent sur son *certificat d'entrepreneuriat*, obtenu dans le cadre d'une nouvelle option de fin de cycle baptisée «Innover et entreprendre». L'essentiel était pour elle de mettre au plus vite le bon dosage de connaissances et de compétences au service d'un projet de création. En attendant d'avoir les moyens de monter sa propre affaire, elle recherchait l'occasion de participer au démarrage d'une jeune entreprise.

Son dossier était de loin le plus prometteur, à tel point que Jason et Thierry s'en méfiaient. Les cinq premiers candidats avaient été bien plus impressionnants sur le papier qu'en personne, et les associés craignaient avec Céline une répétition du scénario.

Jason commença par lui exposer, comme aux autres, les détails du projet.

«... Et voilà, conclut-il, ce que nous espérons faire. Veuillez nous dire, en toute franchise, ce que vous pensez du concept.

— Je pense qu'il est loufoque, qu'il pourrait marcher et que tout dépendra de la prospection.

— Et comment est-ce que vous vous y prendriez?» demanda Thierry.

Céline réfléchit quelques secondes, puis improvisa pendant un quart d'heure une campagne «en sept points». Lorsqu'elle arriva au cinquième, Jason et Thierry avaient déjà décidé de l'embaucher, s'ils le pouvaient.

«Je serais curieux de savoir, demanda Thierry quand elle eut fini, ce qui vous intéresse dans ce poste. Pourquoi souhaitez-vous travailler pour nous?

— Je ne sais pas encore si je le souhaite. J'aimerais, si vous le voulez bien, vous poser quelques questions.

— Bien sûr», répondirent ensemble Jason et Thierry.

Ils avaient tous les deux l'étrange impression d'être eux-mêmes des postulants soumis aux questions d'un entretien d'embauche.

«D'abord, dit Céline, je ne comprends pas votre choix de statut. Vous auriez pu créer une SARL°, ce qui aurait limité votre responsabilité. En choisissant la SNC vous risquez de tout perdre. Pourquoi donc avoir préféré cette formule?

— Parce que, s'empressa de répondre Jason, il était hors de question de nous associer autrement qu'à parts égales. Or, c'est moi qui avais le magot nécessaire, alors que mon associé était sans le sou. D'où son "apport en industrie". Un tel apport ne peut pas conférer la qualité d'associé dans une SARL. La SNC était donc notre seule option.

— Pas la seule, corrigea Céline. Une société en commandite simple aurait limité au moins la responsabilité du commanditaire.

— C'était exclu, répondit Thierry, parce qu'un commanditaire ne peut en aucun cas être gérant et nous tenions à partager également la gestion.»

Céline posa encore une dizaine de questions, parla brièvement à Marc et à Gilles, demanda même à lire les statuts. Puis, après un moment de réflexion:

«Voyons… Vous vous associez à 50/50, partageant les parts et la gestion, malgré le déséquilibre des apports et des risques. Vous démarrez avec des fonds à la limite du suffisant. Vous vous lancez à l'instinct, avant de tâter le terrain, sans avoir réalisé aucune étude du marché… À la fac j'ai fait un mémoire sur "les erreurs classiques des créateurs d'entreprise". Vous semblez avoir voulu les commettre toutes…

— Oh! Nous voilà tout de suite au bord de la faillite! ironisa Thierry, visiblement irrité. Il vous faut absolument accepter notre offre, car sans vos conseils nous sommes perdus à coup sûr!

— Je ne me souviens pas d'avoir reçu une offre, répliqua Céline. D'ailleurs, si je travaillais pour vous, ce ne serait pas pour vous conseiller, mais pour faire vendre votre produit…

— Ce produit, interrompit Jason, serait un peu le vôtre, à raison de 10%. Tel serait le taux de votre intéressement aux bénéfices, en plus des 2 300 € par mois que nous pourrions vous proposer. Oui, je sais: vos qualifications vous vaudraient davantage ailleurs. Mais si vous n'aviez pas "le goût du défi", vous n'auriez pas répondu à l'annonce. Chez nous, vous aurez l'occasion de donner toute votre mesure. Avec vous, nous aurons les moyens de réussir. Alors, vous vous joignez à nous?

— Ben… évidemment.»

La petite équipe était au grand complet; il fallait donc célébrer. Marc eut l'idée, approuvée à l'unanimité, d'aller dîner à la couscousserie du coin. Au dessert, tout le monde se tutoyait.

Vers neuf heures Céline se leva pour prendre congé.

«J'ai mes deux derniers examens à passer lundi matin, expliqua-t-elle. Je serai à la boîte à 12h30. D'ici là j'aurai mis au point un plan d'action. Allez, salut!»

Un sourire entendu sembla prêter à son dernier mot un sens inattendu. Les quatre hommes mirent un moment à comprendre. Puis, levant leurs verres:

«À BanniBug!»

4 Typologie des entreprises

Qu'ont en commun votre salon de coiffure et Renault, Microsoft et la supérette du coin? Ce sont tous des *entreprises*°, c'est-à-dire des unités économiques dont la fonction principale est de produire des biens ou des services destinés à la vente. Ces quatre exemples illustrent d'ailleurs l'énorme diversité des «unités économiques», d'où le besoin de les classer selon des critères bien définis.

Les critères retenus par l'Insee° pour classer les entreprises françaises sont de deux sortes: économiques et juridiques.

1   Les critères économiques

Ils relèvent soit de la *taille* de l'entreprise, soit du *secteur* de son activité.

La taille d'une entreprise se mesure souvent d'après son *effectif salarié*[1]. Classées selon ce critère, les entreprises sont *très petites* (de 1 à 9 salariés), *petites* (de 10 à 49), *moyennes* (de 50 à 499) ou *grandes* (au moins 500). Les petites et les moyennes entreprises — les PME[2] — représentent environ 90% des entreprises françaises. On appelle *micro-entreprises* celles qui n'ont *aucun* salarié[3]: leur nombre et leur poids économique augmentent à mesure que se répand le travail à domicile[4].

L'effectif d'une entreprise ne correspond pas forcément à son poids économique. C'est le cas notamment des industries de pointe, où la robotisation et le caractère intellectuel du travail permettent de réduire au minimum le personnel. (On n'a qu'à comparer à cet égard Renault et Microsoft.) Aussi recourt-on souvent à d'autres critères, comme celui du *chiffre d'affaires*° (sigle: CA). On appelle ainsi le montant global des ventes réalisées par une entreprise au cours d'une année. C'est d'après les chiffres d'affaires que la presse économique dresse ses listes annuelles des «cent [ou mille] premières entreprises françaises» (l'équivalent des «Fortune 500»).

Une autre typologie consiste à regrouper en *secteurs* toutes les entreprises ayant la même activité principale. La classification traditionnelle, issue des travaux de l'économiste américain Colin Clark, est tripartie.

1. Le *secteur primaire* regroupe toutes les entreprises productrices de matières premières[5] (agriculture, pêche, mines, forêts).
2. Le *secteur secondaire* regroupe toutes les entreprises transformatrices de matières premières (industries).
3. Le *secteur tertiaire* comprend tout ce qui ne relève ni du primaire ni du secondaire. Il s'agit essentiellement d'un secteur de services: commerce, banques, administrations, loisirs, assurances, santé, etc.

À ces trois secteurs «classiques» a été ajouté récemment un *secteur quaternaire* qui correspond plus ou moins à «la Nouvelle Économie». Le quaternaire regroupe les activités les plus technologiquement avancées de l'ancien tertiaire, et notamment celles qui sont liées à la diffusion et la gestion d'informations numérisées: informatique, Internet, multimedia, télécommunications, etc.[6]

La classification de Clark s'est vite avérée insuffisante, car les catégories, peu nombreuses, sont trop hétérogènes. C'est le cas notamment du tertiaire, dont une extraordinaire hypertrophie caractérise depuis un demi-siècle les économies développées. Une typologie qui réunit sous une même rubrique une femme de ménage et sa chirurgienne, un chef d'entreprise et son secrétaire, ne peut pas être d'une grande utilité pour ce qui est de la comptabilité nationale. Aussi l'Insee utilise-t-il d'autres classifications, allant de six à quarante catégories[7].

2   Les critères juridiques

Ils se rapportent à des considérations telles que la *propriété de l'entreprise* (À qui appartient-elle?); l'*origine du capital* (Qui apporte les biens nécessaires à la

Figure 4.1

Typologie des entreprises.

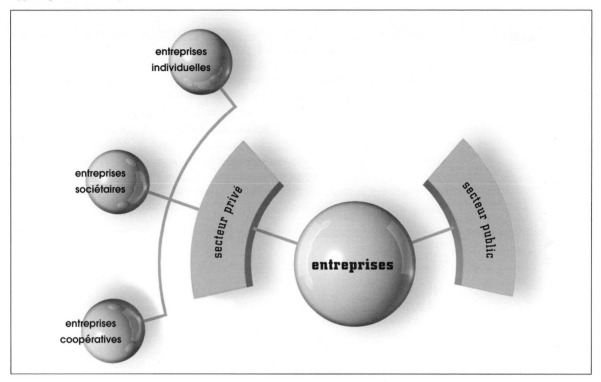

création de l'entreprise?); la *responsabilité* (Qui assume les risques? Jusqu'où vont-ils?); les *organes de gestion* (Qui prend les décisions?); et la *personnalité juridique* (L'entreprise est-elle une «personne morale»?).

La première distinction est celle qui divise les entreprises en deux grands groupes selon qu'elles relèvent du secteur privé ou du secteur public. Une deuxième distinction divise les entreprises du secteur privé en trois catégories: les entreprises *individuelles*; les entreprises *sociétaires* (appelées couramment *sociétés*); et les entreprises *coopératives* (appelées couramment *coopératives*).

Dans les pages qui suivent, il sera question principalement des entreprises individuelles et sociétaires. Nous reviendrons brièvement en fin de module aux entreprises coopératives et publiques[8] (voir la Figure 4.1).

2.1 L'entreprise individuelle°

Le mot *individuelle* ne signifie pas que l'entreprise fonctionne avec un seul individu, mais qu'elle *appartient* à une seule personne. N'étant pas dotée de la personnalité morale, l'entreprise individuelle s'identifie à son propriétaire. C'est lui qui apporte les capitaux nécessaires à l'entreprise, lui qui la gère en toute indépendance, lui aussi qui garde tous les bénéfices, tout en assumant tous les risques. Puisque les dettes qu'il contracte dans l'exercice de son activité

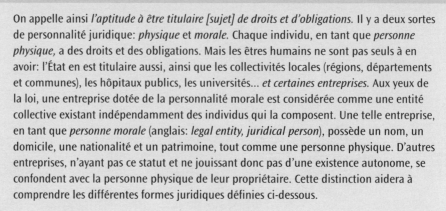

Le sens des mots

La personnalité juridique

On appelle ainsi *l'aptitude à être titulaire [sujet] de droits et d'obligations.* Il y a deux sortes de personnalité juridique: *physique* et *morale.* Chaque individu, en tant que *personne physique,* a des droits et des obligations. Mais les êtres humains ne sont pas seuls à en avoir: l'État en est titulaire aussi, ainsi que les collectivités locales (régions, départements et communes), les hôpitaux publics, les universités... *et certaines entreprises.* Aux yeux de la loi, une entreprise dotée de la personnalité morale est considérée comme une entité collective existant indépendamment des individus qui la composent. Une telle entreprise, en tant que *personne morale* (anglais: *legal entity, juridical person*), possède un nom, un domicile, une nationalité et un patrimoine, tout comme une personne physique. D'autres entreprises, n'ayant pas ce statut et ne jouissant donc pas d'une existence autonome, se confondent avec la personne physique de leur propriétaire. Cette distinction aidera à comprendre les différentes formes juridiques définies ci-dessous.

professionnelle sont considérées comme des dettes personnelles, sa responsabilité peut être *illimitée.* En cas de difficulté ou de faillite°, il risque de tout perdre, y compris ses biens personnels — «jusqu'à sa dernière chemise», selon l'expression consacrée[9]. L'entreprise individuelle est de loin la forme juridique la plus répandue, en particulier dans le petit commerce, dans l'agriculture et dans l'artisanat[10].

2.2 L'entreprise sociétaire (la société°)

À la différence de l'entreprise individuelle, qui appartient à un propriétaire unique, la société est la propriété d'au moins deux personnes. D'après la définition du Code civil, «la société est instituée par deux ou plusieurs personnes qui conviennent par un contrat d'affecter à une entreprise commune des biens [...] en vue de partager le bénéfice [...] qui pourra en résulter» (art. 1832). On appelle *associés* les personnes qui réunissent ainsi leurs biens, et *apports* les biens réunis. La constitution d'une société donne naissance à une personne morale, distincte de la personne physique des associés. Cette «personne» a obligatoirement un nom (la *dénomination sociale*) et un domicile (le *siège social,* lieu du principal établissement de la société).

Les sociétés se divisent en trois catégories, selon la responsabilité des associés et le degré d'ouverture de la société aux nouveaux associés (voir la Figure 4.2):

1. les *sociétés de personnes*
2. les *sociétés de capitaux*
3. les *sociétés à responsabilité limitée (SARL),* une forme juridique «hybride», intermédiaire entre les deux premières.

2.2.1 *Les sociétés de personnes°.* «Partnership», dit-on en anglais, et le terme indique assez bien la nature de ce type de société. C'est la structure propre à la

Figure 4.2

Typologie des sociétés.

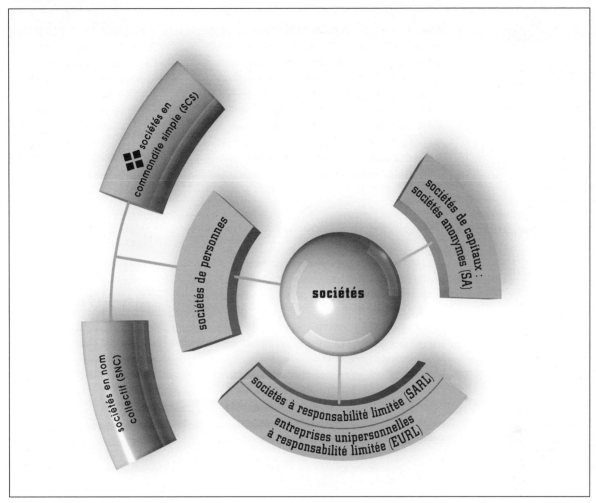

réunion d'un nombre réduit d'associés qui se connaissent bien et qui se font confiance[11].

La forme la plus répandue de la société de personnes est la *société en nom collectif*° (SNC). Dans la SNC tous les associés «répondent indéfiniment et solidairement des dettes sociales» (Code civil). *Indéfiniment* signifie *sans limites*: comme l'entrepreneur individuel (voir, ci-dessus, §2.1.), chaque associé engage la totalité de ses biens, même personnels. *Solidairement* signifie qu'en cas de faillite, chaque associé peut être poursuivi individuellement par les créanciers° pour la totalité des dettes de la société. (Sur cette acception du mot *solidairement*, voir ci-dessous ❖ *Solidarité.*)

Une telle «solidarité» impose évidemment aux associés fondateurs une grande prudence à l'égard des nouveaux; de là, le caractère fermé de ce type de société. Chaque associé reçoit, en contrepartie et en proportion de son apport,

Le sens des mots

Solidarité

«Mais en quoi les associés sont-ils *solidaires,*» objectera-t-on, «si chacun est responsable *individuellement* de *toutes* les dettes de la société?». Distinguons, pour répondre à cette question, deux sortes de solidarité. Au sens courant du terme, est *solidaire* une personne liée à d'autres personnes par des intérêts communs et une responsabilité partagée. Cette solidarité — de famille, de classe, de profession, etc. — oblige à porter assistance aux autres s'ils en ont besoin. Au sens juridique du terme, est *solidaire* une personne obligée de répondre pour d'autres personnes de tous leurs engagements communs. Cette solidarité permet aux créanciers de réclamer à *une personne* toutes les dettes qu'elle a contractées avec d'autres. Issu du latin *in solidum* («pour le tout»), le mot n'avait au début (XVIe siècle) que le sens juridique, et c'est ce sens-là qui s'applique actuellement aux associés d'une SNC.

des *parts sociales°*, lesquelles représentent chacune une fraction du capital. Mais il ne peut céder (vendre) ses parts qu'avec le consentement *unanime* des autres associés.

La direction d'une SNC est en principe collégiale: tous les associés en sont responsables et peuvent y participer. Dans la pratique la gestion est assurée par un ou des gérant(s)° choisi(s) le plus souvent, mais pas obligatoirement, parmi les associés.

Pour aller plus loin

La *société en commandite simple°* (SCS)

La SCS est une autre forme de société de personnes, moins répandue que la SNC en raison de sa plus grande complexité. La SCS comprend deux sortes d'associés:

1. les associés commandités (les *commandités°*), dont la responsabilité est illimitée, comme celle des associés d'une SNC;
2. les associés commanditaires (les *commanditaires°*), dont la responsabilité est limitée au montant de leurs apports.

Puisque les commandités engagent la totalité de leur patrimoine, ce sont eux qui assurent la gestion, soit de façon collégiale, soit en désignant un ou des gérant(s). Les commanditaires sont de simples *bailleurs de fonds*[12] et ne risquent que les fonds investis: aussi n'ont-ils pas le droit de participer à la gestion. La SCS, comme la SNC, est une société fermée: la cession (vente, transfert) des parts sociales ne peut se faire qu'avec l'accord unanime des associés. Cette forme juridique convient aux cas où se rencontrent, parmi les associés, deux groupes distincts: ceux, d'une part, qui ont plus d'argent que de temps ou d'expertise; et ceux, d'autre part, qui savent gérer et qui aiment prendre des risques. La SCS correspond à ce qu'en anglais on appelle *limited partnership*.

2.2.2 *La société de capitaux°.* La société de personnes repose, comme nous l'avons vu (§2.2.1.), sur les rapports de confiance entre associés qui se connaissent; elle est constituée, dans le jargon des juristes, *intuitu personæ* («en considération de la personne»). Il est donc naturel que la dénomination sociale comprenne traditionnellement le nom d'au moins un des associés: Établissements Dupont, Durand et Cie (compagnie)[13].

Il arrive pourtant qu'une entreprise, ayant besoin de réunir plus de capitaux que n'en possède un groupe réduit d'associés, fasse appel à d'autres investisseurs ou même à l'épargne publique. Ainsi se constitue une *société de capitaux*, dans laquelle la personne qui apporte du capital s'efface devant le capital apporté. L'«anonymat» d'une telle société se traduit également dans la dénomination sociale, où ne figure normalement aucun nom d'associé. Ainsi s'explique qu'on appelle *société anonyme°* (SA) la forme classique de société de capitaux.

Le capital d'une SA est divisé en *actions°*; les associés propriétaires d'actions sont des *actionnaires°*. À la différence des parts sociales d'une société de personnes, les actions d'une SA sont *librement cessibles,* ce qui signifie qu'un actionnaire peut vendre ses actions à n'importe qui sans l'accord des autres

---

Pour aller plus loin

La *société par actions simplifiée* (SAS), une nouvelle forme de société de capitaux

Jusqu'en 1994 la seule forme de société de capitaux (par actions librement cessibles) était la *société anonyme* (SA). Depuis cette année-là une autre option existe: la *société par actions simplifiée* (SAS). À l'origine il s'agissait de faciliter la coopération entre grandes sociétés, françaises aussi bien qu'étrangères, en vue de réaliser un projet commun («joint venture»). La solution consistait à permettre aux sociétés coopérantes de créer une nouvelle société *dont elles seraient actionnaires* — une sorte de «société de sociétés». Seules les personnes morales pouvaient devenir actionnaires d'une SAS.

Tout a changé en 1999 quand la SAS a été ouverte aux personnes physiques. Désormais le nouveau statut concurrence sérieusement la SA classique; non seulement les créateurs d'entreprise le préfèrent, mais un nombre grandissant de SA s'y convertissent. Pourquoi? La raison tient dans le mot *simplifiée.* Alors que se complique de plus en plus la réglementation des SA, celle des SAS est réduite au strict minimum. La seule obligation est de nommer un président; la seule interdiction, de faire appel public à l'épargne. Pour le reste, les associés jouissent de la plus grande liberté en rédigeant leurs statuts. Ils peuvent se doter ou se passer d'un conseil d'administration; définir en quoi consiste une majorité, lors des assemblées générales; «fermer» la société, s'ils le souhaitent, en mettant des conditions à la cession des actions, etc.

C'est cette souplesse d'organisation et de fonctionnement qui explique le succès de la nouvelle formule. «Aujourd'hui, cette forme de société tend même à devenir la règle,» écrivait déjà en 2002 Bruno Cargnelli[14], et la tendance n'a fait que s'accélérer depuis lors. En 2000 il n'existait que 4 500 SAS en France; en 2003, 100 000. Pendant la même période le nombre des SA est tombé de 225 000 à 160 000. Certains experts estiment que, d'ici à quelques années, la SAS aura en grande partie remplacé la SA parmi les PME[15].

actionnaires. Si une SA réalise des *bénéfices°,* ils sont partagés entre les actionnaires sous forme de *dividendes°.* Les pertes sont partagées aussi, mais en cas de difficulté ou de faillite, la responsabilité des actionnaires est limitée au montant de leur apport.

La gestion de la SA repose sur le principe d'*une voix par action.* Les actionnaires — du moins un certain nombre d'entre eux — se réunissent régulièrement en *assemblée générale°* afin d'élire le *conseil d'administration°,* composé de trois à dix-huit membres, appelés *administrateurs°.* Ceux-ci élisent parmi leur nombre un président et un directeur général. Généralement une seule et même personne — le *président-directeur général* (PDG), doté de pouvoirs très étendus — cumule les deux fonctions. C'est le PDG, au nom et sous le regard des administrateurs, qui assure la gestion courante de la société et qui la représente légalement auprès des tiers[16].

2.2.3 *Une forme «hybride»: la société à responsabilité limitée° (SARL).*
Forme intermédiaire entre la société de personnes et la société de capitaux, la SARL confie aux associés les avantages de l'une et de l'autre. L'avantage majeur de la société de personnes est son caractère fermé: les associés savent qu'en vertu de sa constitution *intuitu personæ,* l'entreprise n'échappera pas à leur contrôle, les parts sociales n'étant pas cessibles sans leur consentement. Il en est ainsi de la SARL, dont le capital est divisé en parts sociales difficilement transmissibles[17]. Mais à la différence de la société de personnes, la SARL limite la responsabilité des associés au montant de leurs apports, et c'est en cela qu'elle se rapproche de la société de capitaux.

Pour aller plus loin

L'EURL, une forme très particulière de SARL

L'inconvénient majeur de l'entreprise individuelle est, comme nous l'avons vu (§2.1.), la responsabilité *illimitée* de l'entrepreneur: puisqu'il engage son patrimoine personnel, il risque de tout perdre en cas de faillite. Pour limiter ses risques il pourrait chercher un associé en vue de créer une SARL, mais depuis 1985 il a une autre option: créer *seul* une SARL. La société ainsi créée prend le nom d'*entreprise unipersonnelle à responsabilité limitée (EURL).*

«Société unipersonnelle»? L'expression semble contradictoire et elle l'est, effectivement, mais la contradiction est inscrite dans le Code civil. La définition citée plus haut (§2.2) est formelle: «La société est instituée par *deux ou plusieurs personnes...*», mais le même article affirme qu'«elle peut être instituée, dans les cas prévus par la loi, par l'acte de volonté d'une seule personne». L'EURL est justement l'un de ces cas. Il ne s'agit pas d'une forme juridique à part entière, mais d'une *SARL à associé unique,* et la mention «SARL, au capital social de...» doit figurer dans la dénomination de toute EURL. Comme toute société, et à la différence de l'entreprise individuelle, l'EURL jouit de la personnalité morale; il y a donc séparation des patrimoines personnel et social. L'EURL est le statut sociétaire préféré des petits commerçants et des artisans.

Comme dans la SNC, la gestion d'une SARL est assurée par un ou des gérant(s)° choisi(s) généralement, mais pas obligatoirement, parmi les associés.

Le fait de partager les principaux avantages des autres formes juridiques explique que la SARL soit la forme sociétaire la plus répandue en France: on en compte environ 510 000, contre 160 000 sociétés anonymes et 26 000 sociétés de personnes.

2.3 Les entreprises coopératives (les coopératives°)

L'entreprise sociétaire se propose, comme nous l'avons vu (§2.2.), un *but lucratif:* ses associés acceptent de mettre en commun leurs biens «en vue de partager le bénéfice [...] qui pourra en résulter» (Code civil). Sur la définition de *bénéfice,* la loi est formelle: «gain pécuniaire ou matériel qui ajouterait à la fortune des associés». L'entreprise coopérative se distingue de l'entreprise sociétaire par son objectif, lequel consiste non pas à maximiser les profits de ses membres (appelés *associés-coopérateurs*), mais à «servir leurs intérêts», à «satisfaire leurs besoins», à «améliorer leur situation». L'imprécision de ces formulations reflète celle des textes eux-mêmes. Le «gain pécuniaire ou matériel» réalisé par les associés d'une société ne sert-il pas leurs intérêts? Ne leur permet-il pas de satisfaire leurs besoins et d'améliorer leur situation?

C'est essentiellement au niveau de sa «finalité», de sa raison d'être, de ses principes fondateurs que la coopérative se distingue de la société. Inspirée à l'origine des doctrines socialistes du XIXᵉ siècle, la coopérative s'oppose à la mentalité et à l'entreprise «capitalistes». Elle ne dédaigne certes pas les bénéfices — qu'elle préfère appeler *excédents* ou *soldes disponibles* —, mais, qu'elle puisse ou non en réaliser, son objet primordial reste toujours de *rendre service à ses membres,* de leur procurer certains avantages, pécuniaires ou autres.

En plus de son but non lucratif, l'entreprise coopérative repose historiquement sur trois principes: (1) la gestion démocratique, selon la règle d'*une personne, une voix,* quelle que soit la part de capital détenue (et non *une voix par action,* comme dans la SA); (2) la «double qualité», selon laquelle chaque membre est en même temps bénéficiaire des services fournis; (3) la répartition des «excédents» en proportion des activités des membres (et non au prorata de leurs apports, comme dans la SA et la SARL). Il existe pourtant à ces trois principes de nombreuses exceptions[18]. Face aux marchés de plus en plus concurrentiels, la coopérative a dû repenser la notion de profit, et ce faisant, transiger avec ses principes.

Mentionnons brièvement, à titre d'exemple, trois sortes de coopérative bien connues et largement répandues en France.

- Dans les coopératives agricoles — en particulier les *coopératives d'utilisation en commun de matériel agricole* (CUMA), qui se chiffrent à plus de 13 000 en France —, les coopérateurs achètent collectivement, pour les partager ensuite, des machines coûteuses qu'aucun d'entre eux ne pourrait s'offrir individuellement.
- Les coopératives de consommation permettent aux membres de profiter des économies[19] consécutives à l'élimination des intermédiaires et d'une partie des frais de distribution. Les bénéfices, s'il y en a, sont distribués aux

coopérateurs en proportion du montant de leurs achats. Il existe une soixan-taine d'enseignes coopératives en France, dont le réseau des magasins Le Mutant est un exemple bien connu.

- Les sociétés coopératives ouvrières de production (SCOP) sont des entre-prises constituées sous forme de SA ou de SARL (d'où l'appellation de *société*), mais dont les salariés eux-mêmes détiennent la majorité du capital. Elles ont donc pour particularité, selon leur site portail, «d'être véritable-ment l'affaire de ceux qui y travaillent»[20]. Il y a environ 1 600 SCOP en France, dans les services et le BTP (bâtiment et travaux publics) pour la plu-part.

2.4 Les entreprises du secteur public

Les entreprises étudiées jusqu'ici — individuelle, sociétaire et coopérative — relèvent toutes du *secteur privé,* ce qui revient à dire qu'elles appartiennent entièrement à des personnes privées, physiques ou morales. Les entreprises du *secteur public* appartiennent entièrement ou partiellement à une collectivité publique, c'est-à-dire à l'État ou à une collectivité locale (région, département ou commune). Dans le secteur public on distingue les entreprises *publiques,* comme EDF, GDF et la SNCF[21], dont tout le capital est public, et les entreprises *semi-publiques* (ou *d'économie mixte*), comme France Télécom et Air France, qui asso-cient des capitaux publics et privés. La collectivité publique continue d'exercer une influence dominante si elle reste propriétaire majoritaire.

Une entreprise née dans un secteur peut finir dans l'autre. On appelle *natio-nalisation* l'opération par laquelle une entreprise passe du privé au public. Ce fut le sort, après l'arrivée au pouvoir de la gauche en 1981, de Thomson (électro-nique), de Matra (matériel militaire) et de Paribas (finance), entre autres. Ces mêmes entreprises ont été *privatisées* après le retour au pouvoir de la droite en 1986. Au cours des deux dernières décennies les privatisations se sont poursui-vies, y compris sous le gouvernement socialiste de Lionel Jospin — mondialisa-tion oblige! Elles se poursuivent encore aujourd'hui.

La finalité d'une entreprise publique ou semi-publique, analogue à celle d'une coopérative, consiste à satisfaire des besoins communs aux membres d'une collectivité. Il s'agit de servir et non d'enrichir les habitants d'une commune, d'un département, d'une région ou du pays, selon l'échelle.

Sigles et acronymes

CA	chiffre d'affaires	**PMI**	petites et moyennes industries
EURL	entreprise unipersonnelle à responsabilité limitée	**SA**	société anonyme
		SARL	société à responsabilité limitée
Insee	Institut national de la statis-tique et des études économiques	**SAS**	société par actions simplifiée
		SCS	société en commandite simple
PDG	président(e)-directeur(-trice) général(e)	**SNC**	société en nom collectif
		TPE	très petite entreprise (effectif inférieur à 10)
PME	petites et moyennes entreprises		

Lexique français–anglais

action *(f.)* share

actionnaire *(m., f.)* shareholder, stockholder

administrateur (-trice) *(m., f.)* board member, director

assemblée générale *(f.)* general stockholders' meeting

bénéfice *(m.)* profit

chiffre d'affaires *(m.)* sales figure

commandite *(f.)* synonym of *société en commandite simple* (see below)

commanditaire *(m., f.)* limited (sleeping, silent, dormant) partner (who finances a company managed by others)

commandité(e) *(m., f.)* active partner (who runs a company financed in part by others)

commanditer to finance a business (limited partnership) managed by others

conseil d'administration *(m.)* board of directors

coopérative (entreprise ~) *(f.)* cooperative (co-op)

créancier (-ière) *(m., f.)* creditor

dividende *(m.)* dividend

entreprise *(f.)* business ("To own and operate a business," etc. *Business* in the abstract sense —"Business is business"— would normally be translated by *les affaires.*)

entreprise individuelle *(f.)* sole proprietorship

faillite *(f.)* bankruptcy

gérant(e) *(m., f.)* director, manager

part sociale *(f.)* share (in a partnership)

président(e)-directeur(-trice) général(e) (PDG) *(m., f.)* President and Chairman of the Board; CEO

société *(f.)* company

société anonyme (SA) *(f.)* corporation

société à responsabilité limitée (SARL) *(f.)* limited liability company or limited liability partnership (LLC or LLP, depending on the state and the bylaws)

société de capitaux *(f.)* corporation

société de personnes *(f.)* partnership

société en commandite simple (SCS) *(f.)* limited partnership

société en nom collectif (SNC) *(f.)* general partnership

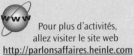

Pour plus d'activités, allez visiter le site web
http://parlonsaffaires.heinle.com

Activités

Pour plus d'activités, allez visiter le site web
http://parlonsaffaires.heinle.com

I. Traduction

A. Français–anglais (version)

1. Les actionnaires d'une société anonyme touchent des dividendes en proportion du nombre des actions détenues.

2. Dans notre société la gestion est assurée par un conseil d'administration et un président-directeur général.

3. Les critères juridiques se rapportent à des considérations telles que la *propriété de l'entreprise* (À qui appartient-elle?); l'*origine du capital* (Qui apporte les biens nécessaires à la création de l'entreprise?); la *responsabilité* (Qui assume les risques? Jusqu'où vont-ils?); les *organes de gestion* (Qui prend les décisions?); et la *personnalité juridique* (L'entreprise est-elle une «personne morale»?).

4. Chacun des associés d'une société en nom collectif est indéfiniment et soli-dairement responsable de la totalité des dettes sociales et peut être poursuivi individuellement par les créanciers.

5. [❖] Dans une société en commandite simple, les associés se divisent en deux groupes: les commanditaires et les commandités.

6. Veuillez m'expliquer la différence entre une action et une part sociale.

7. Dans notre SCOP, nous préférons appeler *ristourne*, et non pas *dividende*, la part de l'excédent que nous recevons chaque année.

8. L'entreprise coopérative ne dédaigne pas les bénéfices, mais sa véritable finalité est ailleurs.

9. Heureusement, sa responsabilité était limitée au montant de son apport.

10. Comment juguler le chômage en France? En refusant de rendre au secteur privé les entreprises nationalisées.

B. Anglais–français (thème)

1. In a general partnership the partners know and trust each other.

2. Since he started his business his profits have gone up 10% per month.

3. An incompetent manager drove the company to bankruptcy.

4. After Amelio's departure, the board members had a hard time electing a new CEO.

5. [❖] As a sleeping partner his liability is limited, but he has no say in man-agement issues.

6. The corporation imposes almost no restrictions on the sale of shares.

7. I don't know if the oft-quoted proverb "Business is business" came to France from Britain or the United States.

8. [❖] By creating their partnership they gave birth to a juridical person.

9. Fortunately, his liability was limited to the amount of his investment.

10. How can the French modernize their economy? By reducing their bloated public sector with massive privatizations.

II. Entraînement

1. Qu'est-ce qu'une *entreprise*? Selon quels critères classe-t-on les entreprises? Comment se mesure la taille d'une entreprise? Sur quelles considérations se fondent les critères juridiques?

2. Qu'est-ce qui distingue les secteurs primaire, secondaire et tertiaire? Qu'apporte de nouveau le «secteur quaternaire»?

3. Définissez les termes suivants: *chiffre d'affaires, apport, siège social, dénomina-tion sociale, associé.*

4. [❖] Qu'est-ce que la *personnalité juridique*? Quelles sont les deux sortes de personnalité juridique? En quoi une personne morale ressemble-t-elle à une personne physique?

5. Qu'est-ce qu'une *entreprise individuelle*? Comment l'entreprise individuelle diffère-t-elle de la *société*? En quoi la responsabilité d'un entrepreneur indi-viduel est-elle «illimitée»?

6. Quelles sont les trois catégories de sociétés? Selon quels critères se définis-sent-elles?

7. Expliquez l'affirmation suivante: «Dans la société en nom collectif tous les associés répondent indéfiniment et solidairement des dettes sociales.» [❖] Expliquez à ce propos les deux sens du mot *solidarité* (courant et juridique).

8. [❖] En quoi la *société en commandite simple* (SCS) se distingue-t-elle de la *société en nom collectif* (SNC)? Qu'est-ce qui distingue le *commanditaire* du *commandité*?

9. Quelle est la différence essentielle entre la *société de personnes* et la *société de capitaux*? Expliquez à cet égard l'expression *intuitu personæ*. Pourquoi qualifie-t-on d'*anonyme* la société de capitaux la plus répandue?

10. Quelle est la différence essentielle entre les *parts sociales* d'une société de personnes et les *actions* d'une société de capitaux?

11. Décrivez brièvement les organes de gestion d'une société anonyme.

12. [❖] Quels sont les avantages de la *société par actions simplifiée* (SAS), par rapport à la *société anonyme* (SA)?

13. Nous avons présenté la *société à responsabilité limitée* (SARL) comme une «forme intermédiaire entre la société de personnes et la société de capitaux». En quoi ressemble-t-elle à l'une et à l'autre?

14. [❖] Qu'est-ce qu'une *entreprise unipersonnelle à responsabilité limitée* (EURL)? En quoi est-elle une forme «très particulière» de SARL?

15. L'entreprise coopérative, avons-nous dit, se distingue de l'entreprise sociétaire par son objectif. En quoi consiste cet objectif? Comment se réalise-t-il dans les coopératives agricoles? dans les coopératives de consommation? dans les SCOP?

16. Qu'ont en commun les entreprises individuelles, sociétaires et coopératives? Qu'est-ce qui les distingue des entreprises du secteur public?

III. Pour se renseigner en ligne

Pour plus d'activités, allez visiter le site web http://parlonsaffaires.heinle.com

1. Pour tout ce qui regarde les statuts juridiques, un point de départ utile est le site de l'Agence pour la Création d'Entreprises (APCE), à <www.apce.com>. Commencez dans la section «Créer une entreprise», liens «Toutes les étapes» → «Choisir un statut juridique». À essayer aussi: leur «abécédaire» (mal nommé, puisqu'il s'agit d'un excellent glossaire, doublé d'un outil de recherche).

2. Plusieurs sites utiles sont répertoriés au *Portail des PME*, à <www.portailpme.fr>. En page d'accueil, cliquez sur «Le Guide de l'entreprise: Moments clés de la vie de l'entreprise», puis sur «Choix d'une forme juridique».

3. Le site de la Chambre de Commerce et d'Industrie de Paris, à <www.ccip.fr>, propose «toute l'information pour créer et gérer au quotidien son entreprise sous la forme de fiches pratiques». Commencez au lien des «Infos pratiques».

Notes

1. L'effectif d'une entreprise est le nombre des personnes qui la constituent.

2. Le sigle s'emploie au singulier aussi bien qu'au pluriel. Au singulier, il s'agit d'une petite *ou* moyenne entreprise (ayant moins de 500 salariés). Le sigle PMI désigne les *petites et moyennes industries*. Les PMI constituent une subdivision des PME: toutes les PMI sont des PME, mais l'inverse n'est pas vrai. C'est donc à tort que l'on oppose les deux catégories ou que l'on considère les PMI comme une classe à part.

3. Le créateur d'une entreprise individuelle (l'entrepreneur) ne reçoit pas de salaire. Son revenu se compose des bénéfices qu'il réalise dans l'exercice de son activité.

4. Notons, à titre d'information, les nouvelles définitions publiées en mai 2003 par la Commission des Communautés européennes, et que l'Insee n'a pas encore adoptées. (La Commission préfère parler du nombre des personnes «occupées» par l'entreprise, ce qui englobe salariés et non-salariés.) Selon la Commission, une *micro-entreprise* occupe moins de 10 personnes; une *petite*, moins de 50; une *moyenne*, moins de 250; et une *grande*, au moins 250.

5. Les matières premières (anglais: *raw materials*) sont les produits de base, n'ayant subi aucune transformation, qui résultent d'opérations de récolte (agriculture, pêche) et d'extraction (mines, pétrole).

6. À la suite des travaux du sociologue Roger Sue (*La Richesse des hommes: Vers l'économie quaternaire*, 1997), le terme de *quaternaire* est parfois employé dans un tout autre sens, pour désigner *l'économie non-concurrentielle*, ou «l'économie solidaire» (celle qui échappe aux lois du marché).

7. Ne pas confondre *secteur* et *branche*. Pour l'Insee, un *secteur* regroupe les entreprises ayant la même activité principale, alors qu'une *branche* regroupe toutes les unités fabriquant le même produit (la branche des combustibles, par exemple).

8. Note à l'attention des professeurs: Cette typologie ne se veut pas exhaustive. Afin de ne pas compliquer outre mesure une situation déjà fort complexe, nous privilégierons ici, pour des raisons pédagogiques, les deux «pôles» (société de personnes, société de capitaux) et la SARL, comme société hybride, à mi-chemin des deux. Il existe de nombreuses formes juridiques dont il ne sera pas fait mention: les sociétés civiles, la *société par actions simplifiée unipersonnelle* (SASU), *l'exploitation agricole à responsabilité limitée* (EARL), la *société d'exercice libéral* (SEL), le *groupement d'intérêt économique* (GIE) et la *société en commandite par actions* (SCA), entre autres. Ces formes peuvent faire l'objet, au besoin, de recherches individuelles.

9. Avant le 31 mars 2004 sa responsabilité était illimitée: il pouvait *tout* perdre. À cette date est entré en vigueur l'article applicable de la loi pour l'initiative économique, dite «loi Dutreil», grâce auquel un entrepreneur individuel peut protéger sa résidence principale des poursuites de ses créanciers en effectuant devant notaire une *déclaration d'insaisissabilité* (auquel cas son habitation ne peut plus être *saisie*, c'est-à-dire mise sous la main de la justice).

10. L'artisanat est «l'ensemble des artisans en tant que groupe social ou professionnel» (*Petit Robert*). L'artisan effectue un travail manuel qualifié (qui exige une formation professionnelle, des compétences particulières) à titre indépendant (pour son propre compte). L'artisan peut employer au plus neuf salariés. Sont artisans, par exemple: le charpentier, le garagiste, le plombier, le menuisier, le boulanger, le coiffeur.

11. Il est à remarquer pourtant qu'*associé*, et non *partenaire*, traduit dans ce contexte l'anglais *partner*.

12. *Bailleur* vient du vieux français *bailler* (donner).

13. On appelle *raison sociale* une telle dénomination.

14. «La SAS est-elle faite pour vous?», dossier publié dans *L'Entreprise* du 24 décembre 2002, à <www.lentreprise.com/dossier/333.html>.

15. Soulignons: *parmi les PME*. Le nouveau statut ne convient pas aux grandes sociétés qui ont besoin de réunir plus de capital et donc de faire appel public à l'épargne (lors de l'émission des actions).

16. Cette gestion est celle de la grande majorité des sociétés anonymes. Il existe une autre structure, d'institution plus récente et qu'ont choisie environ 10% des SA. Elle comprend un *conseil de surveillance* (à la place du conseil d'administration) dont les membres (de trois à dix-huit) sont élus par les actionnaires, et un *directoire* (à la place du PDG), dont les membres (de deux à cinq) sont nommés par le conseil de surveillance. Parmi les différences entre les deux types de gestion, retenons les suivantes: (1) À la différence des administrateurs, les membres du conseil de surveillance ne participent que de loin à la gestion, se contentant normalement de *surveiller* les membres du directoire (les *directeurs*). (2) La nouvelle structure est cependant moins autocratique, puisque les directeurs gèrent ensemble, de façon collégiale. (3) Le PDG est obligatoirement actionnaire, alors que les directeurs peuvent être choisis en dehors de la société, ce qui a pour effet, en séparant la propriété de la société et sa gestion, de «professionnaliser» celle-ci et de l'ouvrir aux compétences extérieures.

17. Les conditions de cession sont pourtant moins contraignantes que dans la société de personnes. Les parts sociales d'une SARL sont librement cessibles entre les associés eux-mêmes, et aux conjoints, ascendants et descendants (c'est-à-dire aux époux, parents et enfants), mais pas aux «tiers» (tous les autres) sans l'accord d'une majorité des associés.

18. Voir à ce propos le Rapport du Conseil supérieur de la Coopération sur *Le Mouvement coopératif en France*, publié en 2002 par la Délégation interministérielle à l'Innovation sociale et à l'Économie sociale.

19. La notion d'*économie* contribue à brouiller les limites entre *coopérative* et *société*. Le fait est qu'il règne dans ce domaine la plus grande confusion, et nous avons simplifié quelque peu afin de ne pas y contribuer. Depuis 1978 la notion d'*économie* figure en effet dans la définition de *société*, à l'endroit des points de suspension dans notre citation (§2.2): «en vue de

partager le bénéfice *ou de profiter de l'économie* qui pourra en résulter» (c'est nous qui soulignons). Dès lors la distinction entre *coopérative* et *société* devient problématique, du moins au niveau de l'objectif de l'entreprise, et doit se faire selon des critères ayant trait à la gestion et aux modalités de répartition des bénéfices.

20. À <www.scop.coop>, lien «FAQ».

21. Électricité de France, Gaz de France, Société Nationale des Chemins de fer français. N.B.: Au moment où nous mettons sous presse, il paraît probable qu'EDF et GDF seront partiellement privatisées en 2005.

MODULE

5 Création, croissance et déclin de l'entreprise

Les entreprises, comme les êtres vivants, naissent, se développent et meurent. Elles doivent s'adapter à leur milieu, et nombreuses sont celles qui n'y réussissent pas. Il se crée chaque année en France environ 175 000 entreprises[1], mais il en disparaît environ 55 000. La moitié des entreprises françaises n'atteignent pas leur cinquième anniversaire. Dans les marchés de plus en plus mondialisés, la loi du plus fort a pour conséquence, comme dans la nature, la *survie des plus aptes.*

1 ▶ La création d'une entreprise

Avant 1981 les nombreuses formalités nécessaires à la création d'une entreprise incombaient au créateur lui-même. Il devait, par exemple, faire une demande d'immatriculation au <u>Registre du commerce et des sociétés</u>[2] (RCS); faire une déclaration d'existence à l'Insee°; se faire inscrire au fisc ainsi qu'à divers organismes sociaux (<u>URSSAF</u>°, caisses de retraite et d'assurance maladie), etc.

Un tel parcours d'obstacles n'était évidemment pas de nature à favoriser la création d'entreprises. Aussi les procédures furent-elles simplifiées en 1981 par la mise en place, sous l'égide des Chambres de commerce et d'industrie, des Centres de formalités des entreprises (CFE). Depuis lors le futur chef d'entreprise n'a qu'à se présenter au CFE de sa région pour constituer un dossier; c'est le CFE — «guichet unique» — qui s'occupe des formalités auprès des différents organismes et administrations. Grâce au nouveau système il est possible de créer une entreprise en quelques jours.

Les conditions à remplir dépendent du statut juridique de l'entreprise. Elles sont les moins contraignantes dans le cas de l'entreprise individuelle. Aucun capital minimum n'est exigé, les dettes de l'entreprise étant couvertes, en cas de faillite°, par le patrimoine personnel de l'entrepreneur.

Les démarches se compliquent lorsqu'on crée une société. Puisqu'est née dans ce cas une nouvelle personne morale, il faut publier un avis de constitution de société (l'«acte de naissance») dans un journal d'annonces légales. Il faut en outre rédiger et faire enregistrer un document qui définit officiellement la nouvelle société et en précise les règles de fonctionnement. Ce sont les *statuts*°, où figurent certaines mentions obligatoires: forme, siège, dénomination, objet, capital, identité des associés (dans le cas d'une société de personnes), règles relatives aux actions, à la distribution des bénéfices et aux assemblées générales (pour une société anonyme), etc.

D'autres obligations se rapportent au capital social et aux associés.

- Pour créer une société de personnes il faut au moins deux associés. Aucun capital minimum n'est exigé, puisque les associés, comme l'entrepreneur d'une entreprise individuelle, engagent la totalité de leur patrimoine personnel. Dans le cas d'une société en commandite simple (SCS) il faut au moins un commanditaire et un commandité.
- Pour créer une société anonyme (SA) il faut au moins sept associés (actionnaires), ainsi qu'un capital minimum de 37 000 €. La société par actions simplifiée (SAS) a le même minimum en capital, mais il suffit de deux personnes pour la créer.
- Pour créer une société à responsabilité limitée (SARL) «traditionnelle» il faut au moins deux associés et au plus cent. Ils ne doivent plus réunir aucun capital minimum. C'est également le cas de l'unique associé d'une EURL[3].

2 ▶ La croissance de l'entreprise

La nouveau-née, à peine viable, s'appliquera aussitôt à croître. Sa croissance se mesurera à la hausse d'indicateurs quantitatifs tels que son chiffre d'affaires, le

Pour aller plus loin

Les modalités de la croissance externe

Les entreprises peuvent se regrouper de plusieurs façons. La *fusion°* résulte de la mise en commun des moyens de production de deux entreprises, lesquelles cessent d'exister en donnant naissance à une entreprise nouvelle[4]. On parle plutôt d'*absorption* lorsqu'une entreprise rachète une autre entreprise, laquelle cesse d'exister. Il y a *prise de participation* lorsqu'une entreprise achète des actions appartenant à une autre entreprise, laquelle continue d'exister. La participation est *minoritaire* s'il s'agit de moins de 50% des actions; autrement elle est *majoritaire*, et dans ce cas on parle de *prise de contrôle°*. On appelle *filiale°* l'entreprise contrôlée, et *société-mère°* celle qui la contrôle. La prise de contrôle peut se réaliser au moyen d'une *offre publique d'achat°* (OPA), opération par laquelle une entreprise offre publiquement aux actionnaires d'une société cotée en Bourse[5] d'acheter leurs actions à un prix supérieur à celui du marché. L'OPA est un succès si assez d'actionnaires vendent pour donner à l'entreprise offreuse une majorité d'actions.

montant de son capital, sa part de marché, son effectif ou le volume de sa production. À ce stade l'objectif est d'atteindre au plus vite la «masse critique». L'expression est empruntée à la physique nucléaire où elle désigne la plus petite masse nécessaire au maintien d'une réaction. Pour l'économiste il s'agit de la taille minimum que doit avoir une jeune entreprise pour se maintenir sur son marché. Une fois ce seuil franchi, il y aura de quoi financer la recherche-développement et réaliser des économies d'échelle[6]. C'est ainsi, en proposant un meilleur produit, à meilleur prix, que l'entreprise pourra devenir compétitive face à la concurrence. La croissance n'est donc pas une option, mais un impératif économique.

Pour aller plus loin

Les modalités de la concentration

La concentration est dite *horizontale* lorsqu'elle regroupe des entreprises de la même branche (qui produisent le même produit ou la même catégorie de produit). La branche des automobiles en France et celle des logiciels aux États-Unis présentent deux exemples de forte concentration, car il y a, dans les deux cas, un nombre restreint de fabricants dont chacun détient une part importante du marché. La concentration est dite *verticale* lorsqu'elle regroupe des entreprises complémentaires (c'est-à-dire clientes). Citons en exemple le fabricant de meubles qui acquiert d'abord les entreprises auxquelles il achetait du bois et de la mousse (concentration *en amont*, au niveau des fournisseurs de matières premières et de produits semi-finis), puis la chaîne de magasins auxquels il vendait ses meubles (concentration *en aval*, vers les distributeurs et les clients[7]). La concentration verticale permet à l'entreprise de dominer tout un cycle de production, au prix, bien entendu, d'une gestion compliquée.

Il y a deux sortes de croissance: *interne* et *externe*. La croissance *interne* caractérise l'entreprise qui se dote de nouveaux moyens en développant ses propres ressources. C'est le cas, par exemple, d'une entreprise qui achète des machines, embauche des salariés ou fait construire une nouvelle usine. La croissance *externe* caractérise l'entreprise qui rachète d'autres entreprises ou qui en prend le contrôle. La croissance interne consiste à *créer* de nouvelles capacités de production, et l'externe, à *acquérir* des unités de production déjà existantes. La première, progressive et moins chère, a la préférence des PME. La seconde, en regroupant deux ou plusieurs entreprises, se réalise plus rapidement mais à un prix élevé; aussi n'est-elle typiquement accessible qu'aux grandes sociétés. (Voir ci-dessus ❖ *Les modalités de la croissance externe.*)

La croissance externe a pour conséquence naturelle la *concentration*. On dit qu'une branche se concentre lorsqu'elle présente simultanément une réduction du nombre des entreprises et une augmentation de leur taille. Il peut en résulter une diminution de la concurrence, avec, au terme, une situation d'oligopole[8] ou même de monopole. (Voir ci-dessus ❖ *Les modalités de la concentration.*)

3   L'entreprise en difficulté

Malgré les procédures d'alerte mises en place en vue de prévenir les difficultés, chaque année un nombre inquiétant d'entreprises se trouvent en état d'«insuffisance de fonds». S'il existe, selon la formulation (alambiquée) du Code de commerce, «des besoins ne pouvant être couverts par un financement adapté aux possibilités de l'entreprise» — si celle-ci, en d'autres termes, se trouve à court d'argent —, elle peut demander au tribunal de commerce un *règlement amiable*. À l'ouverture de cette procédure le tribunal nomme un *conciliateur* dont la mission consiste à négocier, entre l'entreprise débitrice° et ses créanciers°, un accord portant sur les délais de paiement et les sommes à payer. Pendant cette période, longue de trois mois, les créanciers doivent normalement suspendre toute poursuite contre leur débiteur.

Si, sa situation empirant, l'entreprise s'avère incapable d'exécuter l'accord du règlement amiable, on dit qu'elle est *en état de cessation des paiements*, c'est-à-dire, selon le Code de commerce, dans «l'impossibilité de faire face au passif exigible [ce que les créanciers sont en droit d'exiger] avec son actif disponible [les ressources dont elle dispose]». Autrement dit, *l'entreprise ne peut pas payer ses dettes*. Elle est tenue d'en faire la déclaration dans les quinze jours au greffe[9] du tribunal de commerce, et l'on dit couramment à cette occasion qu'elle «dépose son bilan»[10].

C'est alors qu'est ouverte une procédure de *redressement judiciaire*. Le tribunal nomme un *administrateur* qui, pendant une période d'observation longue de six mois, étudie la situation financière de l'entreprise afin d'établir un diagnostic et un pronostic: D'où proviennent les difficultés? Jusqu'où vont-elles? L'entreprise est-elle viable? Sous quelles conditions? Pendant cette période l'entreprise continue d'être dirigée par ses responsables, mais avec la collaboration et sous la surveillance de l'administrateur. Toute poursuite par les créanciers est suspendue. Au bout de six mois l'administrateur soumet un rapport dans lequel il propose soit la *continuation*, soit la *liquidation* judiciaire. Le tribunal décide alors du sort de l'entreprise en adoptant l'une ou l'autre de ces deux options[11].

Pour aller plus loin

La faillite de part et d'autre de l'Atlantique

Aux États-Unis comme en France il y a une série d'étapes destinées à retenir l'entreprise sur la pente de la faillite. À l'*insuffisance de fonds* correspond plus ou moins ce qu'on appelle en anglais «technical insolvency», et à la *cessation des paiements*, «bankruptcy». Pour l'entreprise en «technical insolvency» il existe de nombreuses procédures, appelées «negociated settlements», qui favorisent un règlement à l'amiable par la voie d'un rééchelonnement («extension») ou d'une réduction des dettes. En cas d'échec des mesures douces, on passe au «Chapter 11» (du «Bankruptcy Reform Act» de 1978), autrement dit «bankruptcy reorganization», qui correspond grosso modo au *redressement judiciaire*. On appelle «trustee» la personne chargée de la réorganisation; elle exerce la même fonction que l'administrateur en France. Comme le redressement judiciaire, le «Chapter 11» peut être «voluntary» (si l'entreprise elle-même le demande) ou «involuntary» (invoqué à la demande d'un créancier). Son échec déclenche les procédures du «Chapter 7» (liquidation).

En cas de continuation, un plan précise les obligations qui incombent au débiteur, parmi lesquelles peuvent figurer les suivantes: rééchelonnement ou remise partielle des dettes, remplacement du dirigeant, licenciements, restructuration ou cession (vente) totale ou partielle de l'entreprise. Un *commissaire à l'exécution du plan* est chargé de veiller au respect de toutes les conditions.

Le tribunal prononce la liquidation d'une entreprise s'il estime qu'un redressement est impossible ou que le plan de continuation a échoué. Un *liquidateur* est nommé, qui procède à la vente des actifs et veille au remboursement des créanciers. L'entreprise a cessé d'exister[12].

Sigles et acronymes

CFE Centre de formalités des entreprises

Insee Institut national de la statistique et des études économiques

OPA offre publique d'achat

RCS Registre du commerce et des sociétés

URSSAF Union pour le recouvrement des cotisations de sécurité sociale et d'allocations familiales

Lexique français–anglais

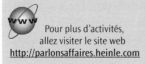

Pour plus d'activités, allez visiter le site web
http://parlonsaffaires.heinle.com

créancier (-ière) *(m., f.)* creditor
débiteur (-trice) *(m., f.)* debtor
faillite *(f.)* bankruptcy
filiale *(f.)* subsidiary
fusion *(f.)* merger
fusionner to merge

offre publique d'achat (OPA) *(f.)* take-over bid
prise de contrôle *(f.)* take-over
société-mère *(f.)* parent company
statuts *(m. pl.)* charter and by-laws

Activités

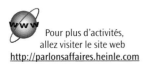

Pour plus d'activités,
allez visiter le site web
http://parlonsaffaires.heinle.com

I. Traduction

A. Français–anglais (version)

1. Dans les statuts d'une société doivent figurer certaines mentions obligatoires: forme, siège, dénomination, objet, capital, identité des associés (dans le cas d'une société de personnes), règles relatives aux actions, à la distribution des bénéfices et aux assemblées générales (pour une société anonyme), etc.

2. Pour créer une société de personnes il faut au moins deux associés. Aucun capital minimum n'est exigé, puisque les associés, comme l'entrepreneur d'une entreprise individuelle, engagent la totalité de leur patrimoine personnel.

3. La croissance d'une entreprise se mesure à l'augmentation d'indicateurs quantitatifs tels que son chiffre d'affaires, le montant de son capital, sa part de marché, son effectif ou le volume de sa production.

4. Parmi les 60 000 entreprises françaises qui ont dû déposer leur bilan l'année dernière, 57 000 vont sans doute finir dans la liquidation.

5. La croissance interne caractérise l'entreprise qui crée de nouvelles capacités de production en développant ses propres ressources.

6. Si une entreprise double sa production, sans que ses coûts de production augmentent proportionnellement, il y a économie d'échelle, car le coût unitaire de production (c'est-à-dire le coût de chaque unité produite) a diminué.

7. La loi cherche à réduire au minimum les faillites; de là les nombreuses procédures permettant aux créanciers et aux débiteurs de s'arranger.

8. On dit qu'une branche se concentre lorsqu'elle présente simultanément une réduction du nombre des entreprises et une augmentation de leur taille.

9. Pendant le redressement judiciaire toute poursuite par les créanciers est suspendue.

10. Dans les marchés de plus en plus mondialisés, la loi du plus fort a pour conséquence, comme dans la nature, la *survie des plus aptes*.

B. Anglais–français (thème)

1. Bankruptcy laws must protect creditors while helping debtors stay in business.

2. What would I have to do to start a résumé business in my home?

3. Is Microsoft going to make a bid to take over Apple?

4. Too many mergers reduce competition.

5. A subsidiary remains distinct from its parent company but is controlled by it.

6. My company had to go into bankruptcy reorganization, and the trustee doesn't know what he's doing.

7. Generally speaking, it takes less time to start a business in the United States because there are fewer formalities and conditions.

8. How much capital do you need to start a limited partnership in the United States?

9. You've got to understand that we want to merge with your company, not take it over.

10. If a company buys out its suppliers, then the companies that it supplies, it's an example of vertical concentration.

II. Entraînement

1. Décrivez le rôle des Centres de formalités des entreprises. Comment ont-ils simplifié les procédures de création d'entreprises?
2. Quelles conditions le créateur d'une entreprise individuelle doit-il remplir?
3. À quoi servent les statuts d'une société? Quelles mentions doivent y figurer?
4. Quel est le montant du capital minimum exigé pour créer une SA? une SAS? une SARL (EURL)? Qu'est-ce qui justifie l'obligation d'un capital minimum? Pourquoi n'y a-t-il pas de capital minimum dans les cas de l'entreprise individuelle et de la société de personnes?
5. À quoi se mesure la croissance d'une entreprise? Pourquoi la croissance n'est-elle souvent pas une option? Expliquez à cet égard les notions de *masse critique* et d'*économie d'échelle*.
6. Qu'est-ce que la croissance *interne*? En quoi se distingue-t-elle de la croissance *externe*?
7. [❖] Quelles sont les différentes modalités de la croissance externe? En quoi la *fusion* se distingue-t-elle de l'*absorption*? Qu'est-ce qu'une *prise de participation*? une *prise de contrôle*? Expliquez à cet égard les notions de *filiale*, de *société-mère* et d'*offre publique d'achat*.
8. Qu'est-ce que la *concentration*? [❖] Qu'est-ce qui caractérise la concentration *horizontale*? Quelles peuvent en être les conséquences? En quoi la concentration horizontale diffère-t-elle de la concentration *verticale*? Quel avantage celle-ci peut-elle présenter?
9. Qu'est-ce qui distingue l'*insuffisance de fonds* et la *cessation des paiements*? En quoi le *règlement amiable* diffère-t-il du *redressement judiciaire*? Décrivez à cet égard le rôle du *conciliateur* et de l'*administrateur*. Qu'arrive-t-il en cas d'échec du règlement amiable et du redressement judiciaire?
10. [❖] Il y a aux États-Unis comme en France une série d'étapes destinées à retenir l'entreprise sur la pente de la faillite. Comparez les deux pays de ce point de vue.

III. Et si l'on montait une petite affaire...

En vous inspirant de l'exemple de BanniBug, tout en évitant les erreurs de Jason et de Thierry, créez une entreprise française *virtuelle*. Respectez (autant que possible) «toutes les étapes», telles qu'elles sont décrites sur le site de l'APCE, référencé ci-dessous. (Là où les informations vous manquent, inventez.)

Une étape incontournable consistera à établir, à l'attention d'éventuels investisseurs, un *dossier prévisionnel* (*business plan*, en franglais[13]), où se résumera, chiffres à l'appui, votre projet de création. Les sections du dossier répondront aux questions suivantes:

1. Quel produit ou service allez-vous vendre?
2. Quelle clientèle comptez-vous cibler? Quelle est la concurrence? la demande? Quelle sera votre stratégie commerciale?
3. Quel statut juridique envisagez-vous? Pourquoi?

4. Quelle sera la composition de votre équipe (associés, salariés)?

5. Quels seront vos besoins financiers et vos sources de financement?

6. Quel est votre chiffre d'affaires prévisionnel? Où se situera le «point mort»? (Il s'agit du *seuil de rentabilité*, c'est-à-dire le niveau d'activité, exprimé en termes de ventes, auquel toutes les charges sont couvertes et au-dessus duquel l'entreprise commence à dégager un bénéfice.)

Après avoir constitué le dossier prévisionnel et une fois accomplies au CFE les formalités requises, racontez (imaginez) l'installation de votre entreprise ainsi que le premier mois d'activité.

Une fois votre affaire lancée, et à supposer que l'idée de départ soit bonne, pourquoi ne pas changer de «statut», en passant du virtuel... au réel?

Pour plus d'activités,
allez visiter le site web
http://parlonsaffaires.heinle.com

IV. Pour se renseigner en ligne

1. Pour tout ce qui touche à la création d'entreprise, le meilleur point de départ est sans conteste le site de l'Agence pour la création d'entreprises (APCE), à <www.apce.com>. Commencez dans la section «Créer une entreprise», lien «Toutes les étapes».

2. Plusieurs sites utiles sont répertoriés au *Portail des PME*, à <www. portailpme.fr>. En page d'accueil, commencez au «Guide de l'entreprise: Moments clés de la vie de l'entreprise», où l'on trouvera plusieurs rubriques portant sur le projet de création, les aides à la création, le «business plan», les formalités, etc.

3. N'oublions pas le site des Centres de formalités des entreprises (www.ccip.fr/cfe), qui «permettent aux entreprises de souscrire en un même lieu et sur un même document les déclarations relatives à leur création».

4. Pour tout savoir sur le droit de la faillite, rendez-vous à *LexInter: le droit sur Internet* (lexinter.net) ou à *Légifrance: le service public de la difusion du droit* (www.legifrance.gouv.fr). Les deux sites se présentent sous forme d'annuaire, sans moteur de recherche (hélas), mais la navigation y est assez commode. Sur la réforme du droit de la faillite (voir la note 12), consultez les dossiers d'actualité des deux sites.

Notes

1. Il s'agit de créations *ex nihilo* ou «pures», c'est-à-dire à l'exclusion des réactivations et des reprises.

2. Le RCS est un répertoire officiel et public de toutes les entreprises commerciales en France.

3. Avant le 3 août 2003, les associés d'une SARL, ainsi que l'unique associé d'une EURL, devaient réunir, en contrepartie de leur responsabilité limitée, un capital minimum de 7 500 €, pour couvrir les dettes en cas de faillite. À cette date est entré en vigueur l'article applicable de la loi pour l'initiative économique, dite «loi Dutreil», grâce auquel cette condition a été supprimée.

4. On appelle *scission* l'opération contraire, par laquelle une grande entreprise disparaît en se divisant en deux ou plusieurs entreprises nouvelles. La scission est un phénomène de *déconcentration*.

5. Voir à ce sujet le Module 9: *La Bourse*.

6. Les économies que l'entreprise peut réaliser en produisant sur une plus grande échelle (*economies of scale* en anglais). Si, par exemple, une entreprise double sa production, sans que ses coûts de production augmentent proportionnellement, il y a économie d'échelle, car le coût unitaire de production (c'est-à-dire le coût de chaque unité produite) a diminué.

7. *En amont, en aval:* «upstream» et «downstream» en anglais. Exemple: *Chaque fois qu'il pleut en amont, les villages en aval sont inondés.* Les deux expressions s'emploient souvent en français au sens figuré: «ce qui vient avant [en amont] ou après [en aval] le point considéré, dans un processus technique ou économique» (*Petit Robert*).

8. Marché sur lequel il n'y a qu'un nombre très restreint de vendeurs.

9. Le bureau où sont archivés certains documents officiels (minutes des actes de procédure, etc.). On appelle *greffier* l'officier public préposé au greffe.

10. Le bilan est une description du patrimoine d'une entreprise à une date donnée (voir, au module suivant, ❖ *La comptabilité, le bilan*). Le bilan, parmi d'autres documents comptables, doit être déposé au tribunal de commerce par l'entreprise au moment où elle se déclare en état de cessation des paiements. Aussi les expressions *dépôt de bilan* et *déposer son bilan* en sont-elles venues à signifier dans l'usage courant *faillite* et *faire faillite*. Sur la connotation de l'expression, G. Berlioz a certainement raison: «Le terme *dépôt de bilan* est chargé d'op-

probre. Trop lié à un sentiment d'échec, il dissuade les chefs d'entreprises de l'envisager. Quand ils prennent cette décision, il est donc souvent trop tard, ce qui rend le redressement impossible.» L'article que nous citons, intitulé «Plaidoyer pour un "Chapter 11" à la française» (*Marchés et Techniques financières*), date de mai 1993. L'année suivante (juin 1994) la loi fut modifiée dans ce sens — sans améliorer pour autant la connotation infamante. Quant à la dénotation, *dépôt de bilan* est synonyme de *déclaration de cessation des paiements*. À ce stade-là, bien que 95% des cas finissent liquidés, il peut toujours y avoir de l'espoir...

11. Nous avons simplifié quelque peu la procédure. Deux exemples: (1) Le tribunal peut, dès le dépôt de bilan, et à tout moment au cours de la période d'observation, prononcer la liquidation de l'entreprise s'il juge irrémédiable sa situation financière. (2) Nous ne décrivons ici que la procédure dite «générale». Il existe, pour les petites entreprises, une procédure simplifiée qui ne dure que quatre mois et qui dispense le tribunal de nommer un administrateur. Dans ce cas le rapport diagnostique et pronostique est établi par le débiteur lui-même, assisté éventuellement par un expert.

12. En mai 2004 un projet de loi «de sauvegarde des entreprises» a été présenté en Conseil des ministres. Le but, d'après Anne Salomon: «dédramatiser le dépôt de bilan, en posant deux postulats: il n'est pas infamant d'échouer dans la création d'une entreprise, et tout doit être fait pour que l'entrepreneur soit en mesure de rebondir», mais aussi «intervenir en amont des difficultés en vue d'éviter que les entreprises ne déposent leur bilan» («Faillites: Ce que la loi va changer pour les entreprises», dossier du *Figaro-Économie*, 12 mai 2004). Le projet de loi propose une nouvelle «procédure de sauvegarde» qui permettrait au débiteur de négocier avec ses créanciers sous l'autorité d'un juge *avant la cessation des paiements*. Il s'agit surtout d'«un renforcement des procédures existantes»; donc, «pas de bouleversement majeur» du droit de la faillite (Philippe Houillon et Olivier Puech, même dossier).

13. Vous trouverez en ligne des centaines de guides du dossier prévisionnel. En vous limitant au Web francophone, faites une recherche Google sur les mots «business plan» (l'expression la plus employée en France) ou «plan d'affaires» (traduction québécoise).

6 L'organisation de l'entreprise

'entreprise est un système organisé. Décrire sa structure, c'est répondre aux questions suivantes: De quels éléments l'entreprise se compose-t-elle? Quelles sont leurs relations mutuelles? Comment se répartissent les diverses tâches effectuées au sein de l'entreprise et par l'entreprise dans ses rapports avec l'extérieur?

Ces tâches se regroupent en catégories plus ou moins homogènes appelées *fonctions*; les activités relevant d'une même fonction ont toutes le même objectif (produire, vendre, etc.). Les fonctions sont confiées à des unités administratives appelées *services°*. Un service est composé d'un groupe de personnes spécialisées dans l'exécution d'une tâche commune. Dans les PME, chaque fonction correspond normalement à un service ou même à une seule personne. Dans les grandes entreprises, les activités relevant d'une seule fonction se répartissent entre deux ou plusieurs services. Le micro-entrepreneur, n'ayant aucun salarié, doit, s'il est sans associé, remplir à lui seul toutes les fonctions.

Les relations entre fonctions, services et postes de travail sont représentées schématiquement par l'*organigramme°* de l'entreprise. La disposition

Figure 6.1

Organigramme partiel.

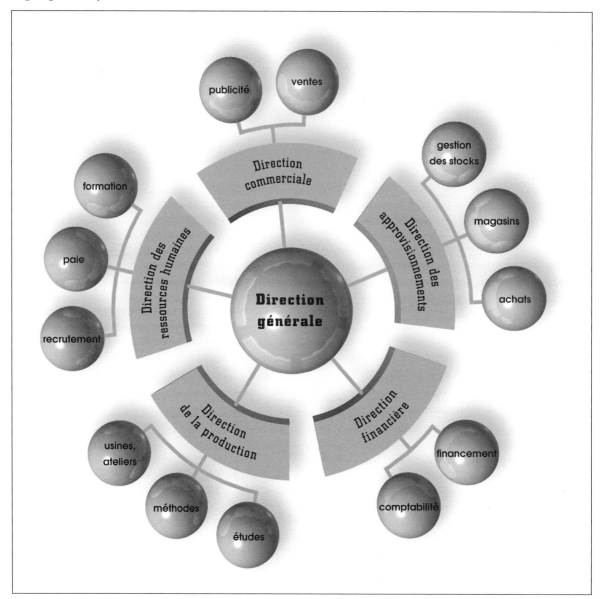

illustrée dans la Figure 6.1 est typique d'une grande entreprise industrielle; les six fonctions y figurant sont celles que l'on distingue le plus souvent.

Après la *direction générale*, méta-fonction qui préside à toutes les autres, viennent les trois fonctions que l'on pourrait qualifier de «centrales». Il s'agit pour l'entreprise d'abord de se procurer à l'extérieur les biens et les services nécessaires à son activité (fonction d'*approvisionnement*); ensuite de s'en servir pour produire (fonction de *production*); enfin de vendre sa production (fonction *commerciale*). Pour remplir ces trois fonctions l'entreprise doit bien gérer ses ressources financières et humaines, d'où les fonctions dites «d'appui»: la finance et le personnel.

1 La direction

Il y a dans toute entreprise, à tous les niveaux, ceux qui prennent les décisions et ceux qui les exécutent (ces deux groupes pouvant évidemment se recouvrir partiellement). Classées selon le champ et la période de leur application, les décisions se rangent en trois catégories:

- Les décisions *stratégiques* engagent à long terme l'ensemble de l'entreprise, son avenir et ses relations avec l'extérieur. Peu nombreuses et difficilement réversibles, elles appartiennent à ceux, quel que soit leur titre, qui exercent le pouvoir au plus haut niveau: les dirigeants, les chefs d'entreprise, les véritables «décideurs». Ce sont eux, pourrait-on dire en jouant un peu sur les mots, qui fixent la *direction générale* de l'entreprise. Exemple: *Devrions-nous nous diversifier? nous lancer dans ce nouveau marché? vendre nos filiales et nous recentrer sur notre mission primordiale?*
- Les décisions *tactiques* concernent, à moyen terme, les questions administratives. À mi-chemin de la stratégie et de la gestion courante, elles sont prises au niveau des directeurs de fonction. Exemple: *Devrions-nous changer de fournisseur? baisser nos prix? augmenter notre budget publicitaire?*
- Les décisions *opérationnelles* portent, à court terme, sur les affaires courantes. Elles sont nombreuses, répétitives et facilement réversibles. Elles relèvent des chefs de service, d'atelier ou d'équipe. Exemple: *Devrions-nous réparer cette machine ou la remplacer?*

Le sens des mots

Gestion, «management»

Au substantif *gestion°* correspond le verbe *gérer°*. On est *gérant* (en titre) si l'on gère une société (de personnes ou SARL) et *gestionnaire* si l'on gère une affaire. *Gestion* et *gérer* sont plus ou moins synonymes de *direction* et de *diriger*; il s'agit dans les deux cas de *conduire*. C'est *gestion* qui s'emploie pourtant lorsqu'il s'agit de l'administration des activités d'un domaine délimité, d'un champ plus restreint: *la gestion des stocks, des risques, du stress* et même *du temps*. Dans ces emplois le mot traduit bien l'anglais *management*. Malgré cette correspondance, le mot anglais a fait fortune *en français*, et depuis les années 70 il est bien implanté dans l'usage. Typique à cet égard du franglais en général, le sens du mot varie, comme d'ailleurs sa prononciation. Parfois *management* est employé comme synonyme de *gestion* ou de *direction*, mais le plus souvent il s'agit d'*un certain style de direction*, un style venu d'Amérique avec le mot. Dans ce sens le bon *manager* — ou est-ce *manageur?* — est celui qui préfère la collaboration au commandement, le dialogue à la direction, la performance au pouvoir.

La direction de l'entreprise, aux niveaux des décisions tactiques et stratégiques, est du ressort des *cadres°*, ainsi appelés parce qu'ils *encadrent* (c'est-à-dire dirigent) le travail des autres. On est *cadre supérieur°* ou *moyen°* selon qu'il s'agit de décisions stratégiques ou tactiques. En dessous, au niveau des décisions opérationnelles, on appelle *contremaître°* le responsable d'une équipe d'ouvriers et *agent de maîtrise°* le technicien qui dirige le travail d'autres techniciens. Bien qu'il s'agisse dans ces deux cas d'un *personnel d'encadrement°*, l'usage tend à réserver le terme de *cadre* aux «cols blancs»[1].

2   L'approvisionnement°

Cette fonction regroupe toutes les activités qui permettent à l'entreprise de disposer des biens et des services dont elle a besoin pour produire. Dans les grandes entreprises la fonction se divise normalement en deux services: le service des *achats* et celui du *magasinage* (auquel s'ajoute parfois un service de *gestion des stocks*).

Le service des *achats°* a pour mission de fournir à l'entreprise les matières premières° ainsi que les produits semi-finis et finis nécessaires à son activité. L'acheteur° est chargé de choisir les fournisseurs°, de négocier les contrats, de passer les commandes° et d'en assurer le suivi°.

Une fois livrées°, les marchandises en attente d'utilisation constituent des stocks que le service du *magasinage°* doit gérer efficacement[2]. Il s'agit d'abord de réceptionner les livraisons° (les recevoir en vérifiant leur conformité à la commande), ensuite de les ranger dans l'*entrepôt°*, enfin de les livrer aux unités de production. On appelle *manutention°* le déplacement de marchandises au sein de l'entreprise, en vue de leur emmagasinage, utilisation ou expédition. Tout ce qui relève de la *gestion matérielle des stocks* — réception, manutention, conservation, inventaire — est la responsabilité du *magasinier°*.

On appelle *gestion économique des stocks* l'ensemble des méthodes et des opérations qui permettent de déterminer et de maintenir le niveau optimal des stocks. Ce niveau sera toujours un compromis, car l'entreprise a besoin de stocks, lesquels peuvent coûter cher. Elle en a besoin pour se prémunir contre les ruptures de stock et les hausses de prix des approvisionnements, et aussi pour réaliser des économies en augmentant les quantités achetées ou produites. Le coût des stocks est lié à leur gestion matérielle, ainsi qu'aux immobilisations de capital qu'ils représentent[3]. Leur gestion économique visera donc à concilier ces objectifs opposés en vue de réduire au minimum les coûts et les risques.

3   La production

Cette fonction regroupe toutes les activités ayant pour but la création de biens ou de services. Dans une grande entreprise industrielle la production se répartit entre plusieurs services: le *bureau des études*, où le produit est conçu; le *bureau des méthodes*, qui détermine les procédés de fabrication; le *service de l'ordonnancement*, qui planifie les opérations de production (délais, enchaînement des tâches,

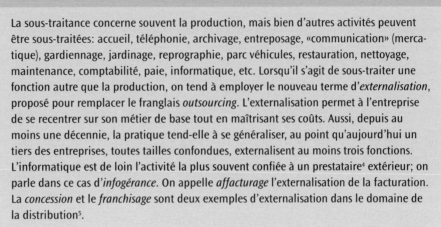

De la sous-traitance à l'externalisation°

La sous-traitance concerne souvent la production, mais bien d'autres activités peuvent être sous-traitées: accueil, téléphonie, archivage, entreposage, «communication» (mercatique), gardiennage, jardinage, reprographie, parc véhicules, restauration, nettoyage, maintenance, comptabilité, paie, informatique, etc. Lorsqu'il s'agit de sous-traiter une fonction autre que la production, on tend à employer le nouveau terme d'*externalisation*, proposé pour remplacer le franglais *outsourcing*. L'externalisation permet à l'entreprise de se recentrer sur son métier de base tout en maîtrisant ses coûts. Aussi, depuis au moins une décennie, la pratique tend-elle à se généraliser, au point qu'aujourd'hui un tiers des entreprises, toutes tailles confondues, externalisent au moins trois fonctions. L'informatique est de loin l'activité la plus souvent confiée à un prestataire[4] extérieur; on parle dans ce cas d'*infogérance*. On appelle *affacturage* l'externalisation de la facturation. La *concession* et le *franchisage* sont deux exemples d'externalisation dans le domaine de la distribution[5].

postes de travail, etc.); enfin les *ateliers* et les *usines*, de plus en plus automatisés, où s'effectue la production proprement dite.

Pour rester compétitive, toute entreprise doit veiller à sa *productivité*, définie comme le rapport entre la production et les facteurs de production. La productivité du travail, par exemple, se mesure ainsi:

$$\text{PRODUCTIVITÉ} = \text{QUANTITÉ PRODUITE} \div \text{NOMBRE D'HEURES TRAVAILLÉES}$$

L'augmentation de la productivité industrielle passe donc, à l'évidence, par la mécanisation et surtout par l'automatisation de la production[6]. De là l'importance grandissante de la *productique*, c'est-à-dire l'ensemble des techniques «en AO» (assisté(e) par ordinateur) liées à la production: CAO (conception...), FAO (fabrication...), CFAO (conception et fabrication...), etc.

Pour l'entreprise désireuse d'augmenter sa productivité en réduisant ses coûts, l'un des choix fondamentaux est celui de *faire* ou de *faire faire*. Si elle décide de confier une partie de sa production à une autre entreprise, il s'agit d'un contrat de *sous-traitance*°; on appelle *donneur d'ordres* la première entreprise et *sous-traitant*° la seconde. Une entreprise recourt à un sous-traitant lorsqu'elle ne peut pas faire face à la demande (sous-traitance de capacité) ou qu'une autre entreprise peut mieux faire, et à moindre coût (sous-traitance de spécialité). La production des automobiles, en grande partie sous-traitée, est un exemple de la sous-traitance de spécialité.

 ## **L**a fonction commerciale

Il s'agit des activités ayant pour but d'assurer la vente de la production de l'entreprise. Elles feront l'objet du module suivant (*La mercatique*).

5 ◆ La fonction financière

Cette fonction est bipartie: elle regroupe les activités relatives, d'une part, à l'*acquisition* des fonds nécessaires aux opérations de l'entreprise; d'autre part, à l'*enregistrement* et au *contrôle*[7] des mouvements de ces fonds. Il s'agit, en d'autres termes, du *financement* de l'entreprise et de sa *comptabilité°*. (Au sujet de cette dernière, voir ci-dessous ❖ *La comptabilité.*)

Lors de sa création et au cours de son existence, l'entreprise a besoin de capitaux pour financer à long terme ses investissements et à court terme son cycle d'exploitation (production et commercialisation). D'où viennent ces fonds? On distingue deux catégories de ressources dont une entreprise peut disposer: externes et internes.

Les *ressources externes* (appelées aussi *fonds étrangers*) proviennent d'*emprunts°* auprès de particuliers ou d'institutions en dehors de l'entreprise. Classés selon leur durée, les emprunts sont *à court terme* (moins de deux ans), *à moyen terme* (de deux à sept ans) ou *à long terme* (plus de sept ans). L'emprunt est *indivis* lorsqu'il y a un seul *prêteur°* (fournisseur, banque ou autre établissement de crédit) et *obligataire* lorsqu'il y a de nombreux prêteurs[8].

◆ Pour aller plus loin

La comptabilité

La loi oblige toute entreprise à enregistrer au jour le jour les *rentrées* et les *sorties* d'argent. Les rentrées sont les sommes reçues, celles qui «entrent en caisse» (synonymes: *recettes°, encaissements*); les sorties sont les sommes dépensées (synonymes: *dépenses°, décaissements*). En plus de cette comptabilité quotidienne, l'entreprise doit en faire annuellement la synthèse en établissant à la fin de chaque exercice° plusieurs documents comptables, parmi lesquels figurent le *compte de résultat°* et le *bilan°*.

1. Le *compte de résultat.* Le mot *résultat* signifie ici *bénéfice* (profit) ou *perte.* Dans une colonne du compte sont inscrites toutes les *charges* (dépenses) de l'année; dans l'autre, tous les *produits* (recettes) de la même période. La différence entre le total des charges et le total des produits représente le bénéfice ou la perte.

2. Le *bilan.* À la différence du compte de résultat, qui représente l'enrichissement ou l'appauvrissement de l'entreprise *au cours d'une année*, le bilan est une description du patrimoine de l'entreprise (c'est-à-dire tout ce qu'elle possède) *à une date donnée*, généralement le 31 décembre. Le document se présente, lui aussi, sous la forme d'un tableau à deux colonnes: à gauche figure l'*actif°* et à droite, le *passif°*. On appelle *actif* l'inventaire des biens de l'entreprise et *passif* l'indication de l'origine de ces biens. À l'actif sont inscrits, par exemple: outils, bâtiments et terrains («immobilisations corporelles»); brevets, baux et marques de fabrique («immobilisations incorporelles»); créances (ce qu'on doit à l'entreprise); liquidités (sommes à la banque). Au passif sont inscrits essentiellement les capitaux et les dettes de l'entreprise[9]. N.B.: *Le bilan est toujours en équilibre* — le montant du passif est toujours égal à celui de l'actif —, puisque chaque bien de l'entreprise provient d'une origine précise[10].

Or les emprunts ont l'inconvénient majeur d'être remboursables, principal et intérêts, d'où l'avantage des *ressources internes* (appelées aussi *fonds propres*). Celles-ci sont de deux sortes:

- On appelle *capital social* l'argent (apport en numéraire) ou les biens (apport en nature) que les propriétaires d'une entreprise lui apportent au moment de sa création ou au cours de son existence. Ce capital constitue une sorte de dette de la société envers ses propriétaires, mais une dette qui n'est exigible[11] qu'en cas de dissolution de l'entreprise. Il s'agit donc d'une ressource stable.
- Au cours de son activité l'entreprise dégage des bénéfices dont une partie est distribuée aux propriétaires. La partie non-distribuée constitue une réserve monétaire qui sert à l'*autofinancement* de l'entreprise.

Qu'il s'agisse de fonds générés par son activité (autofinancement) ou apportés par ses propriétaires (capital social), les ressources internes de l'entreprise lui permettent de financer ses besoins sans accroître son endettement.

6 Les ressources humaines

Les activités relevant du *personnel* se divisent en plusieurs catégories dont chacune correspond, dans les grandes entreprises, à un service plus ou moins autonome: recrutement, rémunération, formation, etc. Mais la fonction s'élargit depuis quelques décennies et à ces activités classiques s'ajoutent aujourd'hui celles qui visent plus généralement au maintien d'un bon climat social dans l'entreprise: amélioration de la communication, résolution des conflits, intégration du personnel dans la vie de l'entreprise, etc. La fonction s'est rebaptisée en prenant de l'ampleur: à l'*administration du personnel* a succédé la *gestion des ressources humaines* (GRH).

Pour le *directeur des ressources humaines* (DRH), dont le rôle a été élargi, les mots-clés sont désormais: *identification* (des intérêts du personnel à ceux de l'entreprise); *implication* (du salarié dans le succès de l'entreprise); et *adhésion* (de tous au «projet d'entreprise»). Et pour parvenir à ces fins il faut d'abord et surtout la *participation* du personnel, laquelle intervient à plusieurs niveaux:

- *Participation aux bénéfices°*. Elle est obligatoire dans toute entreprise française ayant au moins cinquante salariés et dont le bénéfice a atteint un certain seuil. Les autres entreprises peuvent opter pour des régimes facultatifs; on parle dans ce cas d'*intéressement°*, car il s'agit d'intéresser financièrement le personnel à la performance de l'entreprise. Comme la participation obligatoire, l'intéressement redistribue au personnel une partie du bénéfice, mais la performance peut se mesurer selon d'autres critères (chiffre d'affaires, productivité, pourcentage de clients satisfaits, etc.).
- *Participation au capital.* Il s'agit de donner au personnel d'une société les moyens d'en devenir actionnaires. Les plans d'épargne d'entreprise (PEE), facultatifs, permettent aux salariés de constituer des portefeuilles de valeurs mobilières[12]. Les cadres supérieurs de certaines entreprises peuvent bénéficier d'options sur titres (options d'achat d'actions[13]).

Pour aller plus loin

Les représentants du personnel

En vue d'assurer le dialogue social au sein de l'entreprise, la loi garantit aux salariés une représentation dont les modalités sont réglementées en fonction de la taille de l'entreprise.

1. Dans les entreprises dont l'effectif dépasse dix, les salariés élisent entre eux un ou des *délégué(s) du personnel,* dont le nombre est proportionnel au nombre des salariés. Leur rôle principal est de présenter à la direction les réclamations individuelles et collectives des salariés.

2. Les entreprises d'au moins cinquante salariés doivent former un *comité d'entreprise* (CE). De composition tripartie, le CE comprend: le chef d'entreprise; des représentants syndicaux; et des représentants élus par les salariés, dont le nombre, comme celui des délégués du personnel, dépend de l'effectif de l'entreprise. Le CE doit être informé de la situation financière de l'entreprise, donne son avis sur les conditions de travail et gère les activités culturelles et sociales.

3. Tout syndicat° ayant une section dans une entreprise d'au moins cinquante salariés peut désigner un ou des *délégué(s) syndical(-aux),* dont le nombre varie selon l'effectif de l'entreprise. Les délégués syndicaux ont pour rôle de défendre les intérêts des syndiqués auprès de la direction.

4. Les délégués du personnel et le CE désignent ensemble les membres du comité d'hygiène, de sécurité et des conditions de travail (CHSCT).

• *Participation à la prise de décision.* Elle peut revêtir différentes formes — cogestion, surveillance, simple consultation — et se manifester à plusieurs échelons, depuis les unités de travail (atelier, équipe, service) jusqu'aux organes représentatifs de l'entreprise (voir ci-dessus ❖ *Les représentants du personnel*).

Sigles et acronymes

CAO   conception assistée par ordinateur
CE   comité d'entreprise
CHSCT   comité d'hygiène, de sécurité et des conditions de travail
DRH   directeur des ressources humaines

FAO   fabrication assistée par ordinateur
GRH   gestion des ressources humaines
PEE   plan d'épargne d'entreprise

Lexique français–anglais

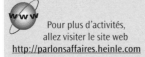

Pour plus d'activités, allez visiter le site web
http://parlonsaffaires.heinle.com

achats (service des ~) *(m.)*   purchasing (department)
  acheteur *(m.)*   buyer
actif *(m.)*   assets
agent de maîtrise *(m.)*   supervisor

approvisionnement *(m.)*   supply, procurement
approvisionner   to supply
s'approvisionner   to obtain supplies

bilan *(m.)*   balance sheet
cadre *(m.)*   executive; management-level employee
  cadre moyen   junior executive; middle manager
  cadre supérieur   senior executive; upper-level manager
  personnel d'encadrement *(m.)* management-level personnel
commande *(f.)*   order
  commander   to order
comptabilité *(f.)*   accounting; book-keeping
  comptable *(m., f.)*   accountant; bookkeeper
compte de résultat *(m.)*   earnings report
contremaître (-tresse) *(m., f.)*   foreman (foreperson)
dépense *(f.)*   expense; expenditure
direction *(f.)*   management
direction générale *(f.)*   general management ("the head office")
emprunt *(m.)*   loan
  emprunter (à)   to borrow (from)
entrepôt *(m.)*   warehouse
  entreposage *(m.)*   warehousing; storage
  entreposer   to warehouse; to store
exercice *(m.)*   fiscal year
externalisation *(f.)*   outsourcing
  externaliser   to outsource
fournisseur *(m.)*   supplier

fournir   to supply
gestion *(f.)*   management
  gérer   to manage
intéressement *(m.)*   profit-sharing
livrer   to deliver
  livraison *(f.)*   delivery; merchandise delivered
magasinage *(m.)*   warehousing; storage
  magasin *(m.)*   warehouse
  magasinier *(m.)*   warehouse supervisor; stock manager
  emmagasiner   to warehouse; to store
manutention *(f.)*   materials handling
  manutentionnaire *(m., f.)*   materials handler; warehouseman
matières premières *(f.)*   raw materials
organigramme *(m.)*   organization chart
participation aux bénéfices (aux résultats) *(f.)*   profit-sharing
passif *(m.)*   liabilities
prêteur (-euse) *(m., f.)*   lender
  prêter   to lend
réceptionner   to receive (merchandise)
recettes *(f.)*   earnings; revenues
service *(m.)*   department
sous-traitance *(f.)*   subcontracting
  sous-traitant *(m.)*   subcontractor
  sous-traiter   to subcontract; to "farm out"
suivi *(m.)*   follow-up; monitoring
syndicat *(m.)*   union

Activités

I. Traduction

Pour plus d'activités, allez visiter le site web http://parlonsaffaires.heinle.com

A. Français–anglais (version)

1. Les salaires réels des cadres, toutes catégories confondues, ont augmenté de 20% en deux ans.
2. L'infogérance nous a permis de réaliser d'importantes économies.
3. Le travail du comptable consiste en partie à contrôler toutes les rentrées et les sorties de fonds.
4. Le bilan décrit l'actif et le passif de l'entreprise à une date donnée, alors que le compte de résultat indique le rapport des recettes aux dépenses pendant l'exercice.

5. Nous avons décidé d'externaliser notre magasinage.

6. En vue d'assurer le dialogue social au sein de l'entreprise, la loi garantit aux salariés une représentation dont les modalités sont réglementées en fonction de la taille de l'entreprise.

7. Elle étudie la GEA (gestion des entreprises et des administrations) à Bordeaux.

8. Le patron veut savoir qui était responsable du suivi de cette affaire.

9. Notre chef du personnel a un nouveau titre: il se fait désormais appeler «directeur des ressources humaines».

10. Nous cherchons actuellement de nouveaux fournisseurs pour nos matières premières.

B. Anglais–français (thème)

1. We had to let our warehouse manager go when we decided to outsource our warehousing.

2. It's clear from your organization chart that your upper-level management is bloated.

3. You're over-staffed in purchasing and under-staffed in sales.

4. Nowadays businesses can farm out just about any operation, even certain management functions.

5. We'll borrow from the bank to finance this expansion; it'll be a long-term loan at 8%.

6. Our CEO wants to create a profit-sharing plan.

7. Sorry, I'll have to refer you to the head office: they make all the strategic decisions.

8. Their factory can't keep up with the orders.

9. Production is lagging because we have serious supply problems.

10. We're currently looking for new suppliers for our raw materials.

II. Entraînement

1. Expliquez la notion de *fonction*. En quoi les fonctions d'une entreprise se distinguent-elles des services?

2. [❖] Le terme de *management* est-il employé en français comme synonyme de *gestion*? Si non, quelle nuance les distingue?

3. Qu'est-ce qu'une décision *stratégique*? En quoi diffère-t-elle d'une décision *tactique* ou *opérationnelle*? Sur quels critères se fonde cette classification? À quel groupe, au sein de l'entreprise, les décisions stratégiques et tactiques incombent-elles?

4. Quelles activités l'*approvisionnement* regroupe-t-il? Entre quels services ces activités se répartissent-elles dans les grandes entreprises? Qu'est-ce que la *gestion matérielle des stocks*? En quoi diffère-t-elle de la *gestion économique des stocks*?

5. Qu'est-ce que la *productivité* (du travail)? Quel rapport y a-t-il entre la productivité et la compétitivité?

6. Qu'est-ce que la *sous-traitance*? Dans un contrat de sous-traitance, comment appelle-t-on les deux contractants? [❖] Le terme d'*externalisation* est-il synonyme de *sous-traitance*? Si non, quelle nuance apporte-t-il?

7. Décrivez les différentes *sources de financement*. Distinguez à cet égard: ressources *externes* et *internes*; emprunts *indivis* et *obligataires*; prêts à *court*, à *moyen* et à *long terme*; *capital social* et *autofinancement*.

8. [❖] Qu'ont en commun le *bilan* et le *compte de résultat?* En quoi sont-il différents?

9. «Pour parvenir à ces fins (identification, implication, adhésion), il faut d'abord et surtout la *participation*.» Mais à quoi le personnel participe-t-il? Sous quelles formes se manifeste sa participation?

10. [❖] Décrivez les différentes formes de représentation garanties par la loi aux salariés d'une entreprise française.

III. Matière à réflexion

1. Parmi les principales fonctions de l'entreprise, nous avons distingué une «méta-fonction» (la direction générale), trois fonctions «centrales» (l'approvisionnement, la production et la commercialisation) et deux fonctions «d'appui» (la finance et le personnel). Justifiez cette typologie (traditionnelle) et ces étiquettes (si elles vous paraissent justifiées). Le personnel n'est-il pas «au centre» de l'entreprise?

2. Expliquez, à l'aide d'un bon dictionnaire français–français (comme *Le Robert*) les nuances qui séparent les termes suivants: *chef* (*d'entreprise*), *patron*, *gérant*, *président*, *directeur* (*général*), *dirigeant*, *responsable*. Comment demanderait-on en français «if the CEO of Enron will be indicted»?

3. Les activités relatives au personnel ont évolué depuis quelques décennies. Décrivez cette évolution. Qu'est-ce qui, à votre avis, pourrait l'expliquer?

IV. Pour se renseigner en ligne

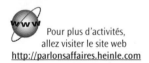

Pour plus d'activités, allez visiter le site web http://parlonsaffaires.heinle.com

1. Le *Portail des PME*, à <www.portailpme.fr>, section «Le Guide de l'entreprise», propose des rubriques correspondant à presque toutes les fonctions présentées dans ce module. (Exception: l'approvisionnement, qui fait partie de la rubrique «Production».) Un site fort utile, d'une consultation commode, qui vous permettra d'approfondir tous les sujets que nous avons à peine effleurés.

2. Des nombreux dossiers sur l'externalisation, l'un des meilleurs est celui d'Indexel, à <www.indexel.net>, liens «Dossiers» → «Externalisation». À lire d'abord: «Le b.a.-ba de l'externalisation». (*B.a.-ba* signifie: les premiers éléments d'une matière. Étymologie: «Épelons. B-a fait ba...».)

Notes

1. Là-dessus, l'usage et l'Insee sont d'accord. Mais l'Insee exclut de la catégorie des cadres «les salariés ayant la qualité de chef d'entreprise». Pour les définitions officielles de ces catégories socioprofessionnelles, visiter son site à <www.insee.fr>, rubrique «nomenclatures».

2. *Magasinage:* action de mettre en magasin; son résultat (synonyme: *entreposage*). *Magasin* a ici son sens premier: lieu de dépôt de marchandises (synonyme: *entrepôt*). (Ce n'est qu'au XVIIIᵉ siècle que le mot prend le sens d'*établissement de vente*.)

3. L'argent «immobilisé» dans les stocks (dépensé pour les acheter ou les produire) aurait pu, investi ailleurs, rapporter des intérêts.

4. *Prestataire:* personne, physique ou morale, qui fournit des services contre paiement.

5. Voir à ce sujet le Module 7: *La mercatique* (❖ *Les formes de commerce*).

6. Les deux termes ne sont pas synonymes. Michel Darbelet explique ainsi la distinction: «Mécanisation: adjonction d'organes technologiques aux organes humains [...]. Automatisation: substitution d'organes technologiques aux organes humains» (*Économie d'entreprise*, Paris: Foucher, 2001, p. 52). Dans le premier cas l'homme se sert d'une machine qu'il continue à piloter; dans le second, l'homme est remplacé par une machine dont le pilotage se fait désormais par ordinateur, sans intervention humaine.

7. *Contrôle* est ici, ainsi que dans la plupart de ses emplois, un faux ami. Le terme signifie *vérification*, et ne correspond pas à l'anglais *control*.

8. Ces prêteurs, en achetant des *obligations* (anglais: *bonds*),

9. On confond parfois, les dictionnaires y aidant, *passif* et *dettes*. Le passif indique l'*origine des biens*. À l'origine d'un bien il y a parfois un emprunt, donc une dette. Mais d'autres biens proviennent des apports des propriétaires, c'est-à-dire du capital social (ce qui explique que le capital figure au passif). Il est vrai que le capital représente une somme dont l'entreprise est «redevable» (dans un sens) aux propriétaires; il ne constitue pourtant pas une dette au sens comptable du terme parce qu'il n'est ni remboursable ni exigible. Le passif comprend donc les dettes, mais ne s'y réduit pas.

10. C'est donc à tort que Bruezière et Charon écrivent que «le bilan est positif ou négatif selon que l'actif l'emporte ou non sur le passif» (*Le Français commercial*, Tome II, p. 255): l'actif ne peut l'emporter sur le passif, ni le passif sur l'actif. Le mot *bilan* s'emploie, par extension du sens comptable, dans des expressions telles que: *faire le bilan de la situation, de sa vie, d'un accident*, etc. C'est dans ce sens élargi qu'un bilan peut être positif ou négatif.

11. *Exigible:* dont on peut *exiger* le remboursement.

12. Anglais: *portfolios of stocks and bonds*. Voir à ce sujet le Module 9: *La Bourse*.

13. *Option sur titre* est la traduction officielle de l'anglais *stock option* (expression largement répandue en français). «Dans une acception courante, l'expression "option sur titres" désigne une option d'acquisition [...] d'actions offerte par une entreprise à [...] ses dirigeants à des conditions préférentielles et à des fins d'intéressement» (JO du 12 mai 2000).

deviennent des *obligataires* de la société. Voir à ce sujet le Module 9: *La Bourse*.

La mercatique

a mercatique°, telle que nous la connaissons aujourd'hui, n'est apparue que vers le milieu du XXe siècle. Jusqu'alors, en Europe comme aux États-Unis, la plupart des marchés se caractérisaient par une supériorité de la demande par rapport à l'offre. Le producteur n'avait, dans ces conditions, qu'à produire: la vente de sa production était plus ou moins assurée.

Depuis la Deuxième Guerre mondiale, et surtout depuis les années 60, la situation s'est inversée: grâce à l'augmentation des capacités de production, l'offre dépasse — ou peut dépasser — la demande. Face aux marchés de plus en plus saturés, le fabricant doit limiter sa production à ce qu'il est sûr de pouvoir vendre. Dans ce nouveau contexte concurrentiel°, il faut rester à l'é-

coute du client et prendre conscience de ses besoins en vue de mieux les satisfaire. C'est là précisément l'objet de la *mercatique*, ce qui explique la place d'honneur qu'elle occupe aujourd'hui dans la vie économique. L'entreprise qui refuse de cultiver l'*attitude mercatique* est vouée désormais à l'échec.

Pour aller plus loin

Français ou franglais?

Importé d'outre-Atlantique en 1944, le terme de *marketing* a été pendant longtemps le seul à être employé en France. Ce n'est qu'en 1973 qu'une commission chargée de veiller à l'état de la langue a proposé le néologisme *mercatique* (du latin *mercatus*: «marché»). Le mot était bien choisi: plus conforme que *marketing* aux tendances phonétiques et morphosyntaxiques du français, il avait l'avantage supplémentaire de se prêter naturellement à l'usage adjectival.

Malgré ces atouts, *mercatique* ne s'est pas imposé du jour au lendemain. Aujourd'hui encore, l'usage tend à favoriser le terme franglais, bien que le néologisme continue à marquer des points. Le *Journal officiel* publie régulièrement les équivalents français recommandés par la Commission générale de terminologie et de néologie: *mercatique personnalisée* («person to person marketing»), *mercatique de relance* («remarketing»), *mercatique interentreprise* («business to business marketing»), etc.[1] Autre raison d'espérer: depuis quelques années les manuels scolaires et universitaires emploient systématiquement le mot français.

Dans ces conditions, lequel des deux termes en concurrence devrait-on employer? Nous sommes ici devant l'un de ces choix linguistiques fondamentaux[2]: faut-il suivre un usage dominant, si critiquable soit-il, ou les recommandations officielles? Celles-ci étant à notre avis bien fondées dans ce cas, nous conseillons d'employer *mercatique*.

Selon le *Journal officiel* du 2 avril 1987, la mercatique est «l'ensemble des actions qui, dans une économie de marché, ont pour objectif de prévoir ou de constater, et, le cas échéant, de stimuler, susciter ou renouveler les besoins du consommateur, en telle catégorie de produits ou de services, et de réaliser l'adaptation continue de l'appareil productif et de l'appareil commercial d'une entreprise aux besoins ainsi déterminés».

À cette définition emberlificotée comparons celle que l'American Marketing Association propose du terme *marketing*: «l'ensemble des actions ayant pour objet d'assurer la vente de produits en fonction des besoins des consommateurs».

Les deux définitions s'accordent sur l'essentiel. La discipline ainsi définie comporte deux étapes principales: une phase d'étude et une phase opérationnelle. Il s'agit d'abord d'*analyser*, ensuite d'*agir*.

1 La phase d'analyse

Elle se déroule en deux temps. Au point de départ, l'*étude de marché*° fournit les informations dont l'entreprise a besoin; au point d'arrivée, la *segmentation du marché* permet de passer à la phase opérationnelle.

L'étude de marché est quantitative ou qualitative. L'étude quantitative, comme l'indique son nom, apporte une réponse chiffrée aux questions: «Qui?

Quoi? Où? Combien?» La méthode qu'elle utilise est celle de l'enquête par sondage°, menée auprès d'un échantillon° représentatif de la population de base, au moyen d'un questionnaire. Si l'échantillon est permanent (composé d'individus interrogés à intervalles réguliers), il s'agit d'un *panel*. Dans le cas contraire, il s'agit d'une *enquête ponctuelle* (dite aussi *ad hoc*).

Lorsqu'un dénombrement ne suffit pas, l'entreprise commande une étude qualitative ayant pour objet d'expliquer ou d'apprécier, voire de pronostiquer. Il s'agit dans ce cas de répondre aux questions: «Comment? Pourquoi?» C'est à ce type d'étude que l'entreprise fait appel lorsqu'elle a besoin d'informations sur la *motivation* des consommateurs. La technique utilisée est celle de l'entretien individuel ou de groupe.

Ayant fait l'objet d'études quantitatives ou qualitatives, le marché subit ensuite une *segmentation*. Segmenter un marché, c'est le découper en sous-groupes plus ou moins homogènes. Selon les besoins de l'entreprise, ce découpage peut se faire à partir de critères divers: socio-démographiques (sexe, âge, situation familiale); économiques (revenu, catégorie socio-professionnelle); géographiques (habitat rural ou urbain, sédentaire ou nomade); comportementaux (taux et fidélité d'utilisation, montant et fréquence des achats); psychologiques (motivations, attitudes, personnalité).

Depuis quelques années, la notion de *style de vie*, ou *sociostyle*, retient tout particulièrement l'attention des mercaticiens. Moins réducteur que les critères unidimensionnels, le sociostyle réunit les individus ayant les mêmes comportements, opinions, goûts et valeurs.

Le *Centre de communication avancée* avait identifié six sociostyles dans la population française de 1994: les matérialistes, les ambitieux, les notables, les nomades, les «networkers» et les «cocooners». À titre d'exemple, le «cocooner» était marié avec des enfants; il habitait en milieu urbain ou péri-urbain. Avec son revenu moyen, il achetait à crédit, mais prudemment, dans les hypermarchés pour la plupart, où il aimait surtout les rayons du bricolage, de la décoration et de l'électroménager. Il dépensait peu pour les vacances et les sorties, ses soucis majeurs étant la sécurité et le confort. On lui prêtait un «esprit tribal» dans un «village fortifié», c'est-à-dire un réflexe de repli dans un cadre micro-social abritant famille et amis. Il estimait, avec Voltaire, qu'*il faut cultiver son jardin.* Les six nouveaux sociostyles de 2000 — jeunes («screenagers»), décalés, égocentrés, activistes, matérialistes et rigoristes — ne correspondent qu'imparfaitement aux anciens, mais les «cocooners» semblent avoir beaucoup légué aux actuels rigoristes et matérialistes.

À quoi sert la segmentation du marché? Il est évident qu'un baby-boomer n'a pas le comportement d'achat° d'un retraité, qu'une femme au foyer ne consomme pas de la même façon qu'un cadre supérieur. Une bonne segmentation, effectuée selon des critères pertinents, permet à l'entreprise d'adapter son produit aux attentes du client et de mettre au point, pour chaque groupe identifié, une politique commerciale appropriée. La segmentation assure, en d'autres termes, un ciblage° efficace.

2 ▶ La phase opérationnelle: le marchéage

L'analyse n'est évidemment pas une fin en soi: il s'agit ensuite de passer à l'action. Les variables sur lesquelles pourra s'exercer l'action de l'entreprise sont au nombre de quatre: le produit, le prix, la distribution et la communication. L'on y reconnaîtra «the four Ps» des mercaticiens américains: «product, price, place, promotion».

À chacune de ces variables correspondra une politique appropriée; leur mariage harmonieux constitue ce que l'on appelle le *marchéage*. Ce terme est un néologisme proposé comme traduction du «marketing mix» américain[3]. Le marchéage sera donc constitué des réponses apportées par l'entreprise aux quatre questions suivantes:

1. Quel produit mettre sur le marché?
2. À quel prix?
3. Comment distribuer le produit?
4. Comment le faire connaître?

C'est à ces questions que correspondent les quatre sections suivantes.

3 ◆ Le produit

Il peut être matériel (un bien) ou immatériel (un service). Parmi les nombreux aspects commerciaux du produit, nous en retiendrons quelques-uns qui relèvent plus directement de la mercatique: la marque, la gamme et l'emballage.

3.1 La marque

Il s'agit d'«un signe [...] servant à distinguer les produits ou services d'une entreprise» (loi du 4 janvier 1991). La marque permet à l'entreprise de donner à son produit ou service l'image voulue et de le positionner par rapport à ceux des entreprises concurrentes°. Une bonne *image de marque* étant chèrement acquise, l'entreprise a intérêt à la protéger contre la contrefaçon (imitation frauduleuse). Il suffit, pour ce faire, de déposer — c'est-à-dire de faire enregistrer — la marque au tribunal de commerce ou à l'INPI (Institut national de la propriété industrielle). La propriété d'une marque déposée confère un monopole d'exploitation pour une période renouvelable de dix ans.

La même loi qui définit le terme précise que la marque peut être non seulement une dénomination (mot ou groupe de mots) mais aussi un dessin (un *logo*, forme abrégée de *logotype*), une séquence musicale (en franglais, un *jingle*; en français, un *sonal*[4]) et même une forme (celles, par exemple, des «petits beurres» de Lu et de la bouteille de Perrier). Dans la pratique, le terme est employé le plus souvent pour désigner le nom d'un produit, d'où notre deuxième traduction («brand name») dans le lexique.

3.2 La gamme°

Une gamme est une série de produits (a) appartenant à une même catégorie (répondant au même besoin) et (b) proposés par le même fabricant. La notion de *série* est clé, car les produits de la gamme se présentent dans un ordre qui va du moins cher (le produit *bas de gamme* ou *entrée de gamme*) au plus cher (le produit *haut de gamme*)[5]. La gamme est composée de lignes de produits dont chacune se décompose à son tour en différents modèles ou articles. Les produits Apple, par exemple, comprennent plusieurs gammes: ordinateurs de bureau, ordinateurs portables, imprimantes, moniteurs, baladeurs numériques, etc. La gamme des ordinateurs de bureau se compose de quatre lignes: eMac, iMac, Power Mac G4, Power Mac G5. Celle des ordinateurs portables comprend deux lignes: iBook et PowerBook G4.

Une gamme est plus ou moins *large* selon le nombre des lignes qui la composent, et la ligne, plus ou moins *profonde* selon le nombre des modèles qui la composent. La gamme des ordinateurs portables d'Apple, par exemple, est moins large (deux lignes) que leur gamme d'ordinateurs de bureau (quatre lignes). La ligne des iBook est moins profonde, comprenant seulement deux modèles (12 et 14 pouces), que celle des PowerBook G4, avec ses trois modèles (12, 15 et 17 pouces).

Bien que *ligne* désigne en principe une subdivision de la gamme, l'emploi des deux termes reste assez flou, et l'un est souvent employé indifféremment comme synonyme de l'autre. Il ne faudrait pourtant pas confondre la gamme (ou ligne) avec l'*assortiment°*, c'est-à-dire l'ensemble des produits d'une même catégorie mais *de marques différentes* proposés dans un magasin. Exemple: Wal-Mart offre un grand assortiment d'appareils photo numériques qui comprend les gammes complètes de Canon, Sony et Kodak, ainsi qu'une partie de la gamme Nikon[6].

3.3 L'emballage

L'unité vendue se compose le plus souvent d'un contenu (le produit lui-même) et d'un contenant, appelé *emballage*. Il s'agit de l'enveloppe matérielle du produit: boîte, bocal ou bouteille, sac, pack ou carton. Outre ses fonctions physiques (transport, protection), l'emballage remplit des fonctions mercatiques dont les principales sont celles (a) de *présenter* le produit de façon à en favoriser la vente et (b) d'*informer* le consommateur.

Cette dernière fonction est remplie par l'*étiquette°* — véritable «carte d'identité» du produit, dit-on —, sur laquelle figurent de nombreuses mentions obligatoires. Selon la nature du produit, l'étiquetage doit indiquer, par exemple: la marque, la quantité, la composition, les précautions d'emploi, la date limite de

Le sens des mots

Conditionnement°, emballage, «packaging»

Le terme de *conditionnement* désigne en principe le contenant primaire, en contact avec le produit, considéré des points de vue esthétique et commercial. Selon l'Office québécois de la langue française, «il ne faut pas confondre ce terme avec l'emballage, qui est une seconde enveloppe, souvent très résistante et de grande capacité, qui sert à protéger le produit ou à regrouper plusieurs unités». Le premier terme met l'accent sur les fonctions *mercatiques* du contenant, alors que le second insiste plutôt sur ses fonctions *physiques* (groupage, entreposage, transport). Souvent confondus malgré les mises en garde, les deux termes se réunissent dans l'américain *packaging*, employé en franglais au sens de *façon de présenter* («le packaging d'une star»). Le mot figure ainsi dans *Le Petit Robert:* «Anglicisme. Technique d'emballage qui soigne la présentation dans une perspective publicitaire. Recommandation officielle: *conditionnement*».

consommation, le numéro du lot de fabrication. L'indication du prix, obligatoire en France depuis 1971, se fait de plus en plus aujourd'hui au moyen de codes-barres[7].

Du point de vue de leur (ré)utilisation, la distinction traditionnelle est celle qui oppose les emballages *perdus* (jetés après avoir servi une fois) aux emballages *consignés°* (facturés au moment de l'achat moyennant remboursement de la *consigne°* et réutilisables). Une catégorie nouvelle, née sous la pression d'impératifs écologiques ainsi que de la législation européenne, est celle de l'emballage *recyclable.*

4 ▸ Le prix

Une fois définis les paramètres du produit, l'entreprise doit fixer le prix auquel il sera vendu (le prix de vente). Si, par rapport à l'État, elle dispose en la matière d'une liberté presque entière[8], l'entreprise doit néanmoins tenir compte de nombreuses contraintes, internes (ses frais) aussi bien qu'externes (l'offre et la demande). De là les trois méthodes de fixation des prix.

4.1 Fixation des prix en fonction des coûts

Cette méthode consiste d'abord à calculer la somme des coûts, puis à ajouter une marge bénéficiaire:

$$\text{PRIX DE VENTE} = \text{COÛTS} + \text{MARGE BÉNÉFICIAIRE}$$

Le *prix de revient°* est celui auquel la somme des coûts «revient» à l'entreprise, sans perte ni bénéfice°. Quand l'entreprise vend au prix de revient, on dit qu'elle vend *au prix coûtant°*. Vendre au-dessous du prix de revient (à un prix de vente inférieur à la somme des coûts), c'est vendre *à perte.*

4.2 Fixation des prix en fonction de l'offre

Cette méthode consiste à déterminer le prix d'un produit à partir des prix de la concurrence. Trois politiques sont envisageables.

Pour aller plus loin

Coûts directs et coûts fixes

C'est là évidemment un modèle simplifié, qu'il conviendrait de nuancer dans la plupart des cas. L'entreprise commence le plus souvent par calculer ses *coûts directs* (proportionnels au nombre des unités fabriquées), auxquels elle ajoute une marge permettant de couvrir les *coûts fixes* (dits aussi *frais généraux°*) et de dégager un profit. Pour une entreprise de distribution (qui achète des produits en vue de les revendre avec bénéfice), la méthode consiste à appliquer au prix d'achat un coefficient multiplicateur. Ainsi: prix de vente = prix d'achat × coefficient. Ce sont là autant de variations sur un thème, lequel consiste à reconnaître qu'une entreprise doit être rentable° et qu'elle n'y parvient pas en se contentant de couvrir ses coûts.

1. Si l'entreprise craint une «guerre des prix», elle s'alignera sur le prix moyen du marché.
2. S'il s'agit d'augmenter sa part de marché°, l'entreprise optera pour une *politique de pénétration* consistant à fixer un prix inférieur à ceux des concurrents afin de maximiser ses ventes. La marge unitaire — c'est-à-dire la marge *bénéficiaire* pour chaque unité — sera faible, mais l'entreprise compte se rattraper sur le nombre des unités vendues.
3. La politique opposée consiste à pratiquer un prix supérieur au prix moyen du marché afin d'atteindre le consommateur «d'élite». L'objectif est de compenser le nombre réduit des unités vendues par une marge unitaire élevée. On parle dans ce cas de *politique d'écrémage*[9].

4.3 Fixation des prix en fonction de la demande

Conformément aux exigences de l'esprit mercatique (voir ci-dessus), il faut tenir compte non seulement des coûts et des concurrents, mais aussi et peut-être surtout des *attitudes du client*. L'entreprise doit savoir, pour chacun de ses produits, le prix auquel la demande sera la plus forte. Ce chiffre s'apprend généralement au moyen d'une enquête menée auprès d'un échantillon d'acheteurs potentiels à qui deux questions sont posées:

1. «Au-dessus de quel prix estimeriez-vous que, par rapport à la qualité, le produit est trop cher?» La moyenne des réponses constitue le *prix plafond*.
2. «Au-dessous de quel prix douteriez-vous de la qualité du produit?» La moyenne des réponses constitue le *prix plancher*.

Quelque part entre ces deux extrêmes, dans la *zone d'acceptabilité*, les mercaticiens calculent ce qu'ils appellent le *prix psychologique optimal*, c'est-à-dire le prix auquel un maximum d'acheteurs potentiels est prêt à acheter. Le prix psychologique optimal est presque toujours inférieur au *meilleur* prix, défini comme celui auquel la *rentabilité*° est au maximum.

4.4 Les réductions de prix

Pour rapprocher le prix demandé du prix psychologique, l'entreprise consentira, pour certaines catégories d'acheteurs et sous certaines conditions d'achat, des *réductions de prix*. En voici les principales:

- L'*escompte* est une réduction accordée au client qui paie au comptant[10].
- La *ristourne* est un remboursement accordé généralement en fin d'année aux meilleurs clients dont les achats ont atteint un certain seuil.
- Les *remises* constituent une catégorie plutôt hétérogène. Le cas le plus fréquent est celui de la *remise pour quantité* accordée au client en raison de l'importance de son achat. Une remise peut aussi être accordée au client qui prend à sa charge un service assuré normalement par le fournisseur (livraison et installation d'un réfrigérateur, par exemple) ou qui achète un article neuf en remplacement d'un ancien, cédé au magasin (reprise d'un ordinateur obsolète, par exemple).

- Le *rabais* est une réduction accordée sur le prix d'articles achetés hors saison, non conformes à la commande, livrés avec retard ou défectueux (vêtements défraîchis, machines détériorées, fruits abîmés, etc).

Le rabais a ceci de particulier qu'il *compense* une erreur ou un défaut, alors que la remise, la ristourne et l'escompte *récompensent* le client.

Les réductions *régulières* définies ci-dessus figurent dans le tarif de l'entreprise; il ne faut pas les confondre avec les *offres spéciales* relevant de la promotion des ventes (voir §6.2.1.).

5 ▸ La distribution

Après avoir défini le produit, y compris son prix, l'entreprise doit trouver les moyens de le faire parvenir au consommateur. Élaborer une politique de distribution consiste à choisir d'abord un *canal de distribution*, ensuite un *réseau de distribution*, enfin des *méthodes de vente*.

5.1 Le canal de distribution

On appelle ainsi la voie d'acheminement d'un produit entre le producteur et le consommateur[11]. Selon la longueur du chemin parcouru, le canal est qualifié d'*ultra-court*, de *court* ou de *long*.

- Le canal est *ultra-court* (ou *direct*) lorsqu'aucun intermédiaire ne s'interpose entre le producteur et le consommateur. C'est le canal choisi, par exemple, par l'agriculteur qui vend ses tomates au bord de la route. Schématiquement: producteur → consommateur.
- Le canal est *court* s'il y a un seul intermédiaire entre le producteur et le consommateur. Ce serait le cas si notre agriculteur livrait ses tomates chez l'épicier de la ville avoisinante. L'épicier remplacerait alors l'agriculteur dans le rôle du *détaillant*° (celui qui vend en petite quantité directement au consommateur). Schématiquement: producteur → détaillant → consommateur.
- Le canal est *long* s'il comporte au moins deux intermédiaires: le détaillant, en contact avec le consommateur, et le *grossiste*°, dont le rôle est d'acheter au producteur pour revendre au détaillant. Dans notre exemple, le grossiste achèterait des tomates en quantité à l'agriculteur afin d'approvisionner° tous les épiciers du voisinage. Schématiquement: producteur → grossiste → détaillant → consommateur.

Le *commerce de détail* caractérise tous les canaux, y compris l'ultra-court, où le producteur est en même temps le détaillant. Le canal long, seul à intégrer le *commerce de gros*, est celui que suivent la plupart des biens de consommation courante. N.B.: Le grossiste achète *en gros*; le détaillant vend *au détail*.

5.2 Le réseau de distribution

On appelle ainsi l'ensemble des *points de vente*° dont se compose l'avant-dernière étape du canal (celle du détaillant). Classés selon leur surface de vente, les types de points de vente se définissent ainsi:

Pour aller plus loin

Les formes de commerce

Un autre classement se base, non pas sur la longueur du canal, mais sur l'organisation des intermédiaires qui le composent. Selon ce critère on distingue le commerce intégré et le commerce indépendant.

1. Si une seule entreprise réunit les fonctions de gros et de détail, on parle de *commerce intégré* (ou *concentré*). La forme la plus répandue en est le *magasin à succursales°* (MAS), dont Casino en France et Wal-Mart aux États-Unis offrent deux exemples bien connus. Dans ce cas la maison mère achète en gros aux producteurs, par l'intermédiaire d'une *centrale d'achat*, pour revendre au détail dans ses multiples points de vente° (succursales°)[12].

2. Si une entreprise se limite à une seule fonction (de gros ou de détail), on parle de *commerce indépendant*. On ajoute le qualificatif *isolé* (ou *traditionnel*) si l'entreprise se caractérise en plus par une gestion tout à fait autonome, ce qui est typiquement le cas du petit commerce de proximité (voir §5.2). À la forme traditionnelle du commerce indépendant, en perte de vitesse depuis plusieurs décennies, tend à se substituer un commerce indépendant *associé*, dont la forme la plus répandue est celle de la *franchise°* (McDonald's, La Brioche dorée, Yves Rocher...). Il s'agit d'un contrat par lequel le franchiseur, propriétaire d'une marque et d'un savoir-faire, en concède l'utilisation au franchisé en échange d'une redevance. Tout en restant indépendant, le franchisé accepte de sacrifier une partie de son autonomie en matière de gestion, d'approvisionnement et de normes de qualité.

- Le *petit magasin de proximité* vend des produits de nécessité courante, à dominante[13] alimentaire, sur une surface de vente inférieure à 120 m². Le néologisme officiel — et très peu employé en France — est *bazarette*. Le terme *dépanneur*, proposé au Québec pour remplacer l'anglais *convenience store*, est bien implanté dans l'usage. La plupart des magasins de l'enseigne «8 à Huit» se rangent dans cette catégorie.
- La *supérette* offre un assortiment essentiellement alimentaire sur une surface de vente d'entre 120 et 400 m². Citons en exemple les enseignes Shopi, Stoc et Coccinelle.
- Le *supermarché* présente, sur une surface de vente comprise entre 400 et 2 500 m², l'ensemble des produits alimentaires, ainsi qu'un assortiment réduit de produits non-alimentaires (représentant environ 20% des ventes). Trois enseignes bien connues en France sont Champion, Écomarché et Super U.
- Le *magasin populaire* est, comme le supermarché, une «moyenne surface» (entre 400 et 2 500 m²) offrant un assortiment assez étendu, mais non-alimentaire pour la moitié, et composé essentiellement de produits bas de gamme. L'attrait principal du magasin populaire est sa politique de prix réduit, affichée par les enseignes les plus répandues en France: Monoprix et Prisunic.
- L'*hypermarché* a une surface de vente supérieure à 2 500 m² (5 600 m² en moyenne, sur un seul niveau). Il ne s'agit pourtant pas d'un supermarché en plus grand, car l'hypermarché se caractérise par une répartition à peu près égale entre produits alimentaires et non-alimentaires. L'hypermarché

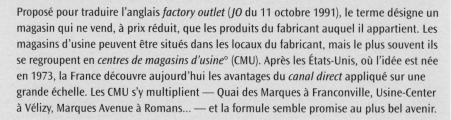

Pour aller plus loin

Le magasin d'usine°

Proposé pour traduire l'anglais *factory outlet* (*JO* du 11 octobre 1991), le terme désigne un magasin qui ne vend, à prix réduit, que les produits du fabricant auquel il appartient. Les magasins d'usine peuvent être situés dans les locaux du fabricant, mais le plus souvent ils se regroupent en *centres de magasins d'usine°* (CMU). Après les États-Unis, où l'idée est née en 1973, la France découvre aujourd'hui les avantages du *canal direct* appliqué sur une grande échelle. Les CMU s'y multiplient — Quai des Marques à Franconville, Usine-Center à Vélizy, Marques Avenue à Romans... — et la formule semble promise au plus bel avenir.

typique fait partie d'un centre commercial situé en périphérie. La formule est d'invention française, ce qui explique qu'elle soit si bien implantée en France (Carrefour, Auchan, Hyper U, Leclerc...) où elle représente 20% du commerce de détail.

- Le *grand magasin* est, comme l'hypermarché, une «grande surface» (surface de vente supérieure à 2 500 m²). À la différence pourtant de l'hypermarché, le grand magasin offre un assortiment essentiellement non-alimentaire (habillement, maison, loisirs-culture et hygiène-beauté), dans des rayons multiples dont chacun constitue en quelque sorte un magasin spécialisé. Le cas typique est celui d'un magasin d'environ 5 000 m² sur plusieurs niveaux, situé en centre-ville. Il s'agit donc d'une formule assez proche de celle du «department store» américain et britannique. Trois enseignes bien connues en France sont Galeries Lafayette, Printemps et BHV.
- Les *grandes surfaces spécialisées* (GSS) font concurrence aux hypermarchés dans les secteurs non-alimentaires: sport (Go Sport), électroménager (Darty), bricolage (Castorama), etc.

On appelle *discompteur* ou *maxidiscompteur* un magasin qui pratique une politique agressive de prix et de marges très réduits[14]. Les premiers (maxi)discompteurs étaient des supérettes vendant des produits de première nécessité sur une surface de vente d'entre 120 et 200 m². Après l'arrivée en France des enseignes allemandes Aldi et Lidl, suivies de près de l'enseigne française Le Mutant (surface de vente d'environ 700 m²), la catégorie a rejoint celle des supermarchés. Au Québec on dit *magasin de rabais* (ou *de vente au rabais*).

5.3 Les méthodes de vente

Elles se classent d'abord selon le lieu de la vente (en magasin ou sans magasin), ensuite selon les modalités humaines et matérielles de la transaction.

5.3.1 *La vente en magasin.* Dans la vente dite *traditionnelle*, la transaction se fait par l'intermédiaire d'un vendeur qui sert et conseille le client. Cette méthode convient aux petits commerces spécialisés où le contact personnel est primordial. Dans la vente en *libre-service°*, le client se sert lui-même, sans l'intervention d'un vendeur, et règle ses achats à la sortie du magasin. Une formule intermédiaire, pratiquée surtout dans les grandes et moyennes surfaces spécialisées, est celle du *libre-service assisté*: le client dispose des services de vendeurs s'il a besoin de conseils techniques.

5.3.2 *La vente sans magasin.* Sous cette rubrique se rangent les différentes formes de *vente à distance* (VAD), où l'acheteur et le vendeur ne se trouvent jamais en présence l'un de l'autre. Les différentes formes que peut prendre la VAD dépendent du média utilisé par l'entreprise pour présenter son offre au client. En voici les principaux:

- *L'imprimé.* On appelle *vépéciste* une entreprise spécialisée dans la vente par catalogue «classique» (sur papier). Le mot provient du sigle VPC (vente par correspondance), le courrier postal ayant été pendant longtemps le seul moyen de passer commande[15]. Parmi les vépécistes les plus connues figurent La Redoute, Les 3 Suisses et La Camif.
- *La télévision.* Les *émissions de télé-achat°* connaissent une forte croissance depuis quelques années: au cours d'une émission télévisée, longue en moyenne de trente minutes, un animateur présente des produits (dont il est interdit de citer la marque) que les téléspectateurs peuvent commander par téléphone ou sur l'Internet. Il existe aujourd'hui en France, comme aux États-Unis, des chaînes consacrées entièrement au télé-achat (Canalsat Boutique et Club Téléachat, entre autres).
- *L'Internet.* Ici le site Web commercial remplace le catalogue traditionnel. Le commerce électronique est sans aucun doute l'avenir de la VAD et le véritable moteur de son développement. Il représentait en 2004 *la moitié* du chiffre d'affaires total de la VAD, contre 34% en 2003 et 23% en 2002. Entre 2002 et 2003 le chiffre d'affaires de la VAD, tous médias confondus, n'a augmenté que de 9,4%, et celui du commerce électronique... de 60%[16]!

Quant à la prise de commandes dans la VAD, elle s'effectue par courrier (de moins en moins), par courriel (de plus en plus) et par téléphone[17].

Pour aller plus loin

La vente «par réseau coopté»

La vente sans magasin n'exclut pas forcément le contact personnel, comme le savent très bien les distributeurs d'Avon et de Tupperware. C'est grâce à la *vente domiciliaire* que ces marques ont pu réussir en France comme aux États-Unis. On dit aussi *vente par réunions*, *vente par déléguées* et «vente autour d'une tasse de thé», mais il s'agit presque toujours d'un système baptisé officiellement *vente en réseau par cooptation* ou *vente par réseau coopté* (VRC)[18]. *Cooptation* et *coopté* sont ici plus ou moins synonymes de *recrutement* et de *recruté*, et les termes décrivent assez bien la méthode. Un distributeur vend à ses amis et connaissances, qui deviennent, s'ils le souhaitent, distributeurs à leur tour. Le réseau de distribution va ainsi en s'élargissant, comme une pyramide renversée, grâce au «bouche à oreille»°.

5.4 Le marchandisage°

Avec le développement du libre-service — qui représente aujourd'hui la moitié du chiffre d'affaires du commerce de détail en France — l'espace de vente lui-même doit tenir de plus en plus le rôle du vendeur disparu; de là l'importance accrue du marchandisage. Développé principalement aux États-Unis, le marchandisage est arrivé en France dans les années 60 avec le mot qui le désignait: *merchandising*. Le terme français, néologisme proposé en 1987, semble aujourd'hui avoir largement remplacé le franglais[19].

On peut concevoir le marchandisage comme la mercatique appliquée au magasin. Il s'agit d'un ensemble de techniques ayant pour objet de maximiser la rentabilité° des points de vente. Ces techniques s'appliquent à trois domaines: l'aménagement du magasin, le choix de l'assortiment et la disposition des produits.

5.4.1 *L'aménagement du magasin.* Il s'agit d'abord de prendre en connaissance de cause toutes les décisions qui s'imposent en matière, par exemple, de mobilier, d'éclairage, d'ambiance, de sonorisation, d'agencement des différents espaces (accueil, allées, caisses, etc.) et de circulation et signalétique[20].

5.4.2 *L'assortiment.* On appelle ainsi l'ensemble des produits proposés par un point de vente. Il est plus ou moins *large* selon le nombre des catégories de produits qui le composent, et plus ou moins *profond* selon le nombre de produits dans chaque catégorie. Il est composé de marques nationales, de *marques de distributeur*° et parfois de produits anonymes (sans marque) appelés *produits blancs* ou *produits génériques* (Québec[21]). Pour bien choisir en matière d'assortiment, le marchandiseur étudiera la clientèle de la *zone de chalandise*[22] (ou zone d'attraction commerciale), c'est-à-dire le territoire autour du magasin où résident ses clients potentiels.

5.4.3 *La disposition des produits.* Elle n'est pas indifférente, comme le savent bien les marchandiseurs qui mettent toujours les produits de première nécessité en bout d'allée ou au fond du magasin, obligeant ainsi le client à passer dans un maximum de rayons et devant un maximum de produits dont certains feront l'objet d'achats impulsifs. Ils savent également que, dans les rayonnages, le niveau le plus vendeur est celui des yeux; c'est donc là que l'on trouvera les produits à forte marge[23].

5.5 La force de vente

On disait naguère *équipe commerciale* ou *équipe de vente*; aujourd'hui l'expression *force de vente*, calquée sur «sales force», tend à s'imposer[24]. Quelle que soit l'appellation, il s'agit de l'ensemble du personnel chargé de vendre et de prospecter[25].

On distingue le personnel *sédentaire*, qui ne se déplace pas, et le personnel *itinérant*. La première catégorie comprend les vendeurs en magasin, les télévendeurs[26] et les cadres commerciaux (chefs des ventes, directeurs régionaux des ventes, directeurs mercatique). Dans la deuxième catégorie plusieurs statuts sont possibles, dont le plus fréquent est celui du *représentant*, appelé communément VRP (voyageur-représentant-placier°)[27]. N.B.: Ne pas confondre la distinction entre personnel sédentaire et personnel itinérant avec celle qui oppose le personnel *interne* (salarié) et le personnel *externe* (non salarié et lié à l'entreprise par un contrat de prestation de services).

Selon le statut du vendeur, sa rémunération peut comporter un salaire fixe, des commissions (calculées en appliquant un taux au chiffre d'affaires ou aux bénéfices réalisés), et/ou des primes° (dont le montant, fixé d'avance, est versé si certains objectifs sont atteints).

6 La communication commerciale

Il ne sert à rien de faire parvenir auprès des consommateurs un produit qu'ils n'achètent pas. C'est ici qu'intervient la quatrième composante du marchéage: la *communication commerciale*. Élaborer une politique de communication consiste pour l'entreprise à répondre aux questions suivantes: «Quelles informations faut-il transmettre? À quel public? Par quels moyens?» Les réponses varieront selon les cas, mais toujours elles seront dictées par le même critère: que ce soit directement ou indirectement, à court ou à long terme, il s'agit pour l'entreprise de *maximiser ses bénéfices*. On distingue la communication qui utilise les médias (la publicité°) et celle qui ne les utilise pas (la communication «hors médias»).

6.1 La communication média[28]: la publicité

On désigne généralement sous le terme de *publicité* les messages commerciaux transmis par les «moyens de communication de masse». Il faut distinguer ici les médias et leurs supports. Un support est un vecteur particulier d'informations: *Le Figaro* (journal); NRJ (station de radio); M6 (chaîne de télévision), etc. Un média est un canal de diffusion générale composé d'un ensemble de supports de même nature. En France les quatre grands médias, par ordre d'importance décroissante du point de vue de la publicité, sont: la presse, la télévision, l'affichage et la radio[29]. Aux États-Unis, les quatre grands sont la presse, la télévision, la radio et l'Internet.

Les acteurs de la communication média sont d'une part l'*annonceur*°, l'entreprise consommatrice de services publicitaires, et d'autre part l'*agence-conseil en publicité*° (ou *agence de publicité, agence-conseil en communication*), l'entreprise prestataire[30] de services publicitaires. Le premier commande et paie la publicité; la seconde conçoit et réalise la publicité.

En fonction de l'objet mis en avant par l'annonceur, on distingue trois catégories de publicité.

1. La *publicité de marque* vante les qualités d'un produit dont la marque est citée. Elle est de loin la forme la plus répandue. Lorsqu'elle se propose de changer l'idée que les consommateurs se font d'un produit, d'améliorer sa réputation dans l'esprit du public, on parle de *publicité d'image* (ou *de prestige*).

2. La *publicité collective* (ou *générique* ou *de branche*) est faite par un groupe d'entreprises pour un produit ou un service dont la marque n'est pas citée: «Le

thon, c'est bon» (France); «Consultez un avocat ou une avocate, celui ou celle qui sait» (Québec).

3. La *publicité institutionnelle*, caractérisée par l'absence du produit, a pour but moins d'inciter à l'achat que de valoriser l'annonceur lui-même, d'améliorer son image auprès du public («Ensemble, faisons un geste», Loterie Romande).

Quand la stratégie publicitaire se fonde sur le *cycle de vie* du produit, on distingue: la *publicité de lancement*, dont le but est de faire connaître un produit nouveau; la *publicité d'entretien*, qui a pour objet de maintenir ou d'accroître les ventes d'un produit connu; et la *publicité de relance*, qui cherche à ranimer les ventes d'un produit en fin de cycle.

Une troisième typologie se fonde sur les choix médiatiques de l'annonceur:

6.1.1 *La presse.* Arrivant en tête des médias, avec environ 50% des dépenses publicitaires (hors Internet), la presse doit sa position dominante à l'extrême diversité de ses supports. Le média presse comprend: la presse quotidienne nationale (une dizaine de titres); la presse quotidienne régionale (une cinquantaine de titres); la presse magazine (un millier de titres); la presse gratuite (50 millions d'exemplaires distribués chaque semaine); et la presse professionnelle et technique (environ 2 000 titres). Cette hétérogénéité permet à l'annonceur de «micro-cibler» par centre d'intérêt des lectorats restreints, avec une forte sélectivité géographique et socio-démographique.

6.1.2 *La télévision.* Par rapport à la presse, les désavantages de la télévision sont nombreux et importants: un coût très élevé, une sélectivité moyenne ou faible, des écrans publicitaires[31] de plus en plus longs. À cette liste s'ajoute le nombre réduit des supports: sept chaînes hertziennes[32], dont trois sont publiques. Si, malgré tous ces inconvénients, la télévision constitue le média le plus puissant, c'est parce qu'elle permet d'atteindre la plus grande audience. Presque tous les foyers français (95%) sont équipés d'au moins un téléviseur, devant lequel chaque adulte passe de deux à trois heures par jour. D'autre part la sélectivité du média s'accroît à mesure que se multiplient les chaînes thématiques diffusées par câble et surtout par satellite. La télévision représente environ 30% des dépenses publicitaires en France.

6.1.3 *L'affichage.* Est-ce pour des raisons historiques que la publicité par affiches continue d'occuper en France, bien plus qu'ailleurs, une place privilégiée? De nombreux artistes français s'y sont illustrés — Toulouse-Lautrec, Villemot, Broders et Savignac, parmi tant d'autres — et les affiches publicitaires françaises sont connues dans le monde entier. (Combien de murs américains sont ornés du chat noir de Steinlen?) L'affichage se divise en trois catégories principales:

1. l'affichage grand format (4m × 3m), routier ou urbain;
2. l'affichage des réseaux de transports (autobus, métro, gares);
3. l'affichage du mobilier urbain, sur les Abribus, les MUPI (mobilier urbain pour plans ou information) et les PISA (point d'information service animé).

Avec 12% des dépenses publicitaires en France — contre 1% aux États-Unis —, l'affichage arrive en troisième place parmi les grands médias, après la télévision mais avant la radio. Il reste stable depuis quelques années, malgré les campagnes contre la «pollution visuelle» des villes.

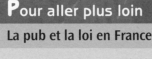

Pour aller plus loin

La pub et la loi en France

1. En vue de lutter contre les incursions de l'anglais, la loi impose l'usage de la langue française dans toutes les publicités, «quel que soit leur mode de diffusion ou de distribution». Si une langue étrangère est employée, il doit y avoir une traduction en français «aussi lisible, audible ou intelligible que la présentation en langue étrangère» (loi du 4 août 1994, dite loi Toubon). 2. La publicité comparative «n'est autorisée que si elle est loyale, véridique et qu'elle n'est pas de nature à induire en erreur le consommateur. Elle doit être limitée à une comparaison objective qui ne peut porter que sur des caractéristiques [...] vérifiables [...]. Lorsque la comparaison porte sur le prix, elle doit concerner des produits identiques vendus dans les mêmes conditions [...]. L'annonceur [...] doit être en mesure de prouver l'exactitude de ses allégations» (loi du 18 janvier 1992).

6.1.4 *La radio.* On distingue:

1. les radios du secteur public, composé des sept stations nationales de Radio-France (France Info, France Inter, France Culture, etc.) et d'une quarantaine de stations locales sur lesquelles la publicité de marque est interdite;
2. les radios du secteur privé, composé d'environ 3 000 stations dont la plupart sont locales.

Ce média se rapproche de la télévision par l'audience qu'il permet d'atteindre, et de la presse par la multiplicité des supports qui le composent. Malgré la prolifération récente des stations locales privées et la forte sélectivité qui en résulte, la radio ne recueille que 7% des dépenses publicitaires.

6.2 La communication hors médias

Les deux grandes catégories de communication hors médias sont la *promotion des ventes* et la *mercatique directe*.

6.2.1 *La communication hors médias: la promotion des ventes*°. Quelle que soit la forme prise par la communication commerciale, son objet, avons-nous dit, ne varie pas: que ce soit directement ou indirectement, à court ou à long terme, il s'agit pour l'entreprise de *maximiser ses bénéfices*. La publicité et la promotion poursuivent donc le même but et se distinguent par la manière dont elles s'y prennent. La publicité choisit la voie des médias pour agir *indirectement* et *à long terme* sur les *attitudes* du consommateur. La promotion se limite généralement aux lieux de vente, où elle agit *directement* et *à court terme* sur le *comportement* du consommateur. La première dispose à acheter; la seconde provoque l'acte d'achat. Ainsi s'explique la formule, répétée par tous les manuels, selon laquelle «la publicité attire le consommateur vers le produit, alors que la promotion pousse le produit vers le consommateur» — formule quelque peu trompeuse, dans la mesure où certaines techniques promotionnelles visent précisément à «attirer le client vers le produit», c'est-à-dire au point de vente.

Les techniques promotionnelles se répartissent en cinq catégories:

1. les réductions de prix (offres spéciales, coupons, trois articles pour le prix de deux, etc.);
2. les primes (articles offerts en cadeaux aux acheteurs d'un article différent);
3. les échantillons (quantités réduites d'un produit remises gratuitement afin d'en permettre l'essai);
4. les jeux, les loteries et les concours;
5. la publicité sur le lieu de vente (PLV), c'est-à-dire la mise en valeur du produit dans le magasin, soit à l'aide de matériels divers (présentoirs, cartons [anglais: *display*], affichettes, vidéos, sonorisation, etc.), soit par un animateur ou une animatrice (stands de dégustation, etc.), auquel cas on parle d'animation sur le lieu de vente (ALV)[33].

6.2.2 *La communication hors médias: la mercatique directe (ou relationnelle).* Aux voies médiatiques de la publicité, la mercatique directe préfère les moyens de communication qui permettent à l'entreprise de s'adresser *personnellement*, voire *nommément* au client actuel ou potentiel. Il ne s'agit pas d'embrasser une foule anonyme, comme le font les publicitaires, mais d'établir un contact direct avec les *individus* qui la composent.

L'entreprise dispose, pour ce faire, de plusieurs moyens, dont les deux principaux sont la poste et le téléphone. On appelle *publipostage* (ou *mailing*[34] en franglais) une opération de prospection par voie postale. L'envoi comprend ordinairement une lettre qui présente l'offre, une documentation (prospectus, dépliant ou brochure) qui décrit le produit et un coupon-réponse qui permet au destinataire de continuer le «dialogue». Le publipostage représente plus de la moitié des dépenses de mercatique directe, mais il est talonné de près par le *démarchage*[35] *téléphonique* (appelé aussi vente par téléphone, télévente[36] et, bien entendu..., phoning).

Pour aller plus loin

«La publicité directe»

En mercatique directe les questions primordiales sont: «À qui envoyer des offres de vente? À qui téléphoner?» En effet toute action, pour être rentable, doit se limiter aux individus avec lesquels l'entreprise a intérêt à se mettre en relation. De là l'importance des *bases de données* permettant un ciblage efficace. L'entreprise désireuse de constituer une base de données, ou de mettre à jour celle qu'elle possède, peut recourir aux médias pour diffuser, en même temps qu'un message, *le moyen d'y répondre directement*. À la télévision ce sera un numéro vert (appel gratuit, préfixe 0 800) ou azur (moins cher, préfixe 0 810) indiqué au cours d'une émission de télé-achat. Dans la presse ce sera un coupon-réponse joint à l'annonce. Il s'agit dans ces cas d'une catégorie hybride, à mi-chemin entre la publicité et la mercatique directe. Certains parlent ici de «publicité directe» — expression quelque peu abusive, il faut en convenir, puisqu'en principe la publicité, communication médiatique, exclut la communication «directe».

6.3 La communication «événementielle»

Cette rubrique regroupe toutes les formes de communication commerciale qui sont liées à un événement ou à une série d'événements. Selon que l'événement est ou n'est pas en lui-même commercial, on distingue d'une part les foires, les salons et les expositions et d'autre part le parrainage et le mécénat.

6.3.1 *Les foires, les salons et les expositions.* Il s'agit dans les trois cas d'une manifestation commerciale réunissant de nombreuses entreprises. Le terme de *foire°* tend à s'employer si la manifestation est locale ou régionale et si elle réunit des entreprises de secteurs différents. Le terme de *salon°* désigne en général les manifestations nationales ou internationales regroupant des entreprises du même secteur. Si la manifestation est particulièrement importante et internationalisée, le terme d'*exposition°* est parfois employé. On appelle *exposant* l'entreprise qui participe à une telle manifestation, et *stand* l'emplacement qui lui est réservé. Les foires et les salons sont pour les exposants l'occasion de faire essayer leurs produits, de présenter leurs nouveautés et de constituer des bases de données. Deux manifestations bien connues sont le Salon de l'Automobile et le Salon des Arts ménagers.

6.3.2 *Le parrainage et le mécénat.* Le *parrainage°* est, selon le *Journal officiel* du 31 janvier 1989, «un soutien matériel apporté à une manifestation, à une personne, à une organisation en vue d'en retirer un bénéfice direct». *Parrainage, parraineur* et *parrainer* ont été proposés pour remplacer respectivement *sponsoring* (ou *sponsorisation*), *sponsor* et *sponsoriser*. Le parraineur peut s'associer plus ou moins étroitement à l'événement qu'il parraine. Telle entreprise se contente d'afficher son nom sur le maillot d'un footballeur; telle autre va jusqu'à créer l'événement auquel elle prête son nom, comme c'est le cas de nombreux tournois de golf (Trophée Lancôme en France, Nissan Open aux États-Unis, etc.). N.B.: On dit *parraineur* et non *parrain*.

Le *mécénat*, selon le même numéro du *Journal officiel*, est «un soutien matériel apporté, *sans contrepartie directe de la part du bénéficiaire*, à une œuvre ou à une personne pour l'exercice d'activités présentant un intérêt général»[37]. C'est nous qui soulignons «sans contrepartie directe» afin de faire ressortir la différence essentielle entre le mécénat et le parrainage. Alors que le parraineur apporte son aide *en échange de services contractuels*, le mécène s'efface discrètement devant l'événement qu'il soutient. Si le mécène n'est pas désintéressé, du moins doit-il le paraître, ce qui explique qu'aux activités sportives il préfère les manifestations humanitaires et culturelles. Ainsi, les Vins Nicolas ont subventionné la construction de barrages au Mali, alors qu'aux États-Unis, «Verizon is proud to support *The McLaughlin Group*».

Les manuels rangent souvent le parrainage et le mécénat, avec la promotion des ventes et la mercatique directe, dans la communication hors médias. C'est une erreur dans la mesure où la quasi totalité des événements subventionnés sont *médiatisés* — sans quoi il n'y aurait évidemment ni parrainage ni mécénat. Il s'agit en réalité d'une forme de publicité ayant pour but moins l'incitation à l'achat immédiat que la valorisation de l'image du parraineur ou du mécène. Autrement dit, le parrainage et le mécénat relèvent de la *publicité institutionnelle* (voir §6.1.).

Sigles et acronymes

ALV animation sur le lieu de vente
CMU centre de magasins d'usine
GSS grande surface spécialisée
INPI Institut national de la propriété industrielle
MAS magasin à succursales (multiples)
PLV publicité sur le lieu de vente

VAD vente à distance
VPCD vente par correspondance et à distance
VPC vente par correspondance
VRC vente en réseau par cooptation; vente par réseau coopté
VRP voyageur-représentant-placier

Lexique français–anglais

agence-conseil en publicité *(f.)* advertising agency
annonceur *(m.)* advertiser
approvisionner to supply
  approvisionnement *(m.)* supply, procurement
  s'approvisionner to obtain supplies
assortiment *(m.)* assortment, selection
base de données *(f.)* database
bénéfice *(m.)* profit
bouche à oreille *(m.)* word of mouth
carton (publicitaire) *(m.)* display (in a store)
centre de magasins d'usine *(m.)* factory outlet mall
ciblage *(m.)* targeting
  cible *(f.)* target
  cibler to target
comportement d'achat *(m.)* purchasing behavior
concurrentiel(le) *(adj.)* competitive
  concurrence *(f.)* competition
  concurrencer to compete with
  concurrent(e) *(m., f. et adj.)* competitor; competing
conditionnement *(m.)* container, wrapper, etc.; packaging; presentation
  conditionner to wrap, to package; to present
consigner to charge a deposit (for a container)
  consigne *(f.)* deposit
détaillant *(m.)* retailer
  détail *(m.)* **(vendre au ~)** (to sell) retail

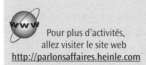

Pour plus d'activités, allez visiter le site web http://parlonsaffaires.heinle.com

échantillon *(m.)* sample
  échantillonnage *(m.)* sampling
emballage *(m.)* container, wrapper, packing, etc.; packaging
  emballer to package, to wrap
émission de télé-achat *(f.)* infomercial
étiquette *(f.)* label
  étiquetage *(m.)* labeling
  étiqueter to label
étude de marché *(f.)* market study
exposition *(f.)* show, exhibition
foire *(f.)* fair, show
frais généraux *(m.)* fixed overhead
franchise *(f.)* franchise
  franchisage *(m.)* franchising
gamme *(f.)* line of products
grossiste *(m.)* wholesaler
  gros *(m.)* **(vendre en ~)** (to sell) wholesale
libre-service *(m.)* self-service
magasin à succursales *(m.)* chain store
magasin d'usine *(m.)* factory outlet
marchandisage *(m.)* merchandising
marchéage *(m.)* **(plan de ~)** marketing mix («the 4 Ps»)
marge bénéficiaire *(f.)* profit margin
marque *(f.)* trademark, brand name
  marque de distributeur *(f.)* store brand
mercatique *(f. et adj.)* marketing
  mercaticien(ne) *(m., f.)* marketing expert
parrainage *(m.)* sponsorship
  parrainer to sponsor
  parraineur *(m.)* sponsor ⟶

part de marché *(f.)* market share	**publicitaire** *(adj.)* pertaining to advertising
point de vente *(m.)* retail outlet	
politique *(f.)* policy	**publicitaire** *(m., f.)* advertising professional
prime *(f.)* bonus	
prix coûtant *(m.)*, **vendre au ~** to sell at cost	**rentable** *(adj.)* profitable
	rentabiliser to make profitable
prix de revient *(m.)* cost price	**rentabilité** *(f.)* profitability
promotion des ventes *(f.)* sales promotion	**salon** *(m.)* (trade) show, exhibition
	sondage *(m.)* poll
promotionnel(le) *(adj.)* promotional	**succursale** *(f.)* branch; branch store
publicité *(f.)* advertising; advertisement, commercial	**voyageur-représentant-placier** *(m.)* traveling salesperson

Activités

Pour plus d'activités, allez visiter le site web http://parlonsaffaires.heinle.com

I. Traduction

A. Français–anglais (version)

1. Une technique promotionnelle courante consiste à distribuer des échantillons sur les lieux de vente.
2. Tous ces détaillants s'approvisionnent chez le même grossiste.
3. Une réduction de nos frais généraux ferait baisser nos prix de revient, ce qui nous rendrait plus compétitifs.
4. Depuis une dizaine d'années les mercaticiens s'intéressent davantage aux techniques d'emballage.
5. Le parrainage est plus courant que le mécénat dans le monde du sport.
6. La rémunération des VRP peut être fixe, proportionnelle aux ventes réalisées (commissions et primes) ou mixte (comportant une partie fixe et une partie variable).
7. Selon un sondage récent, 20% des Français regardent régulièrement les émissions de télé-achat.
8. L'étiquette doit obligatoirement indiquer la marque du produit.
9. Le marchéage doit tenir compte du comportement d'achat des consommateurs.
10. Le *mécénat* est «un soutien matériel apporté, *sans contrepartie directe de la part du bénéficiaire*, à une œuvre ou à une personne pour l'exercice d'activités présentant un intérêt général».

B. Anglais–français (thème)

1. Advertising is only one aspect of a larger marketing strategy.
2. Macintosh has to increase its market share if it wants to compete with IBM.
3. Large chain-stores have driven the traditional "mom-and-pop" stores to virtual extinction.
4. The department store is a form of retail outlet that does not thrive in a suburban setting.
5. Costs are down and profits are up, thanks to superior merchandising.

6. We're selling at cost just to stay competitive. We've got to find a way to increase profitability.
7. Factory outlet malls are the future of retailing.
8. The success of any direct marketing campaign depends on the quality of the database that is used.
9. Just watch the commercials, and you'll know what groups are being targeted.
10. Their policy has always been to stress packaging over product.

II. Entraînement

1. En quoi consiste «l'attitude mercatique»? À la suite de quelle évolution économique s'est-elle imposée depuis la Deuxième Guerre mondiale?
2. Qu'est-ce que la *mercatique*?
3. Décrivez les deux phases de la démarche mercatique. Quels sont les deux «temps» de la phase d'analyse?
4. Qu'est-ce que la *segmentation du marché*? À quoi sert-elle? Définissez, à ce propos, la notion de *style de vie* (ou *sociostyle*).
5. Quelles sont les quatre variables mercatiques dont il faut tenir compte dans l'élaboration d'un (plan de) marchéage?
6. Qu'est-ce qu'une *marque*? Quelles formes, en dehors de la dénomination, la marque peut-elle prendre?
7. Qu'est-ce qu'une *gamme*? En quoi une gamme se distingue-t-elle d'une *ligne de produits* et d'un *assortiment*?
8. Quelles sont les différentes fonctions de l'*emballage* d'un produit? En quoi l'emballage *recyclable* ressemble-t-il à l'emballage *perdu* et à l'emballage *consigné*? [❖] On distingue parfois l'emballage d'un produit et son conditionnement. En quoi consiste cette distinction?
9. Expliquez les trois méthodes de *fixation des prix*.
10. Dans quelles conditions et à quelles catégories d'acheteurs sont accordées les différentes sortes de *réductions de prix*?
11. Qu'est-ce que le *canal de distribution* d'un produit? Sur quel critère est basée la distinction entre les canaux *ultra-court*, *court* et *long*?
12. [❖] En quoi consistent les deux grandes catégories de *formes de commerce*? Dans la catégorie du *commerce indépendant*, qu'est-ce qui distingue le commerce *traditionnel* du commerce *associé*? Qu'est-ce, à ce propos, que la *franchise*?
13. Énumérez et définissez les types de points de vente. Qu'est-ce qu'une *moyenne surface*? une *grande surface*?
14. [❖] Qu'est-ce qu'un *magasin d'usine*?
15. Quelles sont les trois méthodes de vente en magasin? Qu'est-ce que la *vente à distance*? Quelle en est la forme traditionnelle? Pourquoi est-elle en déclin?
16. [❖] La vente sans magasin n'exclut pas forcément le contact personnel, comme en témoignent la *vente domiciliaire* et la *vente par réseau coopté*. De quoi s'agit-il?
17. Qu'est-ce qui explique l'importance accrue du *marchandisage*? Quel en est l'objet? Définissez, à ce propos, la notion de *zone de chalandise*.
18. En quoi consiste la *force de vente* d'une entreprise? En quelles catégories peut se diviser la *force de vente* d'une entreprise?

19. En quoi un *support* se distingue-t-il d'un *média*? Donnez-en des exemples.

20. Qu'est-ce qu'un *annonceur*? À quoi l'annonceur fait-il appel pour faire connaître son produit?

21. Quels types de publicité distingue-t-on en fonction de l'objet mis en avant par l'annonceur? en fonction du cycle de vie du produit?

22. Quels sont les avantages et les inconvénients de chacun des «grands médias» du point de vue de la communication du message publicitaire?

23. [❖] Que dit la loi au sujet de l'emploi de la langue française dans la publicité? Dans quelles conditions la publicité comparative est-elle autorisée en France?

24. En quoi la *promotion des ventes* se distingue-t-elle de la publicité? Donnez plusieurs exemples de la promotion. À la lumière de ces exemples, évaluez la formule, tant de fois répétée, selon laquelle «la publicité attire le consommateur vers le produit, alors que la promotion pousse le produit vers le consommateur».

25. Qu'est-ce qui distingue la *mercatique directe* de la publicité? Décrivez les deux principales techniques utilisées par la mercatique directe.

26. [❖] En quoi l'expression *publicité directe* est-elle contradictoire? Quelles techniques désigne-t-elle?

27. Qu'entend-on par *communication événementielle*?

28. Souvent employés indifféremment, les termes de *foire*, de *salon* et d'*exposition* marquent pourtant des nuances. Lesquelles?

29. Qu'est-ce que le *parrainage*? En quoi se distingue-t-il du *mécénat*? Relèvent-ils de la communication média (la publicité) ou de la communication hors médias?

III. Matière à réflexion

1. Comparez les définitions de la mercatique proposées par le *Journal officiel* et l'American Marketing Association. Celle-ci a le mérite d'être plus courte, mais est-elle l'équivalent de celle-là?

2. L'*attitude mercatique*, désormais indispensable au succès, consiste à orienter les efforts de l'entreprise vers les consommateurs et à adopter leur point de vue pour mieux répondre à leurs besoins. Il s'agit, selon Y. Chirouze, de «proposer au client le produit [...] qu'il souhaite, à l'endroit, au moment, sous la forme et au prix qui lui conviennent» (*De l'étude de marché au lancement d'un produit nouveau*). Discutez, à la lumière de cette définition, l'attitude de Henry Ford, qui disait dans les années 20: «Mes clients peuvent choisir la couleur de leur voiture, à condition que ce soit le noir».

3. Essayez d'identifier les sociostyles d'une population de référence (votre pays, votre ville, votre université...). De quel(s) genre(s) de produits seraient-ils la clientèle naturelle? Quelle politique commerciale serait la plus efficace? Quel est votre sociostyle? La notion de sociostyle relève-t-elle de la stéréotypie?

4. Les mercaticiens sont d'accord sur l'importance grandissante des fonctions *mercatiques* de l'emballage — le «packaging» — par rapport à ses fonctions *physiques*. Trouvez quelques exemples de ce phénomène. Qu'est-ce, à votre avis, qui l'explique?

5. On assiste, en France comme aux États-Unis, au déclin du petit commerce de proximité, incapable de faire face à la concurrence des grandes et moyennes

surfaces. Faut-il déplorer ce phénomène? Quels sont les avantages et les inconvénients de ces deux catégories de point de vente?

6. Selon la «loi Toubon», promulguée le 4 août 1994, «l'emploi de la langue française est obligatoire [...] dans la désignation, l'offre, la présentation [...] d'un bien, d'un produit ou d'un service». Ces dispositions «s'appliquent à toute publicité écrite, parlée ou audiovisuelle». Si une langue étrangère est employée, il doit y avoir une traduction en français «aussi lisible, audible ou intelligible que la présentation en langue étrangère».

a. La loi est-elle respectée, à votre avis, dans les annonces publiées dans la presse papier? Citez des exemples. Et dans la presse en ligne? Dans un article intitulé «Loi Toubon: l'Internet doit-il parler français?», Thibault Verbiest estime qu'aux termes de la loi, «la réponse affirmative s'impose, dans la mesure où toute publicité sur l'Internet pourra être qualifiée soit d'écrite soit d'audiovisuelle». Il cite, à l'appui de son opinion, une réponse ministérielle de juin 1998: «Les publicités commerciales répondant à l'obligation d'emploi de la langue française en vertu de la loi [...] du 4 août 1994 le sont indépendamment du support utilisé pour assurer leur diffusion», ce qui oblige à «ne pas traiter différemment des autres supports [...] les publicités diffusées par l'intermédiaire de l'Internet» (*Journal du Net* du 16 juillet 2004, à <www.journaldunet.com>). Voilà qui est clair. Ce qui l'est moins, c'est la réalité du Web. Commentez.

b. Les critiques de la loi Toubon crient au «protectionnisme linguistique»; légiférer en matière de langues est, selon eux, futile et dangereux. Qu'en pensez-vous?

Notes

1. D'autres exemples: *géomercatique, mercatique d'amont et d'aval, mercatique écologique, mercatique de comportements* («situational marketing»), *mercatique de masse, mercatique électronique, mercatique informatisée* («database marketing»), *mercatique intégrée, mercatique par affinité* («affinity marketing»), *mercatique prospective* («prospect marketing»), *mercatique symbiotique* (*JO* du 12.05.2000 et du 28.07.2001).

2. Voir à ce propos, dans le Module 3, ❖ *Avertissement, plaidoyer* et *Matière à réflexion*, n° 3.

3. *JO* du 02.04.1987. Le terme est recommandé également par l'Office québécois de la langue française. On dit parfois, non sans redondance, *plan de marchéage*.

4. Pluriel: *sonals*. L'Office québécois de la langue française préfère le terme *ritournelle publicitaire*, «répandu dans l'ensemble de la francophonie et [...] consigné par les principaux ouvrages de référence. Même si le terme français *sonal* a fait l'objet d'une recommandation officielle de la part du gouvernement français, son emploi n'est pas courant au Québec». (Une ritournelle est un court motif musical répété, et, au sens figuré, quelque chose que l'on répète continuellement.)

5. Cette acception du mot dérive du sens primordial: en musique on appelle *gamme* l'échelle des notes (anglais: *scale*). Au sens figuré, le mot désigne toute série d'éléments gradués (la gamme des rouges, par exemple).

6. En marchandisage, comme on le verra plus loin (§5.4.), *assortiment* a un sens différent: l'ensemble des produits, *toutes catégories confondues*, proposés par un magasin.

7. Mis au point par le GENCOD (Groupement d'études de normalisation et de codification), le code-barres permet d'identifier le produit en lecture optique à l'aide d'une caisse à scanner, d'une douchette ou d'un crayon lecteur; il facilite la gestion des stocks, tout en limitant les erreurs et la fraude.

8. C'est le cas depuis longtemps aux États-Unis. En France, le régime de la liberté des prix ne remonte qu'à 1987, date de l'entrée en vigueur de l'ordonnance du 01.12.1986, selon laquelle «les prix [...] sont librement déterminés par le jeu de la concurrence». Il existe plusieurs exceptions (tabacs, services médicaux, entre autres). En vue de protéger le petit commerce, la loi du 01.07.1996, dite «loi Galland», interdit la vente à perte, ainsi que «les prix abusivement bas», sauf dans quelques cas définis par la loi (vente en période de soldes, vente de produits périssables menacés d'altération, vente en fin de saison ou hors saison de produits saisonniers, etc.). La liberté des prix, on le voit, n'est pas absolue...

9. Au sens propre, écrémer le lait, c'est le dépouiller de la crème. Au sens figuré: enlever ou retenir les meilleurs éléments d'un ensemble. Dans un contexte mercatique, il s'agit de cibler les consommateurs ayant le plus grand pouvoir d'achat. Les publicitaires américains parlent de «skimming».

10. *Payer au comptant* (ou *payer comptant*): payer toute la somme due au moment de l'achat (sans crédit). N.B.: *Payer au comptant* n'est pas synonyme de *payer en espèces* («cash»): le règlement au comptant peut s'effectuer en espèces, mais aussi par chèque, carte bancaire ou virement. Voir à ce sujet le Module 8.

11. Certains auteurs emploient l'expression *circuit de distribution;* d'autres essaient de distinguer le canal du circuit. La distinction, telle qu'ils la définissent, n'est pas des plus claires, et dans la pratique elle est rarement observée, *circuit* étant employé indifféremment à la place de *canal* et inversement. Le terme *canal* est à préférer, ce nous semble, en partie parce que *circuit* suggère — ce qui n'est pas le cas du trajet du produit — un retour au point de départ.

12. Une succursale est un point de vente d'un genre particulier. Elle peut jouir d'un degré d'autonomie par rapport à l'entreprise qui l'a créée et à *laquelle elle appartient*, mais elle n'en est pas juridiquement distincte et n'est pas dotée de la personnalité morale (voir à ce sujet le Module 4). L'Office québécois de la langue française met en garde contre les anglicismes *branche* et *magasin à chaîne*.

13. La *dominante* est l'élément qui domine dans un ensemble. Le mot provient par ellipse de l'expression *note dominante*, ce qui explique le genre féminin.

14. Les marges dont il s'agit sont celles des bénéfices (marges bénéficiaires), d'où l'autre appellation: *minimarge (superminimarge) (m.)*. Discompte (maxidiscompte) et discompteur (maxidiscompteur) ont été proposés pour traduire les mots anglais *(hard) discount* et *(hard) discounter* (*JO* du 28.02.1993).

15. L'expression *vente par correspondance* et son sigle VPC s'emploient de moins en moins, alors que le mot qui en dérive *(vépéciste)* semble se maintenir dans l'usage. Les trois continuent à s'employer abusivement dans les cas où ni l'offre n'est présentée par catalogue ni la commande n'est transmise par correspondance (courrier postal). Quand on lit que «la VPC connaît un fort développement... est en croissance rapide», etc., il s'agit plutôt de la VAD. On voit aussi le sigle VPCD: *vente par correspondance et à distance*.

16. *Chiffres clés: Vente à distance, e-commerce* (édition 2004) de la Fédération des entreprises de vente à distance (FEVAD), en ligne à <www.fevad.com>. Le chiffre de 50% (part du commerce électronique dans le CA de la VAD en 2004) est notre projection.

17. Le Minitel, moribond depuis longtemps et n'ayant servi à passer que 3% des commandes en 2004 (4,5% en 2003), peut être considéré désormais comme définitivement hors jeu. Voir à ce propos le Module 1, première note.

18. Il s'agissait, comme c'est souvent le cas, de traduire en français un terme venu des États-Unis, où la méthode s'appelle *multilevel marketing* (MLM). Au Québec on voit assez souvent les traductions mot à mot *marketing à paliers (multiples)* et *marketing multiniveaux*. L'Office québécois de la langue française recommande *VRC*.

19. «Le terme *merchandising* utilisé en français est un anglicisme déconseillé», lit-on dans le *Grand Dictionnaire terminologique* de l'Office québécois de la langue française. Le terme américain a d'ailleurs un sens plus large que le terme français et semble souvent englober les deux derniers «P» du *marketing mix*.

20. «L'ensemble des éléments d'une signalisation (dans un lieu public)» (*Petit Robert*).

21. L'expression *produit générique*, employée dans ce sens, est un anglicisme. L'expression *marque générique* désigne en français une marque lexicalisée, c'est-à-dire «une marque dont le nom se confond [sic], voire même remplace, celui du produit générique. Exemple: *frigidaire* pour réfrigérateur, *kleenex* pour mouchoir en papier, *bic* pour crayon à bille» (*Top'Dico: Mercatique et techniques commerciales* [Paris: Hachette, 2000], article «lexicalisé»). Exemple français: un karcher (nettoyeur Karcher).

22. Du vieux mot *chaland* (client). On dit encore d'un magasin ayant beaucoup de clients qu'il est *bien achalandé.*

23. Dont la marge *bénéficiaire* est plus importante («high-profit items»).

24. Certains auteurs limitent l'expression *force de vente* au personnel itinérant, ceux dont l'activité se caractérise par une démarche active envers les clients. Il règne dans ce domaine un grand flou terminologique.

25. Rechercher de nouveaux clients, des «prospects» (anglicisme).

26. Les vendeurs qui prospectent par téléphone.

27. On distinguait autrefois, selon le rayon de leurs déplacements, les voyageurs, les représentants et les placiers. La distinction est aujourd'hui dépassée, mais l'expression, et surtout son sigle, sont restés dans l'usage.

28. On s'attendrait ici à l'adjectif *médiatique* (relatif aux médias), mais l'usage préfère l'apposition du substantif. Celui-ci se met parfois au pluriel après un substantif au singulier, auquel cas il s'agit d'une ellipse: *la communication [par l'intermédiaire des] médias.* Le mot (dans ce sens) a été emprunté à l'américain dans les années 60, sous forme de *mass media*. À noter pourtant qu'en français le singulier s'écrit *média*, et le pluriel, *médias*, alors qu'en anglais on dit (ou devrait dire), conformément à l'étymologie: «The media are... this medium is...». Cet usage «étymologique» se rencontre parfois en français, mais de plus en plus rarement.

29. Les manuels ajoutent traditionnellement un cinquième média: le cinéma. Mais avec moins de 0,5% des dépenses publicitaires (contre 2,5% en 1968), le cinéma n'est plus à sa place parmi les «grands». Déjà en 2000 la publicité française en ligne dépassait la pub-cinéma (14 millions d'euros contre 13), et semble doubler chaque année. L'Internet figurera bientôt, s'il n'y est déjà, au tableau des grands. (Le faible coût de la publicité en ligne donne une idée trompeuse de sa véritable importance.)

30. Qui fournit.

31. Temps réservés aux messages publicitaires.

32. Diffusées par voie hertzienne (ondes électromagnétiques), mode classique de transmission, par opposition aux chaînes du câble et du satellite.

33. La publicité, en principe et *par définition*, utilise un média (§6.1.), ce qui n'est pas le cas de la «P»LV. Contradiction? Certainement, mais nous sommes dans un domaine où les définitions n'ont rien de rigoureux. En dépit donc de son appellation, la PLV, limitée dans l'espace et dans le temps, est classée parmi les techniques promotionnelles. L'on a proposé, au nom de la cohérence, de garder le sigle tout en lui donnant un nouveau contenu: *promotion* sur le lieu de vente. C'était troquer une contradiction pour une tautologie.

34. Le mot a malheureusement la vie dure, mais il tend à s'effacer devant le terme français. En proposant *publipostage*, la Commission de terminologie a été mieux inspirée que dans d'autres cas.

35. «Activité commerciale qui consiste à solliciter la clientèle à son domicile» (*Petit Robert*).

36. Les puristes objectent que le préfixe *télé* signifie ou devrait signifier «à distance» et non pas «par téléphone» (ou «par télévision»). *Télévente* est pour eux synonyme de *vente à distance*.

37. Le mot dérive du nom de Maecenas, conseiller de l'empereur romain Auguste (1er siècle av. J.-C.) et grand protecteur des arts et des lettres. On appelle *mécène* la personne ou l'entreprise qui apporte un soutien «sans contrepartie...».

TROISIÈME PARTIE

Au service de l'entreprise et du particulier

BanniBug III

Le samedi 12 juin, au lendemain de son entretien d'embauche, Céline survint vers six heures du soir à l'atelier de BanniBug, rue des Tanneurs, au moment où Jason et Thierry achevaient l'installation de la douche. Ils craignirent, en la voyant entrer, qu'elle ne fût peut-être revenue sur sa décision d'accepter leur offre.

«Bonsoir! dit Jason en posant son marteau. On ne croyait pas te revoir avant lundi. Tu ne prépares pas tes examens?

— Si. Enfin, ce sera pour demain. J'ai fait un petit plan d'action mercatique et je voulais vous en parler. Allons manger quelque part; j'ai une faim de loup.»

Ils étaient à peine assis au Mastroquet quinze minutes plus tard qu'elle entama son discours.

«Il faudra évidemment nous faire connaître, et ce, au plus vite, dès la semaine prochaine, histoire d'occuper un peu Marc et Gilles en attendant qu'affluent les commandes. D'où le premier volet du plan: la presse gratuite.»

Elle sortit de sa serviette une feuille qu'elle tendit à ses employeurs.

«C'est pas fameux, dit-elle, mais c'est ce que j'ai pu faire de mieux en quelques minutes.»

On y remarquait d'abord l'image d'un gros moustique, l'air méchant, soulignée des mots «Il vous veut du mal!». Céline expliqua qu'il y avait eu dans la région l'été précédent une vingtaine de cas d'encéphalite. Il s'agissait de rappeler, sans le mentionner, le rôle soupçonné du moustique dans la transmission de la maladie. Sous l'accroche, un bref message annonçait le produit. Jason et Thierry étaient sur le point d'exprimer leur approbation quand Céline reprit:

«J'apporterai ça au bihebdomadaire gratuit dès l'ouverture lundi matin, juste avant mes examens. Une pleine page dans trois éditions, à compter de celle qui sort mardi. Bon. Deuxième volet: le journal. Ce sera plus cher, et j'aurai besoin de quelques jours pour mettre au point quelque chose de bien. Ce sera fait d'ici jeudi, car il faut absolument que cela paraisse dans l'édition du week-end prochain. Un quart de page pendant sept jours, dont deux samedis.»

Jason et Thierry allaient réagir lorsqu'arriva le serveur. Les commandes prises, Céline poursuivit:

«Voilà pour les annonces-presse. Viennent ensuite les envois. Troisième volet: une diffusion d'ISA. *Imprimés sans adresse,* pour les profanes. Cela ne reviendra qu'à environ cinq centimes — pardon, cinq *cents* — le contact, et on pourra cibler les destinataires selon leur quartier. Après quoi — quatrième volet — un mailing, ou *publipostage.* Pour les ISA un simple carton de présentation suffira, et c'est là que vont débuter le logo et le slogan de BanniBug. Pour le publipostage il faudra un dépliant promotionnel comportant dessins et photos. Le carton sera prêt lundi, le 28, et le dépliant, une semaine plus tard. Heureusement, je pourrai faire moi-même toute la conception et "l'avant-presse", ce qui réduira de moitié le coût, mais pour l'impression et le reste nous devrons évidemment recourir à un reprographe. Le publipostage reviendra beaucoup plus cher, à cause notamment des frais de reprographie et de poste, et afin d'en cibler l'envoi il faudra d'abord constituer un fichier à partir des réponses aux annonces et aux ISA. Voici une estimation des coûts. Le total dépasse d'une petite centaine d'euros le budget dont on a parlé hier.»

Elle donna à chacun une feuille, puis se tut, comme pour attendre la réaction. Momentanément interloqués, Jason et Thierry faisaient semblant d'étudier les chiffres. Jason finit par poser une question dont il comprit tout de suite le ridicule:

«Est-ce tout?

— Non. Je pensais au premier mois, dont on a dit hier qu'il sera critique. Ce qui nous manque le plus pour l'instant, c'est évidemment une "force de vente". Recrutons donc nos premiers clients en leur accordant une remise de 10% pour chaque nouveau client qu'ils nous amèneront avant la mi-juillet. Ça éliminera notre marge, je le sais, mais ce sera au départ le cadet de nos soucis. Pendant les premières semaines nous aurons besoin, par-dessus tout, de fonds de roulement.

— Excellente idée! dit l'un.

— Géniale!» renchérit l'autre.

Alors Céline, à qui le moment semblait opportun:

«Euh... une dernière chose. Dès lundi j'apporterai tout mon matériel: ordinateur, imprimante, copieur, scanner... enfin, tout. De quoi faire la pub, tenir les comptes, gérer la facturation. Je mets tout ça à la disposition de l'entreprise, *laquelle n'aura donc pas à en faire l'achat.* En contrepartie, j'aurai besoin d'un endroit où le loger décemment, et m'en servir tranquillement. Autrement dit, j'aurai besoin d'un bureau. Et comme il n'y en a malheureusement que deux, l'autre...»

C'est ainsi que «l'autre», mesurant à peine seize mètres carrés, devint bureau et chambre à coucher pour deux personnes. Elles ne s'en plaignirent pas.

Tous les problèmes ne pouvaient pas être si vite résolus. Celui des commandes était de loin le plus préoccupant, car elles se faisaient attendre. Il y en avait certes quelques-unes, assez pour permettre à Marc et à Gilles de mettre leurs techniques au point, mais guère plus. L'action mercatique était en place; les annonces parurent et les envois partirent aux dates prévues. En attendant les resultats, Thierry craignait le pire. C'est lui qui tenait les comptes, et son anxiété s'accroissait à mesure que s'allongeait la colonne des débits. Céline seule ne semblait pas s'inquiéter outre mesure, passant ses matinées au téléphone ou au clavier, et ses après-midi en de mystérieuses allées et venues.

Le mercredi 30 juin, premier jour de paie à BanniBug, ne fut pas célébré dans la joie. Marc et Gilles acceptèrent leurs chèques d'un air coupable, prenant soin d'en remercier leurs patrons. Quant à Céline, elle avait dit aux gérants la veille qu'elle avait «quelques économies» et qu'elle pouvait attendre. (Ce fut à l'insu de Marc et de Gilles, qui en auraient sans doute fait autant.)

Céline arrivait d'habitude vers sept heures du matin, mais ce jour-là elle ne s'était pas encore montrée à midi.

À une heure elle arrive en coup de vent:

«Mais où sont donc Marc et Gilles?

— Ils n'avaient rien à faire, répond Thierry, alors je leur ai dit qu'ils pouvaient partir.

— Eh bien, il faut les rappeler, dit-elle en brandissant une liasse de papiers. Nous avons une commande à remplir... pour deux mille moustiquaires.

— Deux... commence Jason.

— Mille! achève Thierry.

— Environ, oui. Vous avez entendu parler du promoteur immobilier Luc Marty? Il a déjà à son compte plusieurs lotissements à Tours et aux environs. Son dernier, à Vouvray, s'appelle Galaxie: *deux cents* pavillons, qu'il va *tous* munir de nos moustiquaires. Il a fini par comprendre, moi aidant, que ça lui servira dans ses promotions — ce qui sera pour nous, soit dit en passant, un coup de pub gratuit. Six tailles seulement, donc main-d'œuvre réduite et marges élevées, grâce auxquelles j'ai pu lui accorder une remise de 5%. BanniBug s'engage d'ailleurs à ne rien signer avec ses concurrents.»

Et voilà comment BanniBug sortit du rouge en quatre semaines, sans même s'attarder au «point d'équilibre» que la plupart des nouvelles entreprises n'atteignent qu'au bout d'un an. L'excédent devait s'accroître encore

corner espace réservé à
une marque, dans un
magasin multimarque;
anglicisme que l'Office
québécois de la langue
française a traduit par
espace promotionnel

TPE très petite entreprise

lorsqu'au mois suivant Céline arracha au gérant d'une grande maisonnerie l'autorisation d'y établir un *corner*° BanniBug.

En octobre Jason et Thierry furent invités par la Chambre des métiers à soumettre un dossier de candidature au «Trophée de l'innovation», catégorie TPE°. Ils durent refuser poliment... faute de temps! Les trois salariés, débordés, eux aussi, et contents de l'être, travaillaient souvent le samedi et parfois même le soir. Toute l'équipe plaisantait, non sans inquiétude, sur la fameuse «semaine de trente-cinq heures» obligatoire.

Un jour Thierry, d'habitude si ronchonneur, dut convenir, après avoir revu le plan comptable, que «ça marchait plutôt bien». Effectivement.

8 La banque et les moyens de paiement

Les opérations bancaires françaises ressemblent pour l'essentiel à celles des banques américaines. Il existe certes de nombreuses différences, dont nous relèverons au passage quelques-unes, mais elles tendent à s'estomper ou à s'effacer à mesure que se mondialisent les entreprises de part et d'autre de l'Atlantique.

1 | Les comptes bancaires

En France, comme aux États-Unis, les comptes° bancaires se divisent grosso modo en deux catégories: les *comptes-chèques* et les *comptes d'épargne°*.

1.1 Le compte-chèques

Le compte-chèques — appelé aussi *compte de dépôt°, compte de dépôt à vue* et *compte à vue* — permet d'effectuer les opérations courantes: versements°, retraits°, virements°, émission de chèques, paiement par carte, etc. Chaque mois le titulaire[1] reçoit un *relevé de compte°* qui indique, dans la colonne «crédit», toutes les sommes déposées°, et dans la colonne «débit», toutes les sommes retirées°. La différence entre les crédits et les débits représente le *solde°*; il est *créditeur°* ou *débiteur°* selon que le total des crédits est supérieur ou inférieur au total des débits. Dans le cas d'un solde débiteur — ce qu'il faut éviter sous peine d'amende (ou pire) —, on dit que le compte est *à découvert°*.

1.2 Le compte d'épargne

Un compte-chèques doit normalement présenter un solde créditeur, mais il ne rapporte pas d'intérêts (ou s'il en rapporte, les taux sont minimes[2]). Si le titulaire veut faire fructifier son argent, il peut choisir d'en placer une partie dans un compte d'épargne, lequel a l'avantage d'être rémunéré. Le taux de l'intérêt servi dépend de la formule choisie et de la réglementation du moment.

Les comptes d'épargne se divisent en deux catégories selon que les sommes déposées sont *remboursables à vue* ou *à terme*. Dans le premier cas, le titulaire peut retirer son argent quand il le souhaite; il en garde à tout moment l'entière

---

◆ **P**our aller plus loin

Le *compte courant*

Il importe de distinguer le compte-chèques, offert aux particuliers, et le *compte courant*, réservé aux entreprises. À la différence du compte-chèques, le compte courant peut présenter un découvert, le solde étant tour à tour créditeur et débiteur selon le rapport des dépôts aux dépenses à une date donnée. Le montant des découverts — plafonné, bien entendu — est exigible aux échéances convenues. Le compte courant fonctionne ainsi comme une sorte de ligne de crédit dont dispose en permanence l'entreprise cliente. N.B.: Parfois, pour compliquer la situation, l'expression *compte courant* est employée comme synonyme de *compte-chèques*. Pour la Société Générale (une banque), par exemple, le terme désigne les comptes-chèques réservés aux particuliers aussi bien que ceux qui sont proposés aux entreprises. La distinction devient alors celle qui oppose les comptes courants *avec* ou *sans* découvert autorisé.

disponibilité. Dans le second cas, les sommes déposées sont bloquées pendant un certain temps. En général, plus la période d'indisponibilité est longue, plus le taux d'intérêt est élevé.

1.2.1 *Les comptes d'épargne à vue.* Il en existe de nombreuses formules: certaines fonctionnent selon des modalités fixées librement par la banque qui les propose, alors que d'autres sont réglementées par l'État. Parmi ces dernières, les trois suivantes sont fort répandues:

- Le Livret A est le grand classique, proposé par la Caisse d'Épargne depuis... 1818! Le montant des placements est plafonné à 15 300 € et le taux d'intérêt fixé à 2,25%[3].
- Le CODEVI (COmpte pour le DÉVeloppement Industriel) est ainsi nommé parce que l'argent des titulaires est investi à la Bourse. Les dépôts sont plafonnés à 4 600 € et rémunérés à 2,25%.
- Le LEP (livret d'épargne populaire), conçu en 1982 par le gouvernement socialiste, est «destiné à aider les personnes aux revenus les plus modestes à placer leurs économies dans des conditions qui en maintiennent le pouvoir d'achat» (loi du 27.04.1982). Le titulaire est soumis à des conditions de ressources (son revenu ne peut pas dépasser un certain seuil). Plafonnés à 7 700 €, les dépôts rapportent des intérêts dont le taux, fixé à 3,25%, est toujours supérieur à celui des autres comptes d'épargne à vue.

Chacun de ces comptes sur livret[4] garantit au titulaire un libre accès à la totalité de son placement. Ils ont également en commun le fait d'être *défiscalisés:* les intérêts servis sont exonérés de l'impôt sur le revenu.

1.2.2 *Les comptes d'épargne à terme.* Les formules en sont nombreuses et variées, mais ce qui les caractérise toutes, et ce qui les distingue des comptes d'épargne à vue, c'est qu'elles immobilisent les dépôts pendant une période convenue. En contrepartie de l'indisponibilité de ses fonds, le titulaire reçoit un taux d'intérêt d'autant plus élevé que l'immobilisation est longue. Tout retrait effectué avant l'échéance fixée entraîne une pénalité sous forme de perte d'une partie des intérêts.

La formule de loin la plus répandue est celle du PEL (plan d'épargne logement), lequel représente à lui seul 41% de l'épargne française. Le titulaire d'un PEL doit alimenter régulièrement son compte, jusqu'à un plafond de 61 200 €, sans rien retirer, pendant au moins quatre ans. À l'échéance il dispose de son épargne majorée des intérêts accumulés, et il peut en outre demander un prêt° immobilier à un taux privilégié.

2 Les moyens de paiement

On appelle *moyens de paiement* les différents instruments qui permettent aux entreprises ainsi qu'aux particuliers de régler leurs achats ou d'éteindre leurs dettes — par l'intermédiaire, dans la plupart des cas, d'un compte bancaire. Avant d'énumérer ces instruments, il convient de faire une première distinction entre le paiement *au comptant* et le paiement *à crédit*.

- Le paiement *au comptant* est immédiat: toute la somme due est payée au moment de l'achat. N.B.: Il ne faut pas confondre *payer au comptant* (ou *payer comptant*) et *payer en espèces* («cash»). On peut tout payer, et tout de suite, non seulement en espèces, mais aussi par chèque ou par carte de paiement, etc.
- Le paiement *à crédit* est différé. On en distingue deux sortes: le paiement *à terme*, qui s'effectue à une date ultérieure fixée d'avance; et le paiement *à tempérament*, qui s'effectue en plusieurs versements échelonnés sur une durée fixée d'avance.

Si l'on passe du *moment* au *moyen*, les paiements peuvent s'effectuer: 1. en *espèces*; 2. par *chèque*; 3. par *carte de paiement*; 4. par *virement°*; et, uniquement dans le commerce, 5. par *lettre de change°* (ou *traite°*).

2.1 Le règlement en espèces (ou en liquide°)

C'est un moyen de paiement qui dispense de passer par un compte bancaire, mais dans le commerce son emploi est limité. La loi interdit aux entreprises de payer en espèces toute somme supérieure à 750 €, et aux particuliers, toute somme supérieure à 3 000 €.

2.2 Le règlement par chèque

Depuis quelques années le chèque recule devant la carte bancaire (voir ci-dessous), mais son usage reste bien plus répandu en France qu'ailleurs dans l'Union européenne et aux États-Unis[5].

Le chèque est un document par lequel une personne, physique ou morale[6], appelée le *tireur*, donne l'ordre à sa banque, appelée le *tiré*, de verser une somme à une autre personne, physique ou morale, appelée le *bénéficiaire* (ou au tireur lui-même, dans le cas d'un chèque de retrait).

On peut évidemment régler par chèque un achat à crédit, mais le chèque lui-même n'est pas un instrument de crédit: la somme inscrite là-dessus est payable «à vue», c'est-à-dire immédiatement, dès la présentation du chèque chez le tiré (la banque). Il est donc interdit de postdater un chèque: il faut que la somme déposée sur le compte soit égale ou supérieure à la valeur du chèque *au moment de son émission*. Autrement dit, la provision doit être suffisante et préalable. L'émission d'un chèque sans provision suffisante — un «chèque en bois», dit-on familièrement[7] — est un délit que la loi sanctionne plus ou moins sévèrement, selon le cas.

Presque tous les chèques délivrés en France depuis 1979 sont *pré-barrés* (traversés de deux traits obliques, comme le chèque représenté dans la Figure 8.1). Le bénéficiaire d'un chèque barré ne peut pas l'échanger directement contre des espèces. Pour se faire payer, il doit d'abord endosser° le chèque au profit de sa banque en signant au verso (au «dos»). La somme est alors portée au crédit de son compte, après quoi il peut, s'il le veut, effectuer un retrait d'espèces. Aucun autre compte ne peut être crédité de la somme, car le chèque barré n'est pas transmissible à un tiers° par endossement°. Voilà le sens de l'indication *non endossable sauf pour remise à un établissement bancaire* («for deposit only»)[8]. Le bar-

Figure 8.1

Modèle de chèque pré-barré.

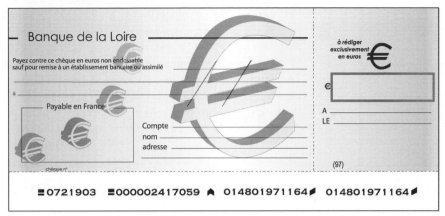

rement et l'interdiction d'endossement sont des mesures de sécurité destinées à réduire au minimum les risques courus par le tireur et le bénéficiaire en cas de perte ou de vol d'un chéquier ou d'un chèque[9].

Dans certaines conditions précises définies par la loi, le tireur a le droit de *faire opposition°* au paiement d'un chèque déjà émis. Un désaccord ou un litige

Pour aller plus loin

Comment remplir un chèque

Le bon usage du chèque, en France comme ailleurs, comporte de nombreuses règles dont voici quelques-unes.

- Le montant doit être écrit en chiffres et en lettres. Si les deux montants sont différents, c'est l'indication en lettres qui prévaut. Rappelons à ce propos le conseil de bon sens, si souvent cité, et pour cause: *Ne signez jamais un chèque en blanc* (c'est-à-dire un chèque dont le montant n'est pas indiqué).
- Dans l'indication *en chiffres* du montant, veillez à séparer *d'une virgule*, et non d'un point, les euros et les centimes. Même en cas de chiffre rond — 110 €, par exemple —, il vaut mieux indiquer les centimes: 110,00. Commencez au côté gauche du cadre, afin de ne laisser aucun blanc devant le premier chiffre.
- Dans l'indication *en lettres* du montant, il est toléré (et courant) d'écrire en chiffres le nombre des centimes. L'indication en lettres de la somme de 110,43 € se présentera donc ainsi: *cent dix euros et quarante-trois centimes* [*... et 43 centimes*]. On peut évidemment écrire *cents* au lieu de *centimes*. En inscrivant le montant, commencez à gauche, de façon à ne laisser aucun blanc devant l'inscription. Complétez la ligne en tirant jusqu'au bout un trait horizontal.
- Parmi les mentions obligatoires figurent le lieu (ville) («À...») et la date («Le...»). Celle-ci doit correspondre au jour de la création du chèque, à sa date *d'émission*. L'émetteur d'un chèque post- ou antidaté est passible d'une amende égale à 6% de la valeur du chèque.

d'ordre commercial avec le bénéficiaire n'est pourtant pas une raison suffisante: l'opposition ne peut se faire légalement qu'en cas de perte, de vol ou d'utilisation frauduleuse du chèque ou en cas de faillite[10] du bénéficiaire.

Quand la somme à payer est importante, le bénéficiaire qui veut être sûr de toucher son dû peut demander un *chèque de banque*°. Il s'agit d'un chèque émis par une banque, à la demande d'un client, particulier ou entreprise, titulaire d'un compte. Au moment de l'émission la banque se fait rembourser en débitant le compte de son client, qui remet alors le chèque au bénéficiaire. Puisque le tireur est la banque elle-même, la provision est garantie. Souvent utilisé dans les transactions immobilières ou pour régler l'achat d'une voiture, le chèque de banque correspond plus ou moins aux *bank drafts* et aux *cashier's checks* américains. Il a remplacé le chèque certifié, désormais obsolète[11].

2.3 Le règlement par carte de paiement

En 1995, lorsqu'aux États-Unis la «check card» (ou «debit card») n'en était qu'à ses débuts, la carte de paiement représentait déjà 24% des opérations en France (hors paiements en espèces). Émise par une banque, la carte de paiement permet au titulaire d'un compte-chèques de régler ses achats chez les commerçants et de retirer des espèces dans les DAB (distributeurs automatiques de billets) et les GAB (guichets automatiques de banque[12]). Le montant de l'achat ou du retrait est débité du compte soit tout de suite (*débit immédiat* ou *au jour le jour*), soit à la fin du mois (*débit différé* ou *mensuel*). Dans ce dernier cas il s'agit d'une sorte de

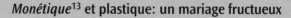

Pour aller plus loin

Monétique[13] et plastique: un mariage fructueux

Dans la famille de plus en plus nombreuse des cartes à puce, la carte de paiement, désormais classique, doit faire place à d'autres formules. Par exemple...

* Sous la marque Moneo, le *porte-monnaie électronique* rencontre un énorme succès en France. Il s'agit d'une carte prépayée et «préchargée» qui permet à son utilisateur de régler chez les commerçants les petits achats (moins de 30 €) habituellement réglés en espèces.
* Délivrée par une banque, la *carte de retrait*, comme l'indique son nom, permet à son titulaire d'effectuer des retraits d'espèces dans les DAB et les GAB, mais il ne peut pas s'en servir pour payer chez les commerçants. Le montant de chaque retrait, ainsi que le total hebdomadaire, sont limités.
* La *carte de crédit*, comme la carte de paiement, permet de payer chez les commerçants et de retirer de l'argent dans les DAB et les GAB. Mais le montant, au lieu d'être inscrit au débit d'un compte-chèques, est imputé sur une ligne de crédit. Formule de plus en plus répandue en France, mais bien moins qu'aux États-Unis, la carte de crédit peut être émise par une banque, par une société de crédit ou par un magasin. Dans les deux pays, comme partout ailleurs, la tentation d'éviter le règlement au comptant mène souvent au surendettement.

Figure 8.2

Modèle d'ordre de virement.

Banque de la Loire

Ordre de virement

Siège :

Par le débit de mon / notre (1) compte ci-dessous

(nom ou raison sociale du donneur d'ordre)

code banque — Code guichet — Numéro de compte — Clé RIB

(adresse du donneur d'ordre)

reproduire ci-dessus les indications de votre relevé d'identité bancaire

Veuillez virer / tenir à la disposition (1) la somme de

(somme en lettres)

Somme en chiffres

_______ , ___

en faveur de

Nom du bénéficiare

chez

Banque (1)

C.C.P. (1)

Code banque ou Ets — Code guichet — Numéro de compte (1) — Clé RIB RIP ou RICE

(adresse du bénéficiaire)

(nom de l'établissement et du guichet du bénéficiaire)

Motif ou libellé de l'opération (facultatif)

Date :

Signature

Réf. commerciale donneur d'ordre

Réf. interne donneur d'ordre

(1) Rayer la mention inutile

VP.0018 - 07/05

crédit gratuit à court terme, mais il ne faudrait pas confondre la carte de paiement avec la carte de crédit «à l'américaine» (voir ❖ *Monétique et plastique: un mariage fructueux*).

2.4 Le règlement par virement

Le virement est un transfert électronique de fonds d'un compte à un autre compte. Une somme peut être virée entre deux comptes d'un même titulaire ou du compte d'un titulaire au compte d'un autre titulaire; elle peut passer entre deux comptes d'une même banque ou d'une banque à une autre. Le titulaire du compte à débiter (le *donneur d'ordre* ou *émetteur*) commence par remplir un *ordre de virement* (voir la Figure 8.2); la somme indiquée là-dessus est alors débitée de son compte et portée simultanément au crédit du compte du *bénéficiaire*. Le virement peut être ponctuel, si les fonds sont transférés une seule fois, ou permanent, si la même somme est envoyée régulièrement au même bénéficiaire (paiement d'un loyer, par exemple, ou d'une pension alimentaire).

Le développement de la monétique a facilité les opérations électroniques, ce qui explique que le virement soit le moyen de paiement le plus utilisé dans le commerce international, où il représente actuellement la quasi totalité des transactions[14].

Pour aller plus loin

Le *prélèvement automatique* et le *titre interbancaire de paiement*

Le virement, au sens strict où on l'entend d'habitude, est à distinguer de deux autres transferts pratiques et fréquemment utilisés:

- Certains paiements réguliers — ceux, par exemple, des factures d'électricité et de téléphone — peuvent être effectués par un transfert pré-autorisé appelé *prélèvement° automatique*. Le client reçoit ses factures par courrier, et s'il n'en conteste pas le montant, les sommes sont *prélevées°* automatiquement sur son compte.
- Si le débiteur préfère autoriser explicitement chacun de ses paiements, tout en évitant d'émettre un chèque, il peut demander un *titre interbancaire de paiement* (TIP). Il s'agit d'un document que le créancier envoie à son débiteur en y joignant la facture. Si le montant est juste, le débiteur° renvoie le TIP, signé et daté, à son créancier°. Celui-ci se fait payer en présentant le TIP à sa banque, laquelle récupère la somme auprès de la banque du débiteur.

2.5 Le paiement par lettre de change° (ou traite°)

Il est plutôt exceptionnel dans le commerce qu'un achat se règle au comptant, surtout lorsqu'il s'agit d'une somme importante. Le plus souvent acheteur et vendeur s'accordent sur un crédit à court terme, réglé au bout de 30, de 60 ou de 90 jours au moyen d'une lettre de change. Il s'agit donc en même temps d'un moyen de paiement et d'un instrument de crédit.

La lettre de change est un document par lequel un créancier° donne l'ordre à son débiteur° de payer une certaine somme à une date déterminée. (Voir la Figure 8.3, à laquelle renvoient les chiffres entre crochets ci-dessous.)

Figure 8.3

Modèle de lettre de change (traite).

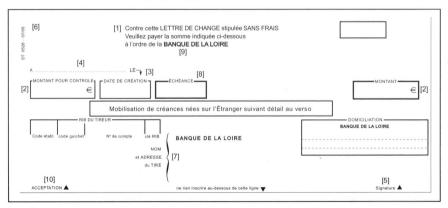

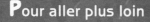

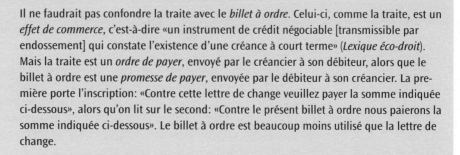

Pour aller plus loin

Le *billet à ordre*°

Il ne faudrait pas confondre la traite avec le *billet à ordre*. Celui-ci, comme la traite, est un *effet de commerce*, c'est-à-dire «un instrument de crédit négociable [transmissible par endossement] qui constate l'existence d'une créance à court terme» (*Lexique éco-droit*). Mais la traite est un *ordre de payer*, envoyé par le créancier à son débiteur, alors que le billet à ordre est une *promesse de payer*, envoyée par le débiteur à son créancier. La première porte l'inscription: «Contre cette lettre de change veuillez payer la somme indiquée ci-dessous», alors qu'on lit sur le second: «Contre le présent billet à ordre nous paierons la somme indiquée ci-dessous». Le billet à ordre est beaucoup moins utilisé que la lettre de change.

Le *tireur* est la personne (physique ou morale) qui *tire* — c'est-à-dire qui crée ou émet — la lettre de change[15]. C'est lui qui, en tant que créancier, donne l'ordre de payer [1] la somme qui lui est due [2]. Sa signature doit figurer sur la traite, ainsi que la date [3] et le lieu [4] où la traite a été créée. Il doit signer la traite [5]; son nom et son adresse figurent en haut et à gauche [6]. Le *tiré* [7] est le débiteur; c'est lui qui doit payer à l'*échéance*° [8]. Le *bénéficiaire* est la personne (physique ou morale) à qui le paiement doit être fait [9]. Le bénéficiaire est souvent le tireur lui-même, qui, dans ce cas, écrit «nous-mêmes» après l'ordre de payer. Si le tireur doit de l'argent à un tiers, il peut désigner son créancier comme bénéficiaire.

Considérons, à titre d'exemple, la situation suivante. BanniBug commande à La Compagnie cent rouleaux de toile en fibre de verre. Prix total convenu: 6 000 €. La somme étant assez importante, BanniBug demande un crédit de 60 jours. Le 10 mai La Compagnie envoie la marchandise en même temps que la facture. Dans son avis d'expédition, joint à la facture, La Compagnie informe BanniBug de la traite qu'elle a tirée sur lui et le prie d'y «faire bon accueil» (c'est-à-dire de l'accepter dès réception et de la payer à l'échéance du 10 juillet). BanniBug accepte la traite en la signant [10], puis la renvoie à La Compagnie.

Une fois en possession de la traite signée par le tiré, le tireur a trois options:

1. Il peut attendre jusqu'à l'échéance pour toucher la somme qui lui est due. Le lieu de paiement est indiqué sous «domiciliation» [11] sur la traite: il s'agit normalement de la banque du tiré.

2. Il peut s'en servir à son tour comme moyen de paiement en désignant comme nouveau bénéficiaire un de ses créanciers. À la différence du chèque barré (voir ci-dessus), la traite est *transmissible par endossement*°. Le tireur bénéficiaire endosse° la traite en écrivant au dos la formule «Payez à l'ordre de [nom]», suivie de sa signature. Le nouveau bénéficiaire, appelé *endossataire*°, touche alors le montant à l'échéance, s'il ne devient endosseur° à son tour en faveur d'un nouvel endossataire.

3. Si le tireur bénéficiaire a besoin d'argent avant l'échéance, il peut vendre la traite à sa banque; on dit alors qu'il présente la traite à l'*escompte*°. L'escompte est en réalité un cas particulier de transmission par

endossement. En remettant la traite à sa banque, le bénéficiaire (devenu «cédant») peut toucher sa créance avant l'échéance. La banque (devenue «cessionnaire» en acceptant d'acheter la traite) avance des fonds qu'elle ne pourra pas recouvrer avant l'échéance (à moins de devenir cédant à son tour). Il s'agit donc d'un crédit, lequel n'est pas offert gratuitement. Le coût de l'opération — les *agios* (intérêts, commission et frais divers) — est déduit du montant touché par le cédant au moment de l'escompte.

Qu'arrive-t-il si, à l'échéance, le tiré refuse de payer une traite? Le bénéficiaire peut lui accorder une prorogation° de l'échéance ou bien — ce qui revient au même — tirer sur lui une nouvelle traite pour remplacer l'impayée. Faute d'arrangement à l'amiable, le bénéficiaire a des recours judiciaires efficaces et rapides (procédure d'injonction de payer, saisie des biens du débiteur, etc.).

3   Les crédits proposés aux particuliers

La lettre de change (décrite ci-dessus) constitue une «facilité de paiement» et donc un crédit, au seul usage des entreprises. De quels prêts disposent les particuliers pour financer leurs dépenses non-professionnelles? Les banques et les établissements de crédit leur proposent plusieurs possibilités que la loi range en deux catégories distinctes: les *crédits à la consommation* et les *crédits immobiliers*. À chaque catégorie s'applique une réglementation spécifique destinée à protéger prêteur° et emprunteur°.

3.1 Le crédit à la consommation

Il s'agit d'un prêt à court ou à moyen terme (d'une durée de moins de sept ans) et d'un montant inférieur à 21 500 € qui sert à financer l'acquisition de biens d'équipement courants (véhicules, électroménager, mobilier), les loisirs, les études, etc. Il en existe de nombreuses formes, dont voici les principales:

- Le *crédit affecté*[16] est lié à la dépense qu'il finance. L'argent passe directement du prêteur au vendeur et ne peut servir qu'à l'achat du bien précisé dans le contrat. Ce genre de prêt est souvent proposé au client sur le lieu de vente.
- Le *crédit personnel* est un prêt non affecté: l'emprunteur dépense à son gré la somme empruntée et la rembourse en mensualités égales.
- Le *crédit permanent*, comme le crédit personnel, n'est affecté à aucun achat précis. Il met à la disposition de l'emprunteur une réserve de fonds où il puise selon ses besoins (jusqu'au plafond de la réserve) et rembourse selon ses capacités (au-dessus d'une mensualité minimum). Ce crédit est qualifié également de *renouvelable*, ou en franglais, de «revolving», parce que la réserve se reconstitue au fil des remboursements.

Il convient de mentionner ici la *location avec option d'achat* (LOA), appelée aussi *crédit-bail*, une formule importée des États-Unis en même temps que le mot qui la désignait: *leasing*. Bien qu'il ne s'agisse pas à proprement parler d'un prêt — aucune somme n'est empruntée —, la LOA est assimilée par la loi[17] aux

Pour aller plus loin

La banque à distance

Grâce au développement de la monétique, les services bancaires sont en pleine mutation depuis deux décennies. Si le guichet° «classique» n'est pas encore obsolète, on n'a plus à s'y rendre pour gérer ses comptes. Depuis longtemps déjà le client muni de sa carte bancaire et de son code confidentiel peut effectuer aux GAB la plupart des opérations courantes.

Aux appareils automatiques s'ajoutent aujourd'hui tous les services de «banque par téléphone», de «banque à domicile», de «banque à distance», de «banque en ligne». Désormais toute banque propose son e-guichet, son site Web transactionnel où le client internaute peut se rendre 24h/24 et 7j/7 pour tout faire — sauf, bien entendu, des retraits d'espèces.

Nouvelle venue dans le secteur: la *banque virtuelle*, qui se dispense d'agences et de bâtiments et qui fait tout par Internet ou par téléphone. Composez le numéro vert et vous aurez au bout du fil, non pas un serveur vocal, si impersonnel, mais un conseiller bancaire. Envoyez un courriel et «on vous rappelle immédiatement». Est-ce dans ce sens qu'évoluera le secteur dans son ensemble? Le succès mitigé des pionnières permet d'en douter, mais... l'avenir nous le dira.

opérations de crédit et se range communément parmi les crédits à la consommation. Voici la définition qu'en donne le *Journal officiel*: «Technique par laquelle un établissement de crédit donne en location à un preneur [...] un bien acheté à cet effet, en vertu d'un contrat à l'issue duquel celui-ci peut, pour un prix convenu, devenir propriétaire de ce bien en levant l'option d'achat initialement stipulée» (31 janvier 1990). Le «bien acheté» est le plus souvent une voiture; si le locataire (le «preneur» de la définition) décide de ne pas en devenir propriétaire, il doit la restituer en fin de contrat. Ajoutons qu'aujourd'hui la plupart des LOA permettent au locataire d'exercer *en cours de contrat* son option d'achat.

3.2 Le crédit immobilier

Il s'agit, comme l'indique son nom, d'un prêt destiné au financement d'une dépense *immobilière*[18]: achat d'un logement ou d'un terrain; travaux de construction, de rénovation ou d'aménagement. La plupart des crédits immobiliers sont assortis d'une garantie appelée *hypothèque°*; on parle dans ce cas d'un *prêt hypothécaire°*. L'hypothèque permet au créancier (banque ou établissement de crédit), en cas de défaillance (non-paiement) du débiteur, de faire saisir le bien immobilier hypothéqué° et d'en obtenir la vente forcée. Ainsi pourra-t-il se faire payer sur le prix de vente.

Le taux d'intérêt peut être fixe ou variable, mais le montant du capital doit dépasser 21 500 €. Presque tous les prêts immobiliers sont *amortissables*[19]: le remboursement du capital s'échelonne sur la durée du prêt. Une part de chaque mensualité couvre les intérêts et une autre réduit le capital; la première diminue et la seconde augmente à mesure qu'approche la fin du prêt[20].

Sigles et acronymes

CODEVI   compte pour le développement industriel
DAB   distributeur automatique de
billets
GAB   guichet automatique de banque

LEP   livret d'épargne populaire
LOA   location avec option d'achat
PEL   plan d'épargne logement
TIP   titre interbancaire de paiement

Lexique français–anglais

bénéficiaire *(m., f.)*   beneficiary
billet à ordre *(m.)*   promissory note
carnet de chèques *(m.)*   checkbook
(synonym: **chéquier**)
chèque *(m.)*   check
   ~ de banque *(m.)*   cashier's check;
   bank draft
   ~ en blanc *(m.)*   blank check
chéquier *(m.)*   checkbook (syn: **carnet
de chèques**)
compte *(m.)*   account
   compte-chèques   checking account
   compte courant   checking account
   (for businesses)
   compte de dépôt   checking account
   compte d'épargne   savings account
créancier (-ière) *(m., f.)*   creditor
crédit *(m.)*   loan
   crédit à la consommation
   consumer loan
   crédit immobilier   mortgage (loan)
créditeur (-trice) *(adj.)*   positive
   (balance, for example)
débiteur (-trice) *(adj. et m., f.)*
   negative (balance); debtor
   découvert *(m.)*   overdraft
   découvert (à ~) *(adj.)*   overdrawn
déposer   to deposit (syn: **verser**)
   dépôt *(m.)*   deposit (syn:
   versement)
   dépôt (compte de ~)   checking
   account
échéance *(f.)*   deadline; due date; date
   of maturity
emprunt *(m.)*   loan; sum borrowed

emprunter (à) [→ notez la
   préposition]   to borrow (from)
emprunteur (-euse) *(m., f.)*   borrower
endossataire *(m., f.)*   endorsee
endossement *(m.)*   endorsement
endosser   to endorse
endosseur *(m.)*   endorser
épargne *(f.)*   savings
   épargne (compte d'~)   savings
   account
   épargner   to save
escompte *(m.)*   discounting
   escompter   to discount (a bill)
espèces *(f. pl.)*   cash
guichet *(m.)*   window (in a bank or
   other service institution)
   guichetier (-ière) *(m., f.)*   teller
hypothèque *(f.)*   mortgage (a lien, *not*
   a loan[21])
   hypothécaire *(adj.)*   involving a
   mortgage (as in: **prêt hypothécaire**)
   hypothéquer   to mortgage
lettre de change *(f.)*   bill of exchange;
   draft (syn: **traite**)
liquide *(m.)*   cash
location avec option d'achat *(f.)*
   lease; leasing
**opposition (faire ~ au paiement d'un
   chèque)**   to stop payment on a
   check
prélèvement (automatique) *(m.)*
   (automatic) deduction
   prélever   to deduct
prêt *(m.)*   loan

Pour plus d'activités,
allez visiter le site web
http://parlonsaffaires.heinle.com

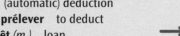

prêter to loan	**solde débiteur** negative balance
prêteur (-euse) *(m., f.)* lender	**tiers** *(m.)* third party
prorogation *(f.)* extension	**traite** *(f.)* bill of exchange; draft
proroger to extend	(syn: **lettre de change**)
règlement *(m.)* payment	**versement** *(m.)* deposit (syn:
régler to pay	**dépôt**)
relevé de compte *(m.)* bank statement	**verser** to deposit (syn:
retirer to withdraw	**déposer**)
retrait *(m.)* withdrawal	**virement** *(m.)* transfer (of funds)
solde *(m.)* balance	**virer** to transfer (funds)
solde créditeur positive balance	

Activités

Pour plus d'activités, allez visiter le site web http://parlonsaffaires.heinle.com

I. Traduction

A. Français–anglais (version)

1. Le compte-chèques permet d'effectuer toutes les opérations courantes: versements, retraits, virements, émission de chèques, paiement par carte, etc.

2. Le compte d'épargne rapporte des intérêts dont le taux varie selon la durée de l'indisponibilité des fonds.

3. «Tu as besoin d'espèces? Va donc au distributeur avec ta carte. — Mais j'ai oublié mon code confidentiel. D'ailleurs, j'ai perdu ma carte. — Alors, à l'agence, tu rempliras un bordereau de retrait d'espèces que tu présenteras au caissier. Et pendant que tu y seras, n'oublie pas de faire opposition, par écrit, sur la carte perdue.»

4. La loi interdit aux entreprises de payer en espèces toute somme supérieure à 750 € (3 000 € pour les particuliers).

5. «Mais pourquoi a-t-il exigé que tu le paies par chèque de banque? — Je ne sais pas! Je n'ai rien compris à ce qu'il me disait. Qu'est-ce qu'un "indice de solvabilité exécrable"?»

6. «Carte bancaire: débit immédiat ou différé? Pour les retraits en espèces, le débit est toujours immédiat. Par contre, pour le paiement chez un commerçant, le débit peut être immédiat ou différé. Avec le paiement immédiat, votre carte fonctionne comme votre chéquier, le montant de votre achat est débité dès que le commerçant présente ses factures au paiement. Avec le débit différé, vous payez vos achats en fin de mois» (<www.service-public.fr>, liens *achat, argent → type de paiement → carte bancaire*).

7. «Le rejet d'un chèque faute de provision suffisante entraîne, pour l'émetteur, l'interdiction immédiate d'émettre des chèques sur l'ensemble des comptes qu'il détient dans toutes ses banques» (loi du 30.12.1991).

8. Aujourd'hui la traite a été en grande partie dématérialisée. À la place d'une lettre de change circulante (LCC), sur support papier, les commerçants préfèrent la lettre de change relevée (LCR) qui circule dans le cyberespace sous forme de données informatisées.

9. «Délai de repentir, droit de rétractation: Vous venez de signer un contrat de crédit. Vous disposez d'un délai de sept jours à compter de la date de signature du contrat pour vous rétracter et demander son annulation» (<www.service-public.fr>, liens *achat, argent* → *crédit à la consommation* → *contrat*).

10. Ma maison est hypothéquée jusqu'aux combles et mes mensualités sont de 600 €. À ce rythme-là mon prêt hypothécaire ne sera amorti qu'en 2035.

B. Anglais–français (thème)

1. We opened our joint checking account two weeks ago, but we still haven't received our checkbook.
2. BanniBug couldn't pay the draft by the maturity date, so they tried to get an extension.
3. Don't endorse your check until you get to the window.
4. My salary is deposited and my bills paid automatically every month.
5. I need some cash. Where's the nearest ATM?
6. According to my bank statement, I have a negative balance! How is this possible? I never had any overdrafts before getting my debit card.
7. The teller explained how I can deposit and withdraw funds.
8. In the United States, bad checks are "rubber," because they bounce back unpaid. But why do the French call them "wooden"?
9. "A draft, sometimes referred to as a bill of exchange, is the instrument normally used in international commerce to effect payment. A draft is simply an order written by an exporter instructing an importer, or an importer's agent, to pay a specified amount of money at a specified time" (C.W.L. Hill, *International Business* [Chicago: Irwin], p. 451).
10. My real estate agent helped me find a fixed-rate mortgage at 4%.

II. Entraînement

1. Le compte-chèques, avons-nous dit, permet d'effectuer les opérations courantes. De quelles opérations s'agit-il? Qu'est-ce qu'un *relevé de compte*? un *solde créditeur*? un *solde débiteur*? un compte *à découvert*?
2. [❖] Quelle est la différence essentielle entre le compte-chèques, offert aux particuliers, et le *compte courant*, réservé aux entreprises?
3. Qu'est-ce qui distingue les *comptes d'épargne à vue* et les *comptes d'épargne à terme*?
4. Qu'est-ce que le *paiement au comptant*? Le paiement à crédit se fait *à terme* ou *à tempérament*. En quoi se distinguent ces deux manières de payer?
5. Quels sont les différents *moyens de paiement*?
6. Définissez les termes suivants, relatifs au chèque: *tireur, tiré, bénéficiaire, payable à vue, provision suffisante et préalable*.
7. Qu'est-ce qu'un chèque *barré*? un chèque *non endossable*? À quoi sert le barrement?
8. En quoi un *chèque de banque* diffère-t-il d'un chèque ordinaire (dit parfois, surtout au Québec, «chèque personnel»)?
9. [❖] En quoi la *carte de paiement* se distingue-t-elle de la *carte de retrait* et de la *carte de crédit*?

10. Qu'est-ce qu'un *virement*? [❖] Qu'est-ce qui distingue le virement dit *occasionnel* ou *ponctuel* du *prélèvement automatique*? du *titre interbancaire de paiement* (TIP)?

11. Qu'est-ce qu'une *lettre de change* (ou *traite*)? Pourquoi la lettre de change est-elle en même temps un moyen de paiement et un instrument de crédit?

12. Définissez les termes suivants, relatifs à la lettre de change: *tireur, tiré, bénéficiaire*.

13. Expliquez les trois options entre lesquelles le tireur peut choisir, une fois qu'il a reçu une traite signée par le tiré. Définissez à ce propos les termes suivants: *endossement (endosser, endossataire), escompte (escompter), domiciliation*.

14. Qu'arrive-t-il si, à l'échéance, le tiré refuse de payer une traite?

15. [❖] Quelle est la différence essentielle entre la *lettre de change* et le *billet à ordre*?

16. À quoi sert un *crédit à la consommation*? Quelles en sont les principales formes?

17. Expliquez le fonctionnement d'une *location avec option d'achat* (LOA).

18. À quoi sert un *crédit (prêt) immobilier*? On appelle *prêt hypothécaire* un prêt immobilier assorti d'une *hypothèque*. De quoi s'agit-il?

III. Pour se renseigner en ligne

Pour plus d'activités, allez visiter le site web http://parlonsaffaires.heinle.com

1. Le point de départ indispensable: *Les Clés de la banque*, guide publié par la Fédération bancaire française à <www.lesclesdelabanque.com>. La FBF n'exagère pas en se vantant d'avoir «rassemblé au même endroit toutes les informations dont vous pouvez avoir besoin concernant la banque et l'argent». Le lexique de 750 mots n'a pas d'égal en ligne. L'onglet *Bancoscopie* propose la visite virtuelle d'une agence fictive, à l'aide d'images cliquables; à faire. Avertissement: La navigation peut y être problématique; qui persiste trouvera.

2. *LeMoneyMag*, à <www.lemoneymag.fr>, «s'est fixé pour objectif de proposer aux internautes l'information nécessaire à la bonne gestion de leur budget dans les moments clés de la vie». Un site bien conçu, convivial, complet. À consulter surtout: la rubrique *Finance*.

3. Les sites des grandes banques sont des trésors de renseignements. Voici quelques adresses:

   • Banque Populaire: www.banquepopulaire.fr
   • BNP Paribas: www.bnpparibas.com
   • Caisse d'Épargne: www.caisse-epargne.fr
   • Crédit Agricole: www.credit-agricole.fr
   • Crédit Lyonnais: www.creditlyonnais.com
   • Société Générale: www.societegenerale.fr

4. En quoi la banque en ligne diffère-t-elle de la banque traditionnelle? Celles qui ont tenté l'expérience nous l'expliquent sur leurs sites. Deux exemples:

   • AXA Banque: www.axabanque.fr
   • Banque Covefi: www.covefi.fr

Notes

1. Le/la *titulaire* d'un compte, c'est la personne au nom de laquelle le compte est établi. Dans le cas d'un compte *joint* (par opposition à *individuel*), on parle de *cotitulaires*.

2. Depuis 1969 et jusqu'à récemment, la rémunération des comptes-chèques était *interdite* en France. Le 5 octobre 2004 la Cour de Justice européenne a déclaré illégale cette interdiction. Aujourd'hui la rémunération de ces comptes est autorisée sans être obligatoire. Les taux, très bas, évoluent le plus souvent entre 0,2% et 0,5%.

3. Il s'agit, ici comme par la suite, du taux en vigueur au 1er août 2004.

4. Le «livret» (anglais: *passbook*) était à l'origine une sorte de carnet, remis au titulaire à l'ouverture du compte, où étaient inscrites les opérations de dépôt et de retrait. Le mot subsiste, mais la chose qu'il désignait a été remplacée par les relevés de compte envoyés mensuellement au titulaire. Aujourd'hui l'expression *compte sur livret* (anglais: *passbook savings account*) est souvent employée comme synonyme de *compte d'épargne à vue* (et parfois, de *compte d'épargne à vue non-réglementé*).

5. Dans son *USA Mode d'emploi*, «guide pratique à l'intention des Français installés aux États-Unis», l'hebdomadaire *France-Amérique* (édition internationale du *Figaro*) met ainsi en garde ses lecteurs: «Les chèques sont très peu acceptés par les commerçants [...]. Néanmoins, en cas d'acceptation, il vous sera demandé deux pièces d'identité [...]. Il est préférable ou d'avoir de l'argent liquide sur soi ou d'utiliser une carte de crédit ou des chèques de voyage» (www.france-amerique.com/guideUSA/Banque/banque1.html).

6. Sur cette distinction, voir le Module 4.

7. L'origine de l'expression est plus conjecturale que celle de l'équivalent américain (*rubber check*). Il s'agit sans doute d'une allusion au bénéficiaire qui, s'étant rendu chez le tireur pour toucher son argent, trouve *visage de bois*, c'est-à-dire porte close. Relevons à ce propos le québécisme (anglicisme, à vrai dire) *chèque qui rebondit*. Selon la Banque de dépannage linguistique, consultable au site de l'Office québécois de la langue française, «cet emploi constitue une impropriété pour *chèque sans provision*. Il en existe un équivalent en anglais: *bounced check* (chèque qui a rebondi)» (www.oqlf.gouv.qc.ca).

8. Sur demande expresse et moyennant paiement d'une taxe, on peut obtenir des chèques non barrés et endossables. Le bénéficiaire d'un tel chèque peut l'échanger directement contre espèces au guichet de sa banque; il peut également l'endosser à l'ordre d'un tiers (un bénéficiaire autre que sa banque).

9. Le chèque barré n'est utilisé ni aux États-Unis ni au Canada. En Belgique les chèques barrés sont endossables. En Suisse le tireur d'un chèque peut le barrer, mais les chèques ne sont pas pré-barrés.

10. Plus précisément, en cas de redressement ou de liquidation judiciaire. Voir à ce sujet le Module 5.

11. L'ancien *chèque certifié* était émis non par une banque mais *par le titulaire d'un compte* sur lequel la banque bloquait une provision suffisante, égale au montant du chèque, pendant huit jours.

12. Les deux termes sont souvent — et abusivement — employés comme synonymes. Aux premiers temps des automates bancaires, le DAB n'était qu'une «billetterie» permettant de retirer de l'argent. Avec le développement d'autres services, le DAB s'est transformé en GAB, véritable guichet en libre-service permettant d'effectuer toutes les opérations courantes.

13. On désigne ainsi «l'ensemble des techniques électroniques, informatiques et télématiques permettant d'effectuer des transactions, des transferts de fonds» (*Petit Robert*). Le mot s'emploie aussi comme adjectif.

14. À l'international pourtant, la plupart des banques emploient les termes *transfert* et *tranférer* au lieu de *virement* et *virer*.

15. D'où le mot *traite*, participe passé (au féminin) du verbe *traire*, ancien synonyme de *tirer*.

16. «*Affecter:* destiner, réserver à un usage [...] déterminé» (*Petit Robert*).

17. Plus précisément la «loi Scrivener» (art. L311-1 et suivants du Code de la consommation).

18. *Immobilier* (*-ière*), adjectif, est synonyme d'*immeuble*: «qui ne peut pas être déplacé». Les biens immobiliers (immeubles) comprennent les terrains et les bâtiments (ce qu'en anglais on appelle *real estate*). *Agent, agence immobilier (-ière). Travailler dans l'immobilier*, etc.

19. «*Amortissement:* extinction graduelle d'une dette par un remboursement échelonné» (*Petit Robert*). *Amortir* une dette, c'est l'éteindre par un remboursement échelonné.

20. Le prêt amortissable s'oppose au prêt *in fine* («à la fin»), dont le capital est remboursé en un seul paiement au terme du contrat, les mensualités ne servant, pendant la durée du prêt, qu'à couvrir les intérêts.

21. En anglais le substantif *mortgage* a deux sens bien distincts. Il peut désigner soit (a) une garantie sur un bien immeuble (*hypothèque* en français), soit (b), par extension, un prêt assorti d'une telle garantie (*prêt* ou *crédit hypothécaire* en français). C'est évidemment sous l'influence de l'anglais que tant de banques québécoises proposent des «hypothèques à taux fixe, à taux variable», etc. Loin de *proposer* des hypothèques, la banque en *exige* en contrepartie de ses *prêts hypothécaires*. Dans son *Grand Dictionnaire terminologique*, l'Office québécois de la langue française met en garde contre cette confusion: «Il est donc fautif pour un établissement de crédit de dire qu'il offre des hypothèques alors qu'en réalité, ce sont des prêts qu'il offre à ses clients qui, eux, affectent un ou plusieurs biens d'une hypothèque pour garantir le remboursement de leur prêt» (www.oqlf.gouv.qc.ca).

La Bourse

À Bruges, au XIVe siècle, un groupe de banquiers avaient l'habitude de tenir leurs réunions d'affaires chez une famille du nom de Van der Burse. L'orthographe se modifia par la suite, sous l'influence sans doute de *bourse* (sac à argent), et c'est ainsi que s'expliquerait l'origine du terme. Vraie ou fantaisiste, cette étymologie enseigne au moins une première leçon: *la Bourse° est un marché*, c'est-à-dire un lieu — concret ou abstrait — où se rencontrent vendeurs et acheteurs.

Qu'est-ce donc qui se vend et s'achète en Bourse? La Bourse est le marché des *valeurs mobilières*[1].

1 ▶ Les valeurs mobilières

Une valeur mobilière° (appelée couramment *valeur*[2]) est un titre[3] négociable. Selon la nature des droits attestés par la valeur, il s'agit soit d'un titre de propriété, soit d'un titre de créance. De là, les deux grandes catégories de valeurs mobilières: les *actions*° et les *obligations*°.

1.1 Les actions

Au moment de sa création et au cours de son existence, une société de capitaux[4] a besoin de réunir des sommes importantes. Elle procédera pour ce faire à une émission (mise en vente) d'actions. Les actions émises représentent chacune une fraction du capital social. Ceux qui les achètent — les *actionnaires*° — sont donc les propriétaires de la société.

En tant qu'associé de la société, l'actionnaire jouit de certains droits, pécuniaires[5] et non-pécuniaires, dont voici les principaux:

- *Droits pécuniaires.* L'actionnaire a droit à une fraction des bénéfices°. Considérons le cas de COGÉTEC, une société anonyme ayant réalisé au cours de l'exercice écoulé un bénéfice net d'un million d'euros. L'assemblée générale, sur proposition du conseil d'administration, décide de distribuer aux actionnaires 30% de ce chiffre (un tel pourcentage étant typique des sociétés françaises). La somme de 300 000 € sera donc répartie parmi les actionnaires, chacun étant payé au prorata (en proportion) du nombre des actions qu'il détient. Or le capital de COGÉTEC est constitué de 1 000 actions. La somme à distribuer (300 000 €) divisée par le nombre des actions (1 000) représente le *dividende*°: 300 €. Monsieur Lheureux, qui détient 50 actions de COGÉTEC, touchera donc cette année la somme de 15 000 € (300 € × 50).
- *Droits non-pécuniaires.* L'actionnaire a — en principe et sauf exception[6] — le droit de vote aux assemblées générales, selon la règle d'*une voix par action*. Puisqu'il participe ainsi à la gestion de la société, il a le droit d'en consulter les documents comptables.

◆ Pour aller plus loin

Une action particulière

Les actions ordinaires, comme nous l'avons vu, confèrent à leur détenteur un droit pécuniaire (dividendes) et un droit non-pécuniaire (participation à la gestion). Depuis une trentaine d'années il existe des actions qui séparent ces deux droits pour n'en retenir que le premier: les *actions à dividende prioritaire* (ADP). Leurs détenteurs reçoivent des dividendes prioritaires et supérieurs à ceux des actions ordinaires, mais ils sont privés du droit de vote. Ces titres permettent aux dirigeants d'une société d'en augmenter le capital et d'en garder en même temps le contrôle. La formule existe également aux États-Unis sous le nom de *preferred shares* (*preferred stock*), par opposition aux *common shares*.

1.2 Les obligations

La société émettrice d'actions fait appel à ses propriétaires; il s'agit donc de *ressources internes* (ou *fonds propres*). Mais une société peut préférer emprunter les sommes dont elle a besoin, et l'on parle dans ce cas de *ressources externes* (ou *fonds étrangers*)[7]. L'emprunt est *indivis* lorsqu'il y a un seul prêteur — une banque, par exemple — et *obligataire* lorsqu'il y a de nombreux prêteurs. Cette deuxième formule peut être retenue dans certaines conditions quand une société ou une collectivité publique a besoin d'une somme trop importante pour être fournie par un seul prêteur. L'emprunt obligataire se compose d'un nombre déterminé d'obligations dont chacune représente une fraction égale de la somme empruntée. Acheter une obligation, c'est donc prêter de l'argent. Ceux qui les achètent — les *obligataires°* — deviennent des créanciers de la société ou de la collectivité émettrice.

En tant que créancier, l'obligataire jouit de droits exclusivement pécuniaires. Il a droit d'abord à un intérêt annuel (le coupon) pendant la durée de l'obligation; ensuite au remboursement de la somme prêtée (le principal). Le remboursement (on dit plus souvent: *l'amortissement*), dont les modalités sont stipulées au moment de l'émission, se fait soit en totalité à la fin de la durée de l'obligation, soit en tranches annuelles égales.

Considérons à titre d'exemple une obligation de 1 000 € d'une durée de 10 ans, rapportant 6% d'intérêts et remboursée en totalité au terme. L'obligataire touchera un coupon annuel de 60 € pendant neuf ans; la dixième année il recevra 1 060 €, une somme qui représente le coupon annuel plus le principal.

Pour aller plus loin

Les différentes catégories d'obligations

Aux *obligations à taux fixe* (voir ci-dessus) s'opposent les obligations dont le taux varie pendant la durée de l'emprunt selon les évolutions d'un indice de référence (le marché monétaire ou obligataire). Ce sont les *obligations à taux variable*, *flottant*, *révisible*, etc.

L'*obligation à coupon zéro* ne rapporte pas d'intérêts annuels. Les coupons s'accumulent pendant la vie de l'obligation pour être versés dans leur totalité à l'échéance.

Il existe aussi des titres hybrides, à mi-chemin des actions et des obligations. Les *obligations convertibles en actions* (OCA) et les *obligations remboursables en actions* (ORA), par exemple, permettent aux obligataires de devenir actionnaires en contrepartie d'un taux d'intérêt inférieur à celui des obligations ordinaires. Le détenteur d'OCA a le choix (se faire rembourser en liquide ou en actions), alors que les ORA sont obligatoirement remboursées en actions. L'avantage pour l'obligataire, en cas de conversion, est de profiter de la croissance d'une société dont il devient actionnaire. Et si la société se trouve à court de liquidités, elle aura intérêt à rembourser sous forme d'actions les fonds empruntés.

2 ▶ Les compartiments traditionnels de la Bourse

La Bourse, marché des valeurs mobilières, se compose en réalité de plusieurs marchés différents. Classés selon les conditions à satisfaire afin d'y accéder, les marchés «traditionnels» sont au nombre de quatre: le Premier Marché, le Second Marché, le Nouveau Marché et le Marché Libre.

- Le *Premier Marché* (ancienne appellation: *cote officielle*) regroupait plusieurs centaines d'entreprises ayant rempli les conditions d'accès les plus contraignantes. Il fallait que le capital social dépassât un certain seuil, et que 25% en fût détenu par le public sous forme d'actions. L'entreprise devait avoir réalisé des bénéfices, distribué un dividende et subi des contrôles comptables rigoureux. Les entreprises inscrites sur le Premier Marché figuraient parmi les plus importantes, et leurs titres, parmi les plus prestigieux. C'était le marché «haut de gamme».
- Le *Second Marché* a été créé en 1983 pour accueillir les PME désireuses d'accéder au marché financier mais incapables de satisfaire les conditions d'admission au marché officiel. Une entreprise pouvait y être inscrite en plaçant seulement 10% de son capital auprès du public; aucun montant minimum n'était exigé. Il n'était pas nécessaire d'avoir dégagé des bénéfices et les procédures comptables étaient moins contraignantes. Le Second Marché regroupait environ trois cents entreprises, dont certaines, après y avoir fait leurs preuves pendant trois ans, ont réussi le passage au Premier Marché.
- Le *Nouveau Marché* a été créé en 1996 pour accueillir une quarantaine de sociétés «jeunes, innovantes, entrepreneuriales, de haute technologie, à fort potentiel de croissance, aux perspectives de rendement élevé» (selon le profil fourni par la Société du Nouveau Marché). Les critères d'admission étaient moins stricts que ceux des Premier et Second Marchés. Le Nouveau Marché a

Quatre mots et un acronyme

Cote°; coter°; coté°; cotation°, CAC

La *cote* d'une valeur mobilière est l'indication officielle de son cours (prix). Le mot désigne également, par extension, la liste ou le tableau qui indique les cours officiels. *Coter* une valeur consiste à l'inscrire à la cote ou à en fixer le cours. Une valeur *cotée* figure (est inscrite) à la cote. La *cotation* est l'action de coter. La cotation d'une valeur, c'est soit son inscription à la cote, soit la détermination de son cours. Exemples: *S'inscrire à la cote d'Euronext; coter son entreprise, être coté sur Euronext; être candidat à la cotation.*

La cotation se fait en continu, assistée par ordinateur, d'où le sigle CAC (<u>c</u>otation <u>a</u>ssistée en <u>c</u>ontinu). Le CAC 40 est le principal *indice* (indicateur chiffré) de la Bourse de Paris[8] (voir la Figure 9.1). Il s'agit d'une moyenne calculée sur la base de quarante valeurs figurant parmi les plus actives de la Bourse et considérées comme représentatives des tendances générales du marché. Le CAC 40 est à Paris ce que sont le Dow Jones à New York, le Nikkeï à Tokyo et le FTSE («footsie») à Londres.

Figure 9.1

Le CAC 40: Évolution quotidienne et horaire.

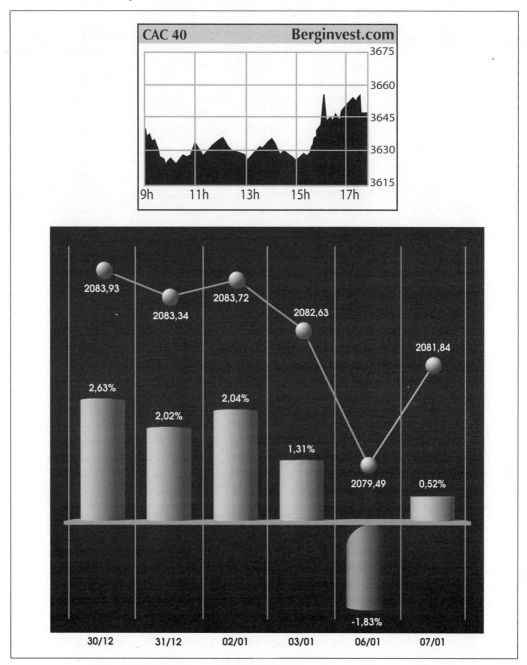

pu attirer plusieurs entreprises cotées jusqu'en 1996 au Nasdaq[9] américain, auquel d'ailleurs il ressemblait et dont il s'était inspiré lors de sa création.

• Le *Marché Libre* (l'ancien *marché hors cote*) se distinguait des trois précédents en ceci qu'*il n'était pas réglementé*. Ses conditions d'accès étant minimes, il accueillait les entreprises dont n'auraient pas voulu les autres marchés,

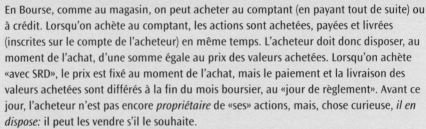

Pour aller plus loin

Le *service de règlement différé* (SRD)

En Bourse, comme au magasin, on peut acheter au comptant (en payant tout de suite) ou à crédit. Lorsqu'on achète au comptant, les actions sont achetées, payées et livrées (inscrites sur le compte de l'acheteur) en même temps. L'acheteur doit donc disposer, au moment de l'achat, d'une somme égale au prix des valeurs achetées. Lorsqu'on achète «avec SRD», le prix est fixé au moment de l'achat, mais le paiement et la livraison des valeurs achetées sont différés à la fin du mois boursier, au «jour de règlement». Avant ce jour, l'acheteur n'est pas encore *propriétaire* de «ses» actions, mais, chose curieuse, *il en dispose:* il peut les vendre s'il le souhaite.

Considérons le cas de Monsieur Taureau qui, anticipant une hausse du cours de COGÉTEC, achète le 1er avril 400 actions à 100 € l'action. Il ne débourse rien au moment de l'achat. Si, à la fin du mois boursier, au jour de règlement, il payait sa dette de 40 000 € et gardait ses actions, il s'agirait d'un simple achat à crédit. Mais Monsieur Taureau, fin spéculateur, avait raison: COGÉTEC vient de mettre au point une nouvelle technique de clonage et le cours est monté comme prévu. À la veille du jour de règlement, chaque action vaut 200 €. Sans attendre, donc, Monsieur Taureau vend «ses» actions au nouveau cours et touche 80 000 €. Puis, le lendemain, il les paie au prix convenu au début du mois (40 000 €), encaissant un bénéfice de 40 000 €. Monsieur Taureau a spéculé à la hausse; il est haussier°.

Son ami, Monsieur Ours, était baissier°; il avait spéculé à la baisse et — cette fois — il a perdu.

celles que l'on qualifie aux États-Unis d'«off the board», «unlisted» et surtout «over the counter» (d'où l'anglicisme courant: *marché libre OTC*). On y trouvait du bon et du mauvais: des entreprises d'avenir qui se préparaient au Second Marché; d'autres, sans avenir, qui venaient d'en être expulsées.

Il est probable, les habitudes ayant la vie dure, que ces compartiments continueront quelque temps encore à servir de référence. Et cependant, depuis le 1er janvier 2005, *les trois premiers n'existent plus...*

3 L'actualité de la Bourse

En septembre 2000 la société Euronext est née de la fusion des Bourses belge, française et hollandaise[10]. Elle a été rejointe en 2002 par la Bourse portugaise. Il s'agissait de la première Bourse transfrontalière européenne — «paneuropéenne», dit Euronext, avec quelque exagération[11].

Or la réforme mise en place par Euronext Paris à partir du 1er janvier 2005 a supprimé les Premier, Second et Nouveau Marchés. À leur place il y a désormais une liste unique — «Eurolist», bien entendu — où figurent toutes les sociétés des marchés disparus *mais classées par ordre alphabétique.* Qui plus est, les mêmes conditions d'accès s'appliquent à toute société candidate à la cotation. La réforme a pour but, en regroupant ainsi au sein d'un seul marché des sociétés de tailles très inégales, d'«améliorer la visibilité des valeurs moyennes [et de] stimuler la venue en Bourse des PME»[12].

Ce n'est pas précisément la fin de la hiérarchisation boursière, car le nom de chaque société cotée est suivi d'une indication de sa catégorie de capitalisation boursière[13]. Il y a trois catégories: les petites valeurs (moins de 150 millions d'euros), les moyennes (de 150 millions à 1 milliard d'euros) et les grandes (plus de 1 milliard d'euros). Ainsi cherche-t-on à concilier les besoins contraires de simplification et de classement.

Et que sont devenues les valeurs à risque du Marché Libre? Beaucoup d'entre elles y sont toujours, mais d'autres ont été ou seront recueillies par Alternext, un nouveau marché *non-réglementé* créé par Euronext en 2005[14]. Alternext s'adresse aux sociétés de la zone euro ayant besoin de capitaux mais aussi d'un accès simplifié au marché. Elles doivent respecter certaines règles en matière de transparence financière, ce qui confère à ses valeurs une «respectabilité» que n'ont pas les entreprises cotées sur le Marché Libre. Ainsi ce dernier se trouve-t-il encore plus marginalisé qu'auparavant.

4 La gestion d'un portefeuille

On appelle *portefeuille*° l'ensemble des valeurs mobilières détenues par une personne (physique ou morale). Pour constituer ou modifier un portefeuille, il faut passer par l'intermédiaire d'une banque ou d'une entreprise d'investissement[15]; le particulier n'a pas d'accès direct aux sociétés dont il veut acquérir les valeurs. Après avoir ouvert un compte-titres auprès d'un intermédiaire, on peut lui transmettre des *ordres d'achat* ou *de vente* par écrit, au téléphone, via Minitel ou, de plus en plus, en ligne.

Mais c'est ici que les difficultés commencent.

- Faut-il privilégier les actions ou les obligations? Les premières sont plus cycliques et donc moins sûres, mais leur taux de rendement peut être supérieur.
- Vaut-il mieux se limiter aux valeurs françaises? Les titres étrangers présentent un risque lié au change et au manque d'information, mais ils figurent souvent parmi les plus prometteurs.
- Dans quel(s) secteur(s) faut-il investir? Ici, la règle d'or est de diversifier, sans pourtant se disperser. Mais parmi quels secteurs devrait-on répartir son investissement? Tout mettre dans les secteurs du luxe et du bâtiment serait sévèrement sanctionné en cas de récession.
- Et lorsqu'on aura identifié les secteurs les plus porteurs, les questions clés resteront entières: Quelles valeurs précises faut-il acheter? Sur quelles sociétés faut-il miser? Beaucoup dépendra du profil et des objectifs de l'investisseur. Quel taux de rendement lui est nécessaire? Quel niveau de risque lui est acceptable? Est-il spéculateur ou «père de famille»?

Face à de telles questions — nous aurions pu en allonger indéfiniment la liste — on peut évidemment déléguer la gestion de son portefeuille à un professionnel. Cette formule — le *compte géré sous mandat* — suppose pourtant un investissement important. Elle convient au boursier qui a plus d'argent que de temps, mais elle n'est pas à la portée du boursicoteur ordinaire[16].

4.1 Les SICAV

Depuis une quarantaine d'années l'investisseur dispose d'une autre option: le portefeuille collectif, connu officiellement sous le nom d'*organisme de placement collectif en valeurs mobilières* (OPCVM). La catégorie classique d'OPCVM, et la plus importante en termes d'argent investi, est celle des SICAV (sociétés d'investissement à capital variable).

La SICAV est une société de portefeuille. Elle réunit d'abord des fonds en vendant des actions, puis les réinvestit à son tour en achetant des valeurs mobilières auprès d'autres sociétés. La SICAV devient ainsi propriétaire d'un portefeuille dont elle assure professionnellement la gestion. Le revenu qu'elle reçoit de ses investissements est distribué à ses actionnaires. À la différence des autres sociétés, le capital d'une SICAV n'est pas fixé d'avance et varie au jour le jour. Son montant correspond à la valeur globale du portefeuille, laquelle dépend des investissements et des désinvestissements (achats et ventes d'actions). L'avantage majeur de la formule est qu'elle dispense les actionnaires de gérer leur investissement sans les empêcher d'en toucher les bénéfices.

Il existe actuellement en France un millier de SICAV et elles continuent à proliférer. L'investisseur peut choisir entre SICAV obligations et SICAV actions, entre SICAV actions françaises et SICAV actions étrangères, entre SICAV spécialisées par pays ou par secteur, etc. La formule est très proche de celle des *mutual funds*[17], qui connaissent aux États-Unis le même succès pour les mêmes raisons. Il s'agit d'un placement à rendement modeste, mais à risques réduits.

Sigles et acronymes

ADP action à dividende prioritaire	**OTC** «over the counter»
CAC cotation assistée en continu	**SICAV** société d'investissement à capital variable
OCA obligation convertible en actions	
ORA obligation remboursable en actions	**SRD** service de règlement différé
OPCVM organisme de placement collectif en valeurs mobilières	

Lexique français–anglais

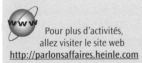

Pour plus d'activités, allez visiter le site web http://parlonsaffaires.heinle.com

action *(f.)* share; stock	**coter** to list
actionnaire *(m., f.)* stockholder; shareholder	**cours** *(m.)* price
baissier (-ière) *(m., f. et adj.)* bear, bearish	**dividende** *(m.)* dividend
bénéfice *(m.)* profit	**haussier (-ière)** *(m., f. et adj.)* bull; bullish
Bourse *(f.)* stock exchange	**obligation** *(f.)* bond
cotation *(f.)* quotation; listing	**obligataire** *(m., f.)* bondholder
cote *(f.)* (official) list; quotation	**portefeuille** *(m.)* portfolio
coté *(adj.)* listed	**valeur (mobilière)** *(f.)* securities (usually plural in English)

Activités

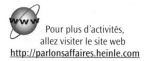

Pour plus d'activités, allez visiter le site web http://parlonsaffaires.heinle.com

I. Traduction

A. Français–anglais (version)

1. Depuis sa cotation en Bourse le cours de COGÉTEC ne cesse de grimper.
2. Les sociétés vendent les valeurs qu'elles viennent d'émettre sur le marché qu'on appelle *primaire*.
3. Sur le marché dit *secondaire*, actionnaires et obligataires se vendent entre eux les valeurs qu'ils détiennent.
4. Prenons l'exemple d'une obligation de 1 000 € et d'une durée de 10 ans, rapportant 6% d'intérêts et remboursée en totalité au terme. L'obligataire touchera un coupon annuel de 60 € pendant neuf ans; la dixième année il recevra 1 060 €, une somme qui représente le coupon annuel plus le principal.
5.–6. «La stratégie dite du "père de famille" (car il ne peut pas se permettre de prendre trop de risques) [...] consiste à acheter les actions des sociétés saines qui augmentent régulièrement le niveau de leurs bénéfices et de leurs dividendes» (guide boursier du *Point* à <bourse.lepoint.fr/NewGuide>).
7.–10. Adapté du site d'Amonis, lien «Qu'est-ce qu'une SICAV?», à <www.vkg.be/fr/amonis/bevek>:

Qu'est-ce qu'une SICAV? [...] Il s'agit d'une société qui investit, dans un portefeuille de valeurs mobilières, les montants que vous, souscripteur, décidez de lui confier. Investir son argent en SICAV comporte plusieurs avantages:

- Vos placements sont diversifiés. Le portefeuille d'une SICAV comprend différentes valeurs mobilières (actions ou obligations). Une bonne diversification permet une meilleure maîtrise du risque lié aux placements.
- C'est facile et vous gagnez du temps. Grâce à un portefeuille collectif, vous avez un accès direct aux bourses et produits de placement du monde entier, sans devoir disposer du temps et des connaissances nécessaires aux placements directs en Bourse. La SICAV gère pour vous!

B. Anglais–français (thème)

1. This market seems a bit too bullish. Let's be careful.
2. Stocks and bonds are types of securities.
3. Bondholders tend to be more conservative than stockholders.
4. The over-the-counter market has been heating up lately.
5. There are two ways to manage your portfolio: go for the quick buck, or stick with a few winners over the long haul.
6.–8. "A stock is a certificate that shows that you own a small fraction of a corporation. When you buy a stock, you are paying for a small percentage of everything that that company owns, buildings, chairs, computers, etc. When you own a stock, you are referred to as a shareholder or stockholder. In essence, a stock is a representation of the amount of a company that you own" (from ThinkQuest's Library: *What is a stock?* at <library.thinkquest.org/3088>).
9.–10. "Bear: an investor who sells his stocks, and gambles on buying it back at a lower price. Bull: an investor who buys stocks, and gambles on selling it at a higher price" (from ThinkQuest's Glossary).

II. Entraînement

1. Qu'est-ce qu'une valeur mobilière? Quelles sont les deux grandes catégories de valeurs mobilières?

2. Expliquez l'affirmation suivante: *L'action est un titre de propriété, alors que l'obligation est un titre de créance.*

3. De quels droits jouit l'actionnaire? Expliquez à ce propos le sens des mots suivants: *non pécuniaire, bénéfice, dividende.*

4. En quoi les droits de l'actionnaire diffèrent-ils de ceux dont jouit l'obligataire? Expliquez à ce propos le sens des mots suivants: *coupon, principal, amortissement.*

5. [❖] En quoi les *actions à dividende prioritaire* diffèrent-elles des actions ordinaires?

6. [❖] Quelles sont les différentes catégories d'obligations?

7. Sur quel critère se fondait la distinction entre le Premier Marché, le Second Marché, le Nouveau Marché et le Marché Libre? Décrivez chacun en vous référant à ce critère.

8. [❖] Qu'est-ce que le CAC 40? À quoi sert-il? Comment est-il calculé? (Sur cette dernière question consulter l'article intitulé «Comment est calculé et géré l'indice CAC 40?» dans *Bourse Information: la lettre mensuelle d'Euronext,* n° 68 [juillet-août 2004], p. 3. Sur le site d'Euronext suivre les liens *Groupe Euronext → Centre d'info → Lettres d'info → Archives.*)

9. Comment la société Euronext a-t-elle modifié l'organisation de la Bourse de Paris?

10. [❖] Décrivez le mode de fonctionnement du SRD. Décrivez une opération haussière.

11. Qu'est-ce qu'un *compte géré sous mandat*? Pourquoi cette formule ne convient-elle pas à tout le monde?

12. La SICAV, avons-nous dit, est une société de portefeuille. Qu'est-ce que cela veut dire? Quel est l'avantage majeur de la SICAV par rapport aux autres sociétés? Pourquoi le capital de la SICAV est-il «variable»?

III. Pour se renseigner en ligne

Pour plus d'activités,
allez visiter le site web
http://parlonsaffaires.heinle.com

1. Il existe des dizaines de sites d'initiation à la Bourse, dont les deux meilleurs sont, à notre avis:
   • *L'École de la Bourse*, à <www.ecolebourse.com> et
   • *ÉduBourse*, à <www.edubourse.com>.

2. Au site d'Euronext (www.euronext.com), choisissez d'abord la version française, puis suivez les liens *Groupe Euronext → Qu'est-ce qu'Euronext?* Le glossaire du site est l'un des plus complets.

Notes

1. Dans ce qui suit, «la Bourse» désignera uniquement la *Bourse des valeurs* à l'exclusion de la Bourse des marchandises (anglais: *commodities exchange*), spécialisée dans les matières premières et les produits agricoles.

2. *Mobilière* a ici le sens de *meuble*, c'est-à-dire: *qui peut être transporté d'un lieu à un autre*, par opposition aux biens immeubles (maisons, terres, etc.) qui ne le peuvent pas.

3. *Titre:* écrit ou document qui atteste que son propriétaire jouit d'un droit. Mais le vocabulaire a évolué moins vite que la technologie et ces mots (*écrit, document*, etc.) peuvent induire en erreur. Depuis 1984 les valeurs mobilières sont *dématérialisées.* Cela veut dire qu'elles ne font plus l'objet d'une représentation physique («sur le papier»); elles n'existent désormais que sous forme d'«inscription» électronique sur un compte.

4. La grande majorité des sociétés de capitaux sont des sociétés anonymes. Voir à ce sujet le Module 4.

5. *Pécuniaire:* qui a rapport à l'argent.

6. Certaines sociétés réservent le droit de vote aux détenteurs d'un nombre minimum d'actions (5 ou 10); certaines actions confèrent un droit de vote multiple.

7. Sur cette distinction voir le Module 6, §5: *La fonction financière.*

8. L'acronyme, prononcé [kak], fait l'ellipse du mot *indice*, ce qui explique le genre masculin.

9. National Association of Securities Dealers Automatic Quotation System. «Marché américain regroupant des sociétés à fort taux de croissance, principalement du secteur technologique. On y retrouve notamment Microsoft, Yahoo et Oracle» (AbcBourse, à <www.abcbourse.com>).

10. À cette date la Bourse de Paris, officiellement ParisBourse^SBF SA, est devenue Euronext Paris, filiale à 100% d'Euronext, au même titre que Euronext Amsterdam et Euronext Bruxelles. Euronext est la première fusion de ce genre qui ait réussi. Entre autres, le projet iX, qui aurait fusionné les Bourses de Londres et de Francfort, a échoué.

11. Le préfixe *pan* (d'un mot grec signifiant *tout*), si impropre qu'il soit ici, trahit l'*ambition* d'Euronext, laquelle consiste à s'élargir, à l'instar de l'Union européenne, en s'adjoignant d'autres Bourses.

12. *Bourse Information: la lettre mensuelle d'Euronext*, n° 67 (juin 2004), pp. 1, 4.

13. La capitalisation boursière représente la somme détenue par les actionnaires. Elle s'obtient en multipliant le prix d'une action par le nombre des actions. La «capi» est une mesure de la taille de la société.

14. Au moment où nous mettons sous presse (janvier 2005), la naissance officielle d'Alternext est annoncée pour «le courant de l'année 2005».

15. *Entreprise d'investissement* est l'appellation officielle. Avant 1996 on disait, et beaucoup disent encore: *Société de Bourse.*

16. *Boursicoteur (-euse):* personne qui fait de petites opérations en Bourse, qui spécule sur une petite échelle (par opposition au *boursier*, investisseur professionnel). *Boursicoter; boursicotage.*

17. Voici la définition qu'en donne InvestorWords.com: «Mutual fund: an open-ended fund operated by an investment company which raises money from shareholders and invests in a group of assets, in accordance with a stated set of objectives. Mutual funds raise money by selling shares of the fund to the public, much like any other type of company can sell stock in itself to the public. Mutual funds then take the money they receive from the sale of their shares [...] and use it to purchase various investment vehicles, such as stocks, bonds [...]. Benefits of mutual funds include diversification and professional money management» (www.investorwords.com).

Une histoire du XXe siècle et du début du XXIe, racontée du point de vue des assurances, ferait ressortir une tendance de plus en plus marquée, en France comme aux États-Unis, à vouloir se garantir des risques dont on s'accommodait auparavant. De là, bien entendu, l'État-providence et son incarnation qu'est en France la Sécurité sociale. De là aussi le chiffre d'affaires astronomique des assureurs: en France, 142 *milliards* d'euros pour l'année 2003. Aujourd'hui on peut s'assurer contre toutes les misères, petites et grandes, inévitables ou improbables. Un pianiste peut assurer ses mains; un chanteur, sa voix; une actrice, sa chevelure — comme le fit Persis Khambatta qui, s'étant fait raser le crâne pour le film *Star Trek*, souscrit une assurance au Lloyd's pour le cas où ses cheveux ne repousseraient pas. Les assurances sont certainement, comme les télécommunications, un secteur d'avenir.

1 ◢ Notions préliminaires

L'*assurance*° est un contrat par lequel une personne garantit à une autre personne, moyennant rémunération, le paiement d'une somme convenue en cas de réalisation d'un risque déterminé. On appelle *assureur*° la personne, physique ou morale, qui garantit le paiement; *assuré(e)*° la personne, physique ou morale, à laquelle le paiement est garanti; et *indemnité*° la somme convenue.

Il faut distinguer entre le contrat d'assurances et l'écrit qui en constitue la preuve. Toute assurance repose sur un accord dont les termes, pour être respectés, doivent être stipulés «noir sur blanc». On appelle *police*° le document, signé par les deux parties contractantes (assureur et assuré), qui précise leurs obligations réciproques. Toute modification ultérieure du contrat doit être constatée par un *avenant*°, signé, lui aussi, par les deux parties et joint à la police.

La *date d'effet*° (ou de *prise d'effet*) du contrat, ainsi que sa date d'expiration, sont précisées dans la police. La protection garantie dure généralement une année, mais il y a presque toujours une clause de tacite *reconduction*°, grâce à laquelle le contrat est *reconduit*° (renouvelé) automatiquement si aucune des parties ne souhaite le *résilier*°. La *résiliation*° d'un contrat d'assurance est soumise à certaines conditions précisées dans la police (un délai de préavis, par exemple).

Quelles sont, de façon générale, les obligations des deux parties contractantes? L'assureur s'engage à indemniser l'assuré en cas de sinistre, alors que l'assuré s'engage à payer à l'assureur le prix convenu. On appelle *prime*° ou *coti-*

U n mot et sa famille

Sinistre°

Les sens du substantif dérivent du sens premier de l'adjectif: «qui fait craindre un malheur» (*un bruit sinistre*, par exemple). Un sinistre est un événement catastrophique naturel: inondation, orage, incendie, etc. Les régions et les populations ayant subi un sinistre sont *sinistrées*. Dans le domaine des assurances le mot désigne par extension tout événement dommageable et donc indemnisable. C'est le sinistre qui déclenche la garantie définie dans la police; il peut s'agir d'une catastrophe naturelle, mais aussi d'un accident de la route. Le terme peut également désigner la perte de valeur subie par un objet assuré, et même la réclamation que l'assuré présente à l'assureur. Exemples: *déclarer, régler, payer, liquider un sinistre* («to submit, to adjust, to pay, to settle a claim»).

Depuis quelques années le mot *sinistralité* fait fortune. «J'aurais cru», écrit l'auteur du *Dicomoche: Tout ce qui est nécessaire pour écrire et causer moche*, «qu'il s'agissait de caractériser les gens de gauche. Pas du tout, c'est la quantité de sinistres déclarés aux compagnies d'assurances»[1]. N'oublions pas, avant de quitter cette malheureuse famille, la *sinistrose*: «état mental de certains accidentés qui exagèrent leur impotence fonctionnelle, l'enrichissent souvent de malaises subjectifs, et manifestent des tendances revendicatrices en vue d'une indemnisation maximale du préjudice causé»[2].

Le sens des mots

Dommage°, indemniser° et leurs familles

Ces deux concepts clés se complètent, l'assurance étant essentiellement une promesse *d'indemniser* un *dommage*.

1. On distingue en droit les *dommages aux biens°* et les *dommages aux personnes°*. Les premiers, appelés *matériels*, ont pour résultat la perte de valeur d'un objet. Dans ce sens le mot s'emploie au pluriel: *les dommages causés par l'orage*. Synonyme: *dégâts*. Les *dommages aux personnes* peuvent être *corporels°* (atteintes à l'intégrité physique) ou *moraux* (atteintes aux sentiments). Dans ce dernier cas le mot s'emploie au singulier et souvent on préfère le synonyme *préjudice*. Est *dommageable* tout ce qui *cause* du (des) dommage(s), au sens matériel, corporel ou moral. *Endommager*, c'est causer des dommages matériels (substantif: *endommagement*). On appelle aussi *dommages* (au pluriel) — ou *dommages et intérêts°* (*dommages-intérêts°*) — la somme d'argent versée à une personne pour la *dédommager°*, c'est-à-dire pour compenser le(s) dommage(s) qu'elle a subi(s) (substantif: *dédommagement*). Ce qui nous amène à la deuxième famille de mots...

2. *Indemniser* quelqu'un, c'est le dédommager (compenser) de ses pertes: *être indemnisé totalement, partiellement*, etc. *L'indemnisation* est l'action d'indemniser: *l'indemnisation des sinistrés*. Une *indemnité* est la somme d'argent attribuée à quelqu'un en compensation de ses pertes: *le montant des indemnités*. On est *indemnitaire* si l'on a droit à une indemnité (synonyme: *indemnisable*). Tous ces mots dérivent de l'adjectif *indemne*: «qui n'a subi aucun dommage, aucune perte» (*sortir indemne d'un accident*).

sation° la somme d'argent due aux échéances précisées dans la police (généralement tous les trois ou six mois).

Dans certains cas l'indemnisation n'est pas totale. Une police d'assurance automobile peut stipuler, par exemple, qu'en cas d'accident la réparation des dégâts ne sera remboursée qu'au-dessus de 500 €. Cette somme, qui reste à la charge de l'assuré, représente la *franchise°*. Le montant de la prime baisse à mesure que s'élève celui de la franchise.

2 Les catégories d'assurances

Les assurances peuvent se classer selon plusieurs critères. Selon le statut de l'assuré, par exemple, on distingue les assurances des particuliers et celles des entreprises. Selon l'élément naturel où se produit le risque, on distingue les différentes assurances transports (maritimes, aériennes et terrestres).

La typologie la plus utilisée est celle qui se base sur *l'objet* de l'assurance. Les assurances, ainsi classées, se divisent en deux grandes catégories: l'assurance (de) *dommages* et l'assurance de *personnes* (voir la Figure 10.1).

Figure 10.1

Les catégories d'assurances.

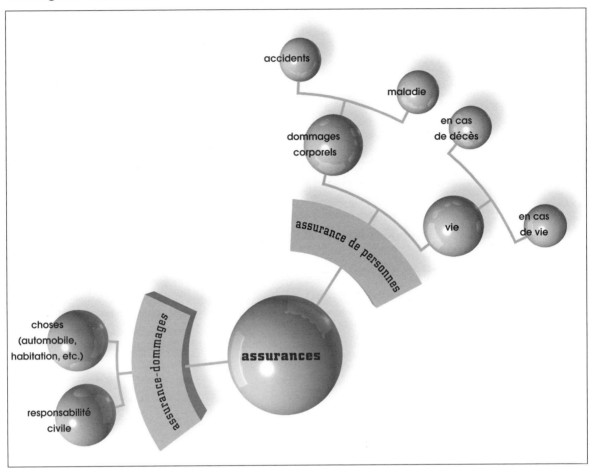

2.1 L'assurance (de) dommages

Cette catégorie — on l'appelle parfois IARD: *incendie, accidents, risques divers* — regroupe toutes les assurances ayant pour objet la protection du patrimoine de l'assuré. Il s'agit soit des dommages subis par les biens de l'assuré, soit des dommages que l'assuré peut causer à un tiers ou aux biens d'un tiers[3]. De là, les deux sortes d'assurance dommages: les *assurances de choses°* (ou *de biens matériels*) et les *assurances de responsabilité civile°*.

2.1.1 *Les assurances de choses.* Nombreux sont les dangers auxquels sont exposées les «choses» appartenant à l'assuré. Pour sa voiture il s'agit essentiellement du vol et des dommages consécutifs à un accident, à un acte de vandalisme ou à une tentative de vol (bris de glaces[4], etc.). Le conducteur aura intérêt, pour se protéger contre ces risques, à souscrire une *assurance automobile* avant de prendre le volant.

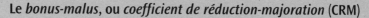

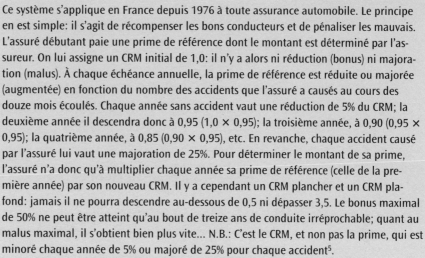

Pour aller plus loin

Le *bonus-malus*, ou *coefficient de réduction-majoration* (CRM)

Ce système s'applique en France depuis 1976 à toute assurance automobile. Le principe en est simple: il s'agit de récompenser les bons conducteurs et de pénaliser les mauvais. L'assuré débutant paie une prime de référence dont le montant est déterminé par l'assureur. On lui assigne un CRM initial de 1,0: il n'y a alors ni réduction (bonus) ni majoration (malus). À chaque échéance annuelle, la prime de référence est réduite ou majorée (augmentée) en fonction du nombre des accidents que l'assuré a causés au cours des douze mois écoulés. Chaque année sans accident vaut une réduction de 5% du CRM; la deuxième année il descendra donc à 0,95 (1,0 × 0,95); la troisième année, à 0,90 (0,95 × 0,95); la quatrième année, à 0,85 (0,90 × 0,95), etc. En revanche, chaque accident causé par l'assuré lui vaut une majoration de 25%. Pour déterminer le montant de sa prime, l'assuré n'a donc qu'à multiplier chaque année sa prime de référence (celle de la première année) par son nouveau CRM. Il y a cependant un CRM plancher et un CRM plafond: jamais il ne pourra descendre au-dessous de 0,5 ni dépasser 3,5. Le bonus maximal de 50% ne peut être atteint qu'au bout de treize ans de conduite irréprochable; quant au malus maximal, il s'obtient bien plus vite... N.B.: C'est le CRM, et non pas la prime, qui est minoré chaque année de 5% ou majoré de 25% pour chaque accident[5].

Il est certain qu'en adaptant le montant de la prime au comportement du conducteur, le bonus-malus incite à la prudence au volant. Cependant, malgré son efficacité, le système n'est appliqué obligatoirement que dans deux pays de l'Union européenne: la France et le Luxembourg. Cette situation pourrait changer à la suite d'un arrêt récent de la Cour européenne de justice[6].

Pour l'habitation et ce qu'elle contient, la liste est plus longue: vol et cambriolage, actes de malveillance, incendie (et risques annexes), tempêtes et autres intempéries (foudre, cyclones, ouragans, tornades), dégâts des eaux, tremblements de terre, chutes d'arbres, glissements et affaissements de terrain... C'est en souscrivant une *assurance habitation* (du bâtiment et/ou du contenu) que le propriétaire et le locataire pourront se garantir des conséquences financières de tels sinistres.

2.1.2 *Les assurances de responsabilité civile (RC).* Qu'est-ce qu'être *civilement responsable?* Voici la définition qu'en propose le Code civil: «Tout fait quelconque de l'homme qui cause à autrui un dommage oblige celui par la faute duquel il est arrivé à le réparer» (art. 1 382). Traduisons: Si, par imprudence ou négligence, vous causez un dommage corporel ou matériel à quelqu'un, vous êtes obligé de le réparer. Précisons que l'on peut être la cause *directe* ou *indirecte* des dommages en question. Ainsi, la RC «du fait personnel» s'applique aux dommages que l'on a causés soi-même, et la RC «du fait d'autrui», aux dommages causés par une personne dont on doit répondre légalement (son enfant mineur, par exemple). À ces deux catégories s'ajoute celle qui oblige le propriétaire d'un animal et le fabricant d'un produit à réparer les dommages causés par l'un ou par l'autre (responsabilité «du fait des choses» que l'on a sous sa garde).

L'assurance RC professionnelle indemnise les dommages qu'une personne physique ou morale peut avoir causés dans l'exercice de sa profession.

En France, comme aux États-Unis, tout conducteur est obligé de s'assurer contre les dommages que son véhicule peut causer à autrui. Cette assurance automobile RC, dite *garantie au tiers*, constitue un minimum obligatoire. On peut y ajouter une garantie du conducteur, qui couvre ses dommages corporels (frais médicaux, incapacité, décès) et une garantie du véhicule (dommages matériels, vol, tentative de vol).

De la même façon les assurances habitation combinent typiquement les couvertures «bâtiment, contenu et responsabilité civile». Une telle assurance multirisque protège le propriétaire ou le locataire non seulement contre le recours des voisins, au cas où il leur aurait causé des dommages, mais aussi contre les dommages subis chez lui par des tiers.

2.2 Les assurances de personnes

On peut assurer les personnes *sur* la vie ou *contre* certains dommages corporels; d'où les deux types d'assurances de personnes.

2.2.1 La catégorie des *assurances-vie*° comprend l'assurance *en cas de décès* et l'assurance *en cas de vie*. La première fournit une protection contre les conséquences financières d'une mort prématurée. Elle garantit le versement d'une somme convenue (appelé *capital-décès*°) ou d'un revenu (appelé *rente*°) à un *bénéficiaire*° en cas de décès de l'assuré avant une certaine date. L'assurance en cas de vie permet la constitution d'une épargne: elle garantit le versement d'une somme convenue, augmentée d'intérêts, à l'assuré s'il est en vie à l'échéance du contrat.

Ces deux formules peuvent se combiner. Dans le cas d'une assurance mixte, la somme convenue est versée soit au bénéficiaire d'un assuré qui meurt avant l'échéance, soit à l'assuré lui-même si, à cette date, il est en vie. On appelle *assurance-vie entière*° celle qui garantit le versement d'un capital au décès de l'assuré quelle qu'en soit la date.

2.2.2 L'autre catégorie d'assurances de personnes est celle des *assurances de dommages corporels*. Le terme recouvre toutes les assurances qui protègent contre les conséquences financières d'un accident ou d'une maladie (incapacité° partielle ou totale, temporaire ou permanente; frais médicaux et pharmaceutiques). L'assurance-accidents et l'assurance-maladie sont souvent combinées dans un même contrat. En France les deux se rangent sous le parapluie de la Sécurité sociale.

3   Les assureurs et leurs réseaux de distribution

Pendant longtemps en France, à la suite des nationalisations d'après-guerre, une partie importante de la branche des assurances relevait du secteur public. Face aux impératifs du «marché unique» européen — libre circulation des personnes, des marchandises, des capitaux *et des services* (dont les assurances) —, cette situation est en train de se renverser. La plupart des grands groupes ont déjà été privatisés[7] et d'autres dénationalisations sont programmées ou en cours. Pour les pays membres de l'Union européenne, il ne fait aucun doute que l'avenir est au libéralisme[8], dans le domaine des assurances comme en général.

À mesure que se privatise en France la branche des assurances, la distinction fondamentale devient celle qui oppose, au sein du secteur privé, les sociétés anonymes (SA)[9] aux sociétés *mutualistes* (ou *mutuelles*). Ces dernières sont des sociétés civiles, ce qui signifie qu'à la différence des sociétés commerciales, elles n'ont pas pour objet la réalisation d'un bénéfice par la vente de biens[10]. La société mutualiste regroupe des membres qui s'engagent à s'assurer réciproquement,

---

Pour aller plus loin

Deux cas fréquents, deux lettres-types

1. **La résiliation d'un contrat.** Selon le Code des assurances, tout contrat est résiliable annuellement à sa date anniversaire. Dans ce cas l'assuré n'est pas tenu de motiver sa résiliation, mais il doit respecter le délai de préavis prévu dans le contrat (normalement un ou deux mois). Il doit en outre informer l'assureur de sa décision par *lettre recommandée avec accusé de réception*[11]. Exemple:

   > Madame, Monsieur,
   > Conformément aux dispositions de l'article [...] de ma police n° [...], je vous informe de ma décision de résilier mon contrat à son échéance, soit le [date d'échéance].
   >
   > Je vous saurais gré de m'en donner acte[12] en m'adressant le plus rapidement possible un avenant de résiliation.
   >
   > Je vous prie d'agréer, Madame, Monsieur...

2. **La déclaration d'un sinistre.** Dans la plupart des cas, on dispose de cinq jours ouvrés[13] pour déclarer un sinistre à son assureur. La lettre de déclaration doit être envoyée en recommandé avec accusé de réception. Dans le cas d'un accident de la route, on joint à la lettre un *constat amiable*, formulaire à remplir et à signer par tous les conducteurs impliqués. Chacun écrit sa version des faits, après quoi c'est aux assureurs de déterminer les responsabilités et les indemnisations.

   > Madame, Monsieur,
   > Au volant de ma voiture marque Porsche, n° [...], j'ai eu hier un accident dont vous trouverez ci-joint le constat amiable, dûment rempli et signé par moi-même ainsi que par l'autre conducteur.
   >
   > J'ai déposé la voiture au Garage Bonsecours, agréé par vous, afin de faire expertiser les dégâts. Vous pourrez me joindre à toute heure au numéro indiqué ci-dessus.
   >
   > Je vous prie de croire, Madame, Monsieur...

   La formule *par la présente* — «Je vous signale (informe, etc.) *par la présente* [sous-entendu: *lettre*]» — est à éviter. Également à éviter, car désuète, pour ne pas dire un peu ridicule: la formule initiale *J'ai l'honneur* («J'ai l'honneur de vous informer que ma voiture est entrée en collision...»).

chacun contribuant une certaine somme en vue des dépenses communes. Le fonds ainsi constitué sert à indemniser les assurés en cas de sinistre. À la différence de l'assuré d'une SA, lequel paie une prime fixe, l'assuré d'une mutuelle verse une cotisation dont le montant peut varier. La somme due sera plus ou moins élevée selon que le total des indemnisations pendant une période donnée est supérieur ou inférieur aux prévisions. Tout déficit doit être comblé par les membres, entre lesquels, en revanche, est réparti tout excédent.

Quelle que soit sa forme juridique, la société d'assurances recourt souvent, pour distribuer ses produits, à des réseaux d'intermédiaires composés d'*agents*° et de *courtiers*°.

L'*agent (général) d'assurances* agit en vertu d'un *mandat* conféré par la société d'assurances. Un *mandat* est un «acte par lequel une personne [le *mandant*] donne à une autre personne [le *mandataire*] le droit de faire quelque chose pour elle et en son nom» (*Petit Robert*). L'agent est donc le représentant exclusif ou mandataire de l'assureur, pour lequel il est chargé de recruter des clients dans une zone géographique définie. Le *courtier d'assurances*, par contre, représente l'assuré dont il est le mandataire et pour lequel il est chargé de trouver la meilleure assurance en négociant avec plusieurs assureurs.

Il importe à l'assuré, dans ses rapports avec «son assureur», de savoir s'il traite avec un agent ou avec un courtier. L'assuré qui vient de souscrire une nouvelle assurance, par exemple, peut avoir besoin d'une couverture immédiate. En attendant de recevoir sa police définitive, il demandera une police provisoire, appelée *note de couverture*°, qui indique brièvement les garanties et leur date de prise d'effet. À la différence de l'agent, qui agit au nom de l'assureur, le courtier n'a pas le droit (sauf autorisation expresse) de délivrer un tel document.

Depuis quelques années les assureurs multiplient leurs efforts pour se passer d'intermédiaires. Les méthodes de vente directe — par téléphone, en ligne, aux guichets des banques et dans les grandes surfaces, entre autres — rencontrent jusqu'ici un succès mitigé mais grandissant.

Sigles et acronymes

CRM coefficient de réduction-majoration

IARD incendie, accidents, risques divers

RC responsabilité civile

Lexique français–anglais

Pour plus d'activités, allez visiter le site web http://parlonsaffaires.heinle.com

agent (d'assurances) *(m.)* (insurance) agent

assurance *(f.)* insurance

assurance-automobile car insurance

assurance de choses property insurance

assurance de personnes life-related insurance

assurance de responsabilité civile (RC) liability insurance

assurance-maladie health insurance

assurance (multirisque) habitation (comprehensive) household insurance

assurance-vie life insurance

→

assurance-vie entière whole-life insurance

assurer to insure

assuré(e) *(m., f.)* insured (party)

assureur *(m.)* insurer

avenant *(m.)* rider, endorsement

bénéficiaire *(m., f.)* beneficiary

capital-décès *(m.)* death benefit

cotisation *(f.)* premium

courtier (d'assurances) *(m.)* (insurance) broker

date d'effet (date de prise d'effet) *(f.)* inception date

dédommager to compensate, to indemnify

dommage *(m.)* damage; injury; loss

dommages aux biens (dommages matériels) *(pl.)* property damage

dommages aux personnes *(pl.)* personal injury

dommages corporels *(pl.)* bodily injury

dommages et intérêts (dommages-intérêts) *(pl.)* damages (paid to the insured)

franchise *(f.)* deductible

incapacité *(f.)* disablement, disability

indemniser to compensate, to indemnify

indemnité *(f.)* compensation, indemnity, payout

note de couverture *(f.)* binder, cover note, provisional policy

police (d'assurances) *(f.)* (insurance) policy

prime *(f.)* premium

reconduction *(f.)* renewal

reconduire to renew

rente *(f.)* annuity

résiliation *(f.)* cancellation

résilier to cancel

responsabilité civile *(f.)* liability

sinistre *(m.)* accident; loss; claim

Activités

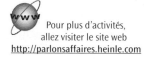

Pour plus d'activités, allez visiter le site web http://parlonsaffaires.heinle.com

I. Traduction

A. Français–anglais (version)

1. Pour résilier il y a un délai de préavis de deux mois.

2. Tout avenant doit être dûment signé par l'assureur et par l'assuré.

3. Le montant de son indemnité dépendra de la durée et du degré de son incapacité.

4. La sinistralité accrue va sûrement entraîner une augmentation des cotisations cette année.

5. J'ai reçu 450 000 € de dommages-intérêts.

6. «L'assurance relative aux biens est un contrat d'indemnité; l'indemnité due par l'assureur à l'assuré ne peut pas dépasser le montant de la valeur de la chose assurée au moment du sinistre» (Code des assurances, art. L.121.1).

7.–10. «L'omission ou la déclaration inexacte de la part de l'assuré dont la mauvaise foi n'est pas établie n'entraîne pas la nullité de l'assurance. Si elle est constatée avant tout sinistre, l'assureur a le droit soit de maintenir le contrat, moyennant une augmentation de prime acceptée par l'assuré, soit de résilier le contrat dix jours après notification adressée à l'assuré par lettre recommandée, en restituant la portion de la prime payée pour le temps où l'assurance ne court plus. Dans le cas où la constatation n'a lieu qu'après un sinistre, l'indemnité est réduite en proportion du taux des primes payées par rapport au taux des primes qui auraient été dues, si les risques avaient été complètement et exactement déclarés» (Code des assurances, art. L.113.9).

B. Anglais–français (thème)

1. Unless you cancel it, your policy will be automatically renewed.
2. The higher the deductible, the lower the premium.
3. It took two years to settle the claim.
4. You'll have to attach a rider to the policy to change the beneficiary.
5. Liability insurance is required for all drivers in France.
6. She was only compensated for two-thirds of her losses.
7. It's OK, you'll be covered right away. Just ask your broker for a binder. — But I thought a broker couldn't issue a binder.
8. Both the insurer and the insured have obligations that are spelled out in the policy.
9. Property damage is covered for up to 300 000 €, but there's no limit to coverage for bodily injury.
10. I received 100 000 € in damages.

II. Entraînement

1. Qu'est-ce que l'*assurance?*
2. Quelle différence y a-t-il entre un *contrat* d'assurance et une *police?* Qu'est-ce qu'un *avenant* permet de faire?
3. Caractérisez de façon générale les obligations des deux parties à un contrat d'assurance.
4. [❖] Expliquez les différents sens du mot *sinistre* (substantif). Qu'est-ce qu'une région, une population *sinistrée?* Que signifie le mot *sinistralité?*
5. Qu'est-ce qu'une *franchise?* Quel rapport y a-t-il entre le montant de la franchise et celui de la prime?
6. Qu'est-ce que la *responsabilité civile* (RC)? En quoi la RC *du fait personnel* diffère-t-elle de la RC *du fait d'autrui* et de la RC *du fait des choses?* Dans quelles circonstances aurait-on besoin d'une assurance RC?
7. [❖] Qu'est-ce que le système du bonus-malus? Expliquez-en le fonctionnement.
8. En quoi diffèrent l'assurance *en cas de vie* et l'assurance *en cas de décès?* Qu'est-ce que l'*assurance-vie entière?*
9. Les assureurs du secteur privé se divisent en sociétés *anonymes* et sociétés *mutualistes.* En quoi se distinguent-elles?
10. Les réseaux de distribution des assurances se composent essentiellement d'*agents* et de *courtiers.* Qu'est-ce qui distingue ces deux intermédiaires? Expliquez à ce propos le sens du mot *mandataire.*

III. Pour se renseigner en ligne

Pour plus d'activités, allez visiter le site web http://parlonsaffaires.heinle.com

1. Il existe en ligne de nombreux lexiques de l'assurance, d'intérêt très inégal, comme on pourra le constater en faisant une recherche Google dans *les pages en français* sur les mots «lexique» ou «glossaire» et «assurance(s)». Deux bons points de départ: le portail de la Fédération française des sociétés d'assurances (FFSA), à <www.ffsa.fr> («le site référence de l'assurance») et le

site du Groupement des entreprises mutuelles d'assurance (GEMA), à <www.gema.fr>.

2. Le meilleur site est, à notre avis, celui de Net Assurances, à <www.netassurances.tm.fr>. Consultez-en la *Bibliothèque* pour trouver: un lexique; des lettres-types; le texte du Code des assurances; le mode d'emploi du constat amiable, parmi bien d'autres ressources. La section *Découverte* comprend une *FAQ* et un *Bêtisier*. Dans ce dernier on peut s'amuser à lire quelques «perles de l'assureur» dans un «recueil de déclarations [...] qui seraient moins drôles si elles n'étaient pas vraies». Exemple: «J'ai bien compris que je devais déclarer le sinistre dans les cinq jours, mais était-ce cinq jours avant ou cinq jours après?».

3. Trouvez en ligne les réponses aux questions suivantes:

   a. Qu'est-ce, dans le domaine des assurances, qu'un *souscripteur?* une *souscription?* un *expert?* une *expertise (amiable, contradictoire)?*

   b. Si, après un accident de la route, le coût des réparations d'une voiture dépasse la valeur de la voiture, on dit en anglais que *the car has been totaled.* Comment se traduit en français *a car that has been totaled* et *to total a car?*

   c. Dans quelles circonstances a-t-on le droit de résilier un contrat d'assurance avant sa date anniversaire?

   d. L'assureur doit tenir compte, pour déterminer le montant d'une cotisation, des *antécédents* de l'assuré. De quoi s'agit-il?

   e. Quelle est la différence entre une *franchise relative* (ou *simple*) et une *franchise absolue?*

   f. Quels actes, de la part de l'assuré, peuvent entraîner la *nullité* de son contrat?

   g. «J'ai prêté ma voiture à quelqu'un qui a causé un accident. Est-ce mon malus qui sera majoré ou le sien?»

Notes

1. En ligne à <www.dicomoche.net>. Le mot *sinistre* dérive du latin *senestre* («gauche»), d'où la plaisanterie.

2. *Trésor de la langue française*, en ligne à <atilf.atilf.fr/tlf.htm>.

3. Le mot *tiers* désigne littéralement une *tierce* (troisième) personne, mais ici comme le plus souvent ailleurs il s'agit d'une *autre* personne, c'est-à-dire autre que l'assureur et l'assuré, et étrangère à leur contrat («a third party»).

4. *Bris* dérive de *briser*. Le mot *glaces* comprend ici tous les éléments vitrés du véhicule: vitres latérales, pare-brise, phares, lunette arrière, toit ouvrant.

5. Nous avons simplifié quelque peu le système, lequel comporte de nombreuses exceptions et nuances. Selon «la règle de la descente rapide», par exemple, après deux années consécutives sans accident le malus est annulé et le CRM est ramené à 1,0. Si, en outre, la responsabilité de l'accident est partagée, le CRM de chaque assuré n'est majoré que de 12,5% (et non de 25%). Mais si l'assuré provoque un accident en état d'ivresse, son CRM sera majoré de 150% (multiplié par 2,5).

6. En 2001 la Commission européenne avait sommé la France de renoncer au bonus-malus obligatoire, déclaré contraire à la libre tarification des assurances. Devant le refus de la France, la Commission a demandé à la Cour européenne de justice de statuer. La défaite du bonus-malus semblait certaine, mais à la surprise générale, en septembre 2004 la Cour a donné raison à la France: le bonus-malus, même obligatoire, a été jugé conforme aux règles européennes. Maintenant, estime Gérard de la Martinière, président de la Fédération française des sociétés d'assurance, «peut-être certains autres États européens seront-ils intéressés par son adoption» (*Le Figaro* du 7 septembre 2004).

7. La Mutuelle Générale Française, les Assurances Générales de France, l'Union des Assurances de Paris, les Mutuelles du Mans, plus récemment GAN et CNP Assurances, entre autres.

8. *Libéralisme* et *liberalism* — voilà les plus perfides de tous les faux amis. Au sens économique des termes, *libéralisme*, loin de traduire l'américain *liberalism*, a le sens contraire: «Doctrine [...] prônant la libre entreprise, la libre concurrence et le libre jeu des initiatives individuelles. [...] *Le libéralisme s'oppose à l'intervention de l'État*» (*Dict. Robert*).

9. Pour une discussion de la société anonyme, voir le Module 4.

10. Toutes les formes juridiques définies au Module 4 (SA, SNC, SARL, EURL, etc.) sont des sociétés commerciales. Notre distinction entre *société commerciale* et *société civile* n'a rien de rigoureux, nous en convenons. Nous imitons en cela le Code de commerce lui-même, selon lequel une société est civile si elle n'accomplit pas d'«actes de commerce». Mais de cette dernière expression il n'existe pas de définition dans le Code. Tout au plus y trouve-t-on (art. 632) une énumération des différentes catégories d'actes de commerce.

11. Anglais: *certified, with a return receipt*. France Télécom et La Poste, entre autres, proposent un service de courrier électronique recommandé; à moins d'y recourir, on a intérêt à éviter le courrier électronique, dont la «valeur probatoire» a été contestée.

12. Donner acte de quelque chose, c'est en accorder la constatation par écrit.

13. Un *jour ouvré* est un jour où l'on travaille (anglais: *business day*).

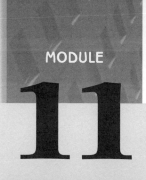

Les transports et le commerce international

Au sens restreint qui nous concerne, le terme de *transport* désigne le «déplacement (de choses, de personnes) sur une assez longue distance et par des moyens spéciaux (le plus souvent par un intermédiaire), ou à des fins commerciales» (*Petit Robert*). L'Intermédiaire s'engage par un contrat qui, dans le cas du déplacement de personnes, prend la forme d'un simple billet. Pour les «choses» la situation se complique quelque peu, et c'est principalement d'elles qu'il sera question dans ce module.

1 ◆ Les modes de transport

Les «moyens spéciaux» de notre définition se répartissent en cinq catégories: le transport routier, le transport ferroviaire, le transport aérien, le transport maritime et le transport fluvial.

1.1 Le transport routier

En France, comme dans le reste de l'Europe et comme aux États-Unis, la route est de loin le mode de transport le plus important. On estime qu'environ 80% du fret° hexagonal s'effectue par camion — ce qui explique qu'à chaque grève des routiers° la France se trouve au bord de la paralysie. Moins cher que l'avion et plus souple que le train, grâce à la densité des réseaux routiers qui facilite les acheminements de porte à porte, le camion est bien adapté aux quantités et aux distances petites et moyennes.

Parmi les différents types de camions, petits (les *camionnettes*) ou gros (les *poids lourds*), on distingue, entre autres: le *fourgon°*, ou *camionnette fermée°*; la *camionnette-plateau*, ou *pick-up*[1] (qui ne ressemble pas tout à fait au véhicule qui s'appelle ainsi aux États-Unis); le *camion-citerne°*; le *camion à benne°* (*basculante*); et le *semi-remorque°*, dont la partie arrière se détache du tracteur.

1.2 Le transport ferroviaire

Dans la concurrence qui oppose la route au rail, celui-ci perd du terrain depuis plusieurs décennies. Moins cher que le camionnage, mais aussi moins souple — toutes les destinations n'étant pas raccordées au réseau —, le transport ferroviaire poursuit son déclin en Europe comme ailleurs[2]. En Grande-Bretagne et en Espagne, le train ne transporte plus qu'entre 5% et 10% des marchandises, et il faut y voir sans doute l'avenir de la France.

La SNCF (Société nationale des chemins de fer français), qui détient en France le monopole du rail, a fait et continue à faire d'impressionnants efforts de modernisation, dont certains ont réussi. Citons en exemple la mise en service du TGV (train à grande vitesse), dont le succès s'étend à mesure que les lignes se multiplient. Mais en même temps qu'augmente le nombre des passagers, le train achemine de moins en moins de marchandises. Il gardera son avantage dans le transport de pondéreux[3] sur les longues distances, mais pour ce qui est de tout le reste il continuera de perdre des parts de marché.

Quant au matériel roulant[4], il existe, en plus des voitures à voyageurs et des *fourgons°*, de nombreux wagons de marchandises, dont les plus utilisés sont le *wagon plat,°* le *wagon tombereau,°* le *wagon couvert,°* le *wagon frigorifique°* et le *wagon-citerne.°*

1.3 Le transport aérien

On connaît, grâce aux médias, la préférence des passagers pour l'avion comme moyen de transport. Le développement du fret aérien est moins connu, mais tout aussi important. Le transport aérien de marchandises a *doublé* entre 1985 et 1995, et pendant la décennie suivante il a poursuivi sa progression, malgré une conjoncture défavorable et le renforcement des mesures sécuritaires. Sa part du marché mondial n'est certes pas énorme: 1% seulement (en tonnes kilométriques[5]). Mais ce tonnage représente 10% de la *valeur* totale des marchandises transportées.

Ces deux chiffres résument les désavantages de l'avion, lequel est en même temps le mode de transport le plus cher et le plus limité quant au volume et au poids des marchandises transportables. Ainsi convient-il surtout au fret relativement léger, peu encombrant et de forte valeur par rapport au poids. En règle générale, l'avion ne peut pas se justifier pour le transport de marchandises d'une valeur au kilo de moins de vingt euros. Si le fret aérien se développe malgré ces contraintes, c'est en raison, bien entendu, de sa rapidité.

Deux types d'appareils servent au transport aérien de marchandises: les *avions mixtes*, qui ont pour mission principale le transport de passagers, et dont les soutes° peuvent accueillir du fret en plus des bagages; et les *avions-cargo*, gros porteurs° pour la plupart, tels que le Boeing 747 qui, en version *tout cargo*, peut transporter une centaine de tonnes de marchandises (contre 27 tonnes pour la version «mixte»).

1.4 Le transport maritime

Le navire a dû subir, comme le train, la concurrence de l'avion. Sa part de marché est en baisse pour ce qui est du fret, malgré un tonnage global croissant. Quant aux passagers, le transport maritime continue à diminuer et ne subsiste plus guère que sous forme de voyages d'agrément. Une exception notable était, jusqu'à récemment, le cas des transbordeurs° de la Manche. Leur avenir n'est pas brillant depuis la mise en service des navettes° ferroviaires d'Eurotunnel et des TGV d'Eurostar reliant le continent et la Grande-Bretagne.

Deux types de navires servent au transport de marchandises: les *cargos mixtes*, transporteurs de marchandises et de passagers; et les *cargos*°, réservés au transport de marchandises. Il existe plusieurs types de cargos. Le cargo conventionnel ou polyvalent — ainsi appelé parce qu'il s'adapte au transport de toutes sortes de marchandises emballées — s'efface peu à peu en faveur de navires de plus en plus spécialisés. Citons en exemple le *porte-conteneur*°, aménagé pour le transport de marchandises conteneurisées[6]. Encore plus spécialisés sont les *vraquiers*°, conçus pour le transport du *vrac*° (marchandises sans emballage) et dont les dénominations dépendent de la cargaison°. Au transport de vrac solide servent, par exemple, le charbonnier, le céréalier et le minéralier. Le vrac liquide est transporté par les *navires-citernes*°, tels que le pétrolier°, classique ou géant[7], et le méthanier° (pour le gaz liquéfié).

1.5 Le transport fluvial

L'adjectif prend ici un sens étendu: *relatif aux voies d'eau navigables* (fleuves et canaux). Les bateaux utilisés se rangent en deux catégories: ceux qui sont mus par leur propre moteur (les *automoteurs*) et ceux qui, n'ayant pas de moyen de propulsion propre, sont soit remorqués (les *chalands*), soit poussés (les *barges*). On

Les sens et les dérivés d'un mot

Fret°

Ce terme polyvalent peut désigner:

1. le prix du transport de marchandises,
2. les marchandises transportées ou
3. le transport lui-même.

Exemples: *fret de base, négociation des frets* (sens 1); *chargement du fret, fret lourd* (sens 2); *avion de fret, fret routier* (sens 3). Le terme relevait à l'origine du transport maritime, mais aujourd'hui il s'applique également à tous les modes de transport. Sa famille est nombreuse. L'*affrètement°* est une location par laquelle quelqu'un (le *fréteur*) s'engage à mettre un moyen de transport (navire, avion ou camion) à la disposition de quelqu'un d'autre (l'*affréteur*) pour le transport de marchandises ou de personnes[8]. *Fréter°* et *affréter°* signifient respectivement *donner* et *prendre* en location un moyen de transport. S'agissant du transport de personnes, on trouve parfois, surtout au Québec, le terme *noliser* (*nolisé*), proposé, sans grand succès, en remplacement du franglais *chartériser* (*charter*): *vol, avion nolisés.*

appelle *péniches* les plus petits automoteurs (38,5 mètres de long) et *automoteurs rhénans*[9] les plus grands (95 mètres). En anglais le mot *barge* sert à désigner toutes ces catégories.

Le choix du type de bateau dépend de la capacité des voies d'eau reliant les points de départ et d'arrivée. Les voies *à grand gabarit*[10] (ou *à gabarit européen*), les plus larges et les plus profondes, peuvent accueillir les automoteurs rhénans, ainsi que les convois de barges dont la longueur atteint parfois 185 mètres. Ces grandes voies, situées pour la plupart dans les régions industrialisées du nord et de l'est, ne représentent malheureusement qu'environ 20% du réseau navigable français, le reste étant constitué de voies à *moyen* ou *à petit gabarit*.

En tonnes kilométriques le transport fluvial a diminué *de moitié* entre 1973 et 2003 et la tendance semble irréversible. Le bateau fluvial aura toujours, comme le train, un avantage certain dans le transport du vrac et des pondéreux (charbon, sable, minérais, etc.), mais sa lenteur, ainsi que l'obsolescence du réseau navigable, constituent des handicaps insurmontables. Signe du temps: le projet du canal Rhin-Rhône — conçu en 1953 pour relier la Mer du Nord et la Méditerranée (via Lyon), objet d'études depuis 1978, «indispensable à l'économie française» selon Raymond Barre (maire de... Lyon) — a été abandonné définitivement en juin 1997, pour cause de faible demande et de rentabilité douteuse. En effet, la liaison Rotterdam-Marseille par le canal aurait été beaucoup plus chère et moins rapide que par mer via Gibraltar!

1.6 L'intermodalité

On appelle *multimodal* le transport qui recourt *successivement* à plus d'un des modes énumérés ci-dessus. Quand la marchandise passe d'un mode de transport à un autre, on dit qu'il y a *rupture de charge*. Pour éviter les ruptures de charge, l'*intermodalité* se développe depuis plusieurs années. Il s'agit dans ce cas d'un transport combiné qui met *simultanément* en œuvre deux moyens de transport dont l'un est chargé sur l'autre. Citons en exemple le *ferroutage* (anglais: *piggy-back*), qui consiste à charger des remorques de camion sur des wagons de train, et le *roulage* (anglais et franglais: *roll on/roll off, ro-ro, RORO*), qui permet aux camions d'accéder directement par rampe à la cale d'un navire spécialisé (appelé *roulier*).

2 Le contrat de transport

Le transport de marchandises fait l'objet d'un contrat auquel il y a deux parties[11]: le transporteur° et l'expéditeur°. Le transporteur s'engage à livrer° à un destinataire°, dans des conditions déterminées et moyennant rémunération, les marchandises qui lui ont été confiées par l'expéditeur. Le transporteur reconnaît avoir pris en charge les marchandises en bon état: aussi est-il responsable[12] de toute perte et avarie° constatée par le destinataire à la livraison°.

Le contrat se matérialise normalement par un document[13], dont la nature dépend du mode de transport. Voici les principaux documents utilisés à l'international:

- Dans le transport routier, la *lettre de voiture*° CMR (le sigle faisant référence à la <u>C</u>onvention relative au contrat de transport international des <u>m</u>archandises par <u>r</u>oute).
- Dans le transport ferroviaire, *la lettre de voiture* CIM (<u>C</u>onvention <u>i</u>nternationale concernant le transport des <u>m</u>archandises par chemin de fer), appelée aussi *lettre de voiture internationale* (LVI).
- Dans le transport aérien, la *lettre de transport aérien*° (LTA).
- Dans les transports maritime et fluvial, le *connaissement.*°

Tous ces documents de transport indiquent la nature des marchandises; tous attestent de leur prise en charge par le transporteur. Le connaissement présente pourtant des différences importantes par rapport aux lettres de voiture et de transport aérien. Le transport maritime étant en général beaucoup plus lent que les transports routier, ferroviaire et aérien, le destinataire de marchandises expédiées par mer peut avoir besoin de les vendre *avant de les recevoir*. C'est ce que le connaissement lui permet de faire, car il représente les marchandises elles-mêmes aussi bien que leur transport. Autrement dit, le connaissement est en même temps un document de transport et un *titre de propriété,* transmissible par endossement.

Le transporteur établit le connaissement en quatre exemplaires, dont un est envoyé par voie rapide au destinataire. Celui-ci, nouveau propriétaire des marchandises (toujours en cours de transport), n'a, pour les vendre, qu'à endosser son exemplaire à l'ordre d'un acheteur. Si, ayant besoin d'argent, il préfère rester propriétaire des marchandises, il peut toujours s'en servir pour obtenir un prêt en remettant à sa banque son exemplaire du connaissement. Il donne ainsi en gage[14] ses marchandises et reçoit une somme égale à leur valeur. Il s'agit dans ce cas d'un *crédit documentaire* (crédoc), c'est-à-dire d'un crédit

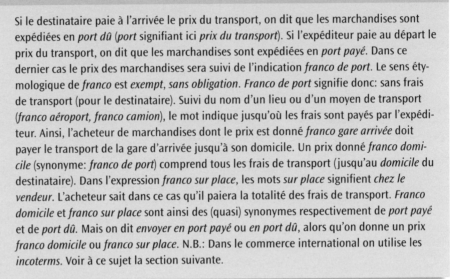

Pour aller plus loin

Qui paie?

Si le destinataire paie à l'arrivée le prix du transport, on dit que les marchandises sont expédiées en *port dû* (*port* signifiant ici *prix du transport*). Si l'expéditeur paie au départ le prix du transport, on dit que les marchandises sont expédiées en *port payé*. Dans ce dernier cas le prix des marchandises sera suivi de l'indication *franco de port*. Le sens étymologique de *franco* est *exempt, sans obligation*. *Franco de port* signifie donc: sans frais de transport (pour le destinataire). Suivi du nom d'un lieu ou d'un moyen de transport (*franco aéroport, franco camion*), le mot indique jusqu'où les frais sont payés par l'expéditeur. Ainsi, l'acheteur de marchandises dont le prix est donné *franco gare arrivée* doit payer le transport de la gare d'arrivée jusqu'à son domicile. Un prix donné *franco domicile* (synonyme: *franco de port*) comprend tous les frais de transport (jusqu'au *domicile* du destinataire). Dans l'expression *franco sur place*, les mots *sur place* signifient *chez le vendeur*. L'acheteur sait dans ce cas qu'il paiera la totalité des frais de transport. *Franco domicile* et *franco sur place* sont ainsi des (quasi) synonymes respectivement de *port payé* et de *port dû*. Mais on dit *envoyer en port payé* ou *en port dû*, alors qu'on donne un prix *franco domicile* ou *franco sur place*. N.B.: Dans le commerce international on utilise les *incoterms*. Voir à ce sujet la section suivante.

accordé contre remise de documents. (Voir à ce sujet, plus loin, ❖ *Le crédit documentaire.*)

3 ▶ L'import-export[15]

Le choix d'une «solution-transport» se complique pour l'entreprise qui vend ses produits à l'étranger. Les frais s'additionnent et les formalités se multiplient à mesure que s'allongent distances et délais. Chaque déchargement, chaque rechargement présente de nouveaux risques de casse et de perte, de retard et de vol. Face à cette complexité, l'entreprise peut faire appel directement à un transporteur, mais il est souvent préférable de sous-traiter[16], partiellement ou totalement, la fonction import-export en confiant les marchandises à un *transitaire*.

3.1 Les transitaires

Qu'est-ce, au juste, qu'un *transitaire*°? Le terme recouvre plusieurs activités distinctes ayant en commun le transport international de marchandises. Le transitaire n'est pas un transporteur, mais un *auxiliaire* du transport, un prestataire de services qui travaille pour le compte d'une entreprise exportatrice ou importatrice. Selon les responsabilités du transitaire et les tâches qui lui sont confiées, on distingue, entre autres, les «spécialisations» suivantes:

- L'*organisateur de transports multimodaux internationaux* (OTMI) assure toutes les opérations d'import-export: transport, assurance, douane. Il organise les expéditions du début à la fin: 1. le pré-acheminement terrestre (du domicile de l'expéditeur au port ou à l'aéroport d'embarquement); 2. le transport principal, maritime ou aérien; et 3. le post-acheminement terrestre (du port ou de l'aéroport de débarquement au domicile du destinataire). Comme il choisit les transporteurs, il est responsable de leurs fautes. C'est à l'OTMI que fait appel l'entreprise qui souhaite se dégager complètement des problèmes liés à l'exportation[17].

- Le *groupeur* réunit, afin de les acheminer ensemble, des marchandises provenant de plusieurs expéditeurs. En remettant au transporteur des unités de chargement complètes — conteneurs ou palettes, remorques ou wagons —, le groupeur permet à son client de bénéficier d'un tarif privilégié.
- Le *commissionnaire en douane* s'occupe de toutes les formalités douanières pour le compte de son client.
- Le *transitaire portuaire* ou *aéroportuaire* veille à la bonne marche des opérations (déchargement, entreposage, rechargement) lors des ruptures de charge.

3.2 La douane

On appelle *douane°* l'administration chargée du contrôle des marchandises à l'entrée et à la sortie d'un pays *ou d'un territoire douanier*. Nous mettons en italique ces derniers mots pour rappeler que l'Union européenne constitue un marché unique depuis l'abolition au 1er janvier 1993 de toute formalité douanière aux frontières intracommunautaires[18]. Entre les pays membres de l'UE, les termes d'*importation* et d'*exportation* ne s'appliquent même plus: c'est désormais — officiellement — *acquisition* ou *livraison* qu'il faudrait employer. Aussi, dans la discussion qui suit, les mots *importation* et *exportation* désigneront-ils les échanges avec les pays tiers (non-membres). Il sera question principalement de la douane française (la Direction générale des Douanes et Droits indirects), bien que, depuis 1993, la quasi totalité de sa réglementation soit commune aux pays de l'UE.

On appelle *dédouanement°* l'accomplissement des formalités requises par la douane. À l'importation[19], dédouaner° une marchandise consiste d'abord à la présenter dans un *bureau de douane°* du pays importateur; ensuite à y déposer une déclaration en détail; enfin à payer les taxes exigibles, appelées *droits de douane°*.

À quoi servent les droits de douane? Ils sont d'abord une source de revenu pour l'État (16,8 milliards d'euros en 2003). Ils servent en plus à renchérir[20] les produits importés, favorisant ainsi la compétitivité des entreprises françaises et européennes.

Le montant des droits de douane pour une marchandise donnée est déterminé, dans la plupart des cas, par deux facteurs: sa *valeur* et le *taux°* applicable.

1. On appelle droits *ad valorem* ceux qui sont calculés «selon la valeur» — la *valeur en douane* — de la marchandise importée. La valeur en douane d'une marchandise est la somme du prix d'achat et des frais de transport et d'assurance.
2. Le taux applicable dépend de la nature des marchandises importées et de leur origine. Le *tarif* est un tableau qui indique le taux qui correspond à

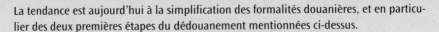

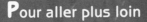

Pour aller plus loin

Les procédures simplifiées de dédouanement

La tendance est aujourd'hui à la simplification des formalités douanières, et en particulier des deux premières étapes du dédouanement mentionnées ci-dessus.

1. Il existe aujourd'hui une *procédure de dédouanement à domicile* (PDD) qui permet à l'entreprise importatrice d'accomplir toutes les formalités au sein de son établissement, sans passer par le bureau de douane. L'entreprise peut procéder au déchargement des marchandises dès leur arrivée dans ses locaux, à condition d'en informer immédiatement le bureau de douane; elle doit alors établir la déclaration en détail dans un délai réglementaire avant de pouvoir disposer des marchandises. Même si les marchandises passent par le bureau de douane, leur séjour peut être écourté par la *procédure simplifiée bureau* (PSB). Pour en bénéficier l'entreprise doit fournir des informations préalables, y compris une déclaration partielle, avant l'arrivée au bureau des marchandises.

2. Quant à la déclaration en détail, le DAU (document administratif unique), utilisé par tous les pays de l'Union européenne dans leurs échanges avec les pays tiers, remplace aujourd'hui les dizaines de formulaires imposés par l'ancienne réglementation. Dans la plupart des bureaux de douane le DAU n'est même plus établi à la main, mais généré par le *système d'ordinateurs pour le fret international* (SOFI). Pour les colis expédiés par la poste, le DAU n'est obligatoire que si la valeur de l'envoi excède 15 000 € à l'importation ou 7 600 € à l'exportation.

Grâce à ces initiatives, entre autres, la douane française, autrefois synonyme de lenteur et de paperasses, mérite aujourd'hui une meilleure réputation.

chaque catégorie de produits (appelée *espèce tarifaire*) et à chaque pays exportateur[21]. N.B.: Tous les pays de l'Union européenne appliquent aux pays tiers le même tarif: il s'agit du tarif extérieur commun (TEC).

Pour trouver le montant des droits à payer, il suffit donc d'appliquer le taux (indiqué dans le tarif en vigueur) à la valeur en douane (attestée par la facture commerciale et le contrat de transport).

3.3 Les incoterms

Imaginez qu'un constructeur de maisons en Hongrie, ayant eu vent de la réputation grandissante des moustiquaires BanniBug, souhaite en commander un millier pour un nouveau lotissement à Budapest. Il écrit pour obtenir un prix, joignant à sa lettre une spécification complète. Réponse de BanniBug: 61 050 €, sans autre indication. Le constructeur s'étonne du chiffre, car il s'attendait à payer davantage. Il ne pourra pourtant rien décider avant de recevoir une offre complète. Le prix semble anormalement bas, mais que comprend-il? Qui doit payer le transport et l'assurance? Qui réglera les droits de douane? Qui sera responsable en cas de perte ou d'avarie?

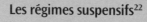

Pour aller plus loin

Les régimes suspensifs[22]

Dans certaines situations l'importateur peut être exonéré des droits de douane. Il existe plusieurs régimes *suspensifs* — ainsi appelés parce qu'ils *suspendent* tels droits — dont voici les principaux:

1. Le *transit* s'applique à toute marchandise qui ne fait que traverser un pays ou un territoire douanier.
2. L'*entreposage* exonère les marchandises admises sur un territoire national ou douanier en vue d'y être stockées temporairement.
3. Le *perfectionnement actif* permet d'importer des produits destinés à être réexportés après transformation.
4. L'*admission temporaire* concerne les matériels pédagogiques, scientifiques ou «professionnels» (échantillons distribués gratuitement ou exposés dans les foires, etc.).

Il serait possible, seulement un peu long et fastidieux, de répondre dans le contrat de vente à chacune de ces questions, avec toute la précision requise. Mais les deux parties au contrat peuvent s'entendre plus succinctement grâce aux *incoterms* («international commercial terms») de la Chambre de Commerce internationale (CCI). Dans le cadre d'un contrat de vente, les incoterms précisent les obligations respectives des parties contractantes, pour tout ce qui relève du transport des marchandises vendues. Le choix d'un incoterm détermine en particulier le lieu auquel les *risques* et les *frais* passent du vendeur à l'acheteur, le moment où l'un cesse et l'autre commence de les supporter. Les risques sont ceux que fait courir tout déplacement de marchandises: perte, vol, avarie ou retard. Les frais dont il peut s'agir sont, par exemple et selon le cas: le chargement° et le déchargement°; le pré- et le post-acheminement; les formalités douanières à l'export et à l'import; le passage portuaire ou aéroportuaire; le transport principal et l'assurance transport. N.B.: Les incoterms ne précisent pas le lieu auquel la *propriété* des marchandises passe du vendeur à l'acheteur.

Les incoterms s'emploient couramment sous forme de sigles. Les termes, ainsi que leurs sigles, proviennent tous de l'anglais; nous n'indiquons qu'à titre d'information les traductions françaises, *lesquelles ne sont pas employées dans les contrats de vente internationaux*. Révisés tous les dix ans, les «incoterms 2000» (date de leur dernière mise à jour) sont actuellement au nombre de treize. La Figure 11.1 en présente la liste complète.

Le sigle doit être suivi d'une précision géographique (normalement d'un nom de ville) à la place des mots qui suivent les points de suspension dans le tableau. Sans précision géographique l'incoterm serait incomplet et donc inapplicable dans un contrat. L'indication du lieu convenu complète ainsi l'incoterm, comme l'incoterm lui-même complète le prix. Chaque sigle peut s'employer comme substantif («Le CFR Le Havre nous semble préférable»), comme adjectif («Nous préférerions une vente CFR Marseille») ou comme adverbe («Nous préférons vendre CFR Bordeaux»).

Figure 11.1

Les incoterms 2000.

Sigle	Incoterm	Traduction française	Mode
EXW	Ex Works (...named place)	à l'usine (...lieu convenu)	omnimodal
FCA	Free Carrier (...named place)	franco transporteur (...lieu convenu)	omnimodal
FAS	Free Alongside Ship (...named port of shipment)	franco le long du navire (...port d'embarquement convenu)	maritime
FOB	Free on Board (...named port of shipment)	franco bord (...port d'embarquement convenu)	maritime
CFR	Cost and Freight (...named port of destination)	coût et fret (...port de destination convenu)	maritime
CIF	Cost, Insurance, Freight (...named port of destination)	coût, assurance, fret (...port de destination convenu)	maritime
CPT	Carriage Paid to (...named point of destination)	port payé jusqu'à (...point de destination convenu)	omnimodal
CIP	Carriage and Insurance Paid to (...named point of destination)	port et assurance payés jusqu'à (...point de destination convenu)	omnimodal
DAF	Delivered at Frontier (...named place)	rendu frontière (...lieu convenu)	terrestre
DES	Delivered ex Ship (...named port of destination)	rendu ex navire (...port de destination convenu)	maritime
DEQ	Delivered ex Quay (...named port of destination)	rendu à quai (...port de destination convenu)	maritime
DDU	Delivered Duty Unpaid (...named point of destination)	rendu droits non acquittés (...point de destination convenu)	omnimodal
DDP	Delivered Duty Paid (...named point of destination)	rendu droits acquittés (...point de destination convenu)	omnimodal

Concis, précis, universellement reconnus[23], les incoterms représentent pour les commerçants du monde entier un code commun grâce auquel peuvent s'éviter malentendus et litiges.

Pour nous en convaincre, revenons au prix proposé par BanniBug à András Makó (ainsi s'appelle notre constructeur hongrois). N'ayant aucune expérience dans l'exportation, ni même la moindre idée des formalités à remplir, BanniBug supposait que son client s'occuperait de tout. L'unique responsabilité de BanniBug serait de mettre les marchandises emballées à la disposition du

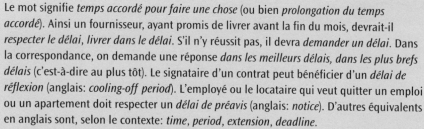

Un faux ami

Délai

Le mot signifie *temps accordé pour faire une chose* (ou bien *prolongation du temps accordé*). Ainsi un fournisseur, ayant promis de livrer avant la fin du mois, devrait-il *respecter le délai, livrer dans le délai*. S'il n'y réussit pas, il devra *demander un délai*. Dans la correspondance, on demande une réponse *dans les meilleurs délais, dans les plus brefs délais* (c'est-à-dire au plus tôt). Le signataire d'un contrat peut bénéficier d'un *délai de réflexion* (anglais: *cooling-off period*). L'employé ou le locataire qui veut quitter un emploi ou un apartement doit respecter un *délai de préavis* (anglais: *notice*). D'autres équivalents en anglais sont, selon le contexte: *time, period, extension, deadline*.

C'est *retard* qui traduit l'anglais *delay*. Ainsi, après trois *retards de livraison*, le client a décidé de s'approvisionner ailleurs et demande à son ancien fournisseur de lui rendre *sans retard* son acompte. Il est vrai qu'on dit aussi *sans délai*, mais le mot garde ici son sens... français (de *prolongation*)[24].

transporteur venu les prendre à Tours. András Makó assumerait tous les risques et frais du transport dès que son transporteur aurait quitté les locaux du vendeur. BanniBug a donc proposé sans le savoir — et aurait dû préciser — un prix EXW, ou Ex («en dehors de») Works (usine, entrepôt, établissement, etc.) Tours. Une vente EXW réduit au minimum les obligations *du vendeur*.

András Makó, de son côté, avait l'habitude d'être fourni DDP Budapest, d'où sa réaction au prix proposé. Une vente DDP, ou Delivered Duty Paid, réduit au minimum les obligations *de l'acheteur*, son unique responsabilité étant de prendre livraison des marchandises. C'est chez lui qu'a lieu le transfert des risques et des frais, ce qui revient à dire que le vendeur doit les supporter tout au long de l'acheminement des marchandises.

Se situant entre ces deux extrêmes, les autres incoterms répartissent différemment les obligations en retardant plus ou moins le moment où elles passent du vendeur à l'acheteur. Le tableau les présente dans l'ordre conventionnel des obligations de plus en plus nombreuses à la charge du vendeur[25]. Le CFR (Cost and Freight), par exemple, situé vers le milieu de la liste, met à la charge du vendeur le pré-acheminement des marchandises au port, leur chargement à bord du navire, les formalités douanières export ainsi que le transport principal; l'acheteur paie l'assurance transport, les formalités douanières import, le déchargement des marchandises et leur post-acheminement. Le transfert des risques se fait lors du chargement, «au passage du bastingage[26]».

Si important que soit l'incoterm choisi, il ne change pas forcément le coût total assumé par l'acheteur qui supporte toujours, directement ou indirectement, les frais de transport. Si, par exemple, Makó accepte l'offre de 61 050 € EXW Tours, il versera cette somme à BanniBug et paiera lui-même les frais de transport. Mettons que ceux-ci totalisent 6 050 € et qu'ils soient constants quelle que soit la formule retenue. Makó paiera alors 68 000 € au total. Mais, allergique comme il est aux détails paperassiers de la logistique internationale, il préfère payer 68 000 € DDP Budapest. Si BanniBug a l'imprudence d'accepter

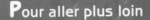

Pour aller plus loin

Le crédit documentaire

Ces trois instruments (chèque, lettre de change, virement) ont tous l'inconvénient majeur de laisser à l'acheteur l'initiative du paiement. C'est à lui d'envoyer le chèque (et d'approvisionner son compte), d'accepter une traite ou de donner à sa banque l'ordre de virement. Pour éliminer le risque de non-paiement, la Chambre de Commerce internationale a élaboré des techniques qui offrent au vendeur un moyen sûr de recevoir le paiement des sommes qui lui sont dues. La plus utilisée de ces techniques est le *crédit documentaire* (crédoc).

«Parfois on dit, par abus de langage, que l'on est "payé par crédit documentaire"», écrit Michel Gauthier, ajoutant que «cette expression est inexacte»[27]. Le crédoc n'est pas un moyen de paiement au même titre que le chèque, la traite ou le virement. Il s'agit d'une *technique de recouvrement de créances* qui garantit que le paiement sera effectué (par chèque ou virement). Si le contrat de vente stipule l'utilisation d'un crédoc, le mécanisme, assez compliqué, se déroule en huit étapes, ainsi qu'il suit:

1. L'acheteur importateur — appelons-le A/I — demande à sa banque d'ouvrir un crédit en faveur du vendeur exportateur (V/E).
2. En ouvrant le crédit, la banque de l'A/I s'engage envers la banque du V/E à payer la somme due contre présentation de certains documents.
3. La banque du V/E lui notifie le crédit.
4. Le V/E expédie les marchandises et reçoit du transporteur les documents de transport, preuve de l'expédition.
5. Le V/E présente les documents à sa banque, qui le paie.
6. La banque du V/E envoie les documents à la banque de l'A/I pour se faire rembourser.
7. La banque de l'A/I lui présente les documents pour se faire rembourser.
8. L'A/I présente les documents au transporteur pour prendre possession des marchandises.

Le crédoc a l'avantage de protéger également vendeur et acheteur. Le vendeur n'expédie pas les marchandises avant de recevoir la notification du crédit; il a donc la certitude d'être payé. L'acheteur ne paie pas avant d'avoir en main les documents de transport; il est donc sûr de recevoir les marchandises.

cette proposition, il devra s'occuper du transport et en supporter les frais (6 050 €), après quoi il encaissera ses 61 050 € (le prix des moustiquaires).

Si utiles, si *indispensables* que soient les incoterms, ils constituent seulement une clause du contrat de vente. D'autres clauses doivent préciser les modalités du paiement: date, monnaie et *instrument.* On entend par *instrument* la forme matérielle ou électronique qui sert de support au transfert de fonds. Les instruments les plus utilisés dans les opérations internationales sont le chèque, la lettre de change et le virement[28]. Ce dernier est de loin l'instrument le plus utilisé, grâce au réseau électronique interbancaire SWIFT (Society for Worldwide Interbank Financial Telecommunications). SWIFT est aujourd'hui le plus important réseau d'échanges de données informatisées (EDI[29]) du monde, reliant plus de 7 000 établissements financiers dans le monde entier. Plus rapide et moins coûteux que le virement par télex (désormais obsolète), le virement SWIFT tend à remplacer également les autres instruments. Le chèque et la traite ne représentent plus ensemble qu'environ 20% des règlements dans le commerce international (où d'ailleurs leur utilisation s'achève presque toujours par un virement SWIFT).

Sigles et acronymes

CCI Chambre de Commerce internationale

CIM Convention internationale concernant le transport des marchandises par chemin de fer

CMR Convention relative au contrat de transport international des marchandises par route

DAU document administratif unique

EDI échange de données informatisées

LTA lettre de transport aérien

LVI lettre de voiture internationale

OTMI organisateur de transports multimodaux internationaux

PDD procédure de dédouanement à domicile

PSB procédure simplifiée bureau

RORO (ro-ro) «roll on, roll off»

SNCF Société nationale des chemins de fer français

SOFI système d'ordinateurs pour le fret international

SWIFT Society for Worldwide Interbank Financial Telecommunications

TEC tarif extérieur commun

TGV train à grande vitesse

Lexique français–anglais

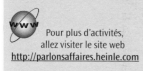
Pour plus d'activités, allez visiter le site web http://parlonsaffaires.heinle.com

affrètement *(m.)* chartering
  affréter to charter (≠ **fréter**)
avarie *(f.)* damage
bureau de douane *(m.)* customs office
cale *(f.)* hold (of a freighter)
camion *(m.)* truck
  camion à benne (basculante) *(m.)* dump-truck
  camion-citerne *(m.)* tanker truck
  camionnage *(m.)* trucking
  camionnette fermée *(f.)* utility van
cargaison *(f.)* cargo
cargo *(m.)* freighter
chargement *(m.)* loading
  charger to load
connaissement (maritime, fluvial) *(m.)* bill of lading (B/L)
conteneur *(m.)* container
courrier (court, moyen ou long ~) *(m.)* (short, medium, long) haul (airliner)

déchargement *(m.)* unloading
  décharger to unload
dédouanement *(m.)* customs clearance
  dédouaner to clear through customs
destinataire *(m., f.)* addressee
douane *(f.)* customs
  douanier (-ière) *(adj.)* pertaining to customs
  douanier *(m.)* customs agent
droits de douane *(m. pl.)* customs duties
expédier to send
  expéditeur (-trice) *(m., f.)* sender
fourgon *(m.)* utility van; bagage car (of a train)
fret *(m.)* freight
  fréter to charter (≠ **affréter**)
gros porteur *(m.)* jumbo jet ⟶

lettre de transport aérien (LTA) *(f.)* air waybill (AWB)	**soute** *(f.)* bagage or cargo compartment (of an airplane)
lettre de voiture *(f.)* consignment note	**taux** *(m.)* rate
livraison *(f.)* delivery	**transbordeur** *(m.)* ferry (boat)
livrer to deliver	**transitaire** *(m., f.)* freight forwarder; forwarding agent
méthanier *(m.)* liquefied gas tanker	**transporteur** *(m.)* carrier
navette *(f.)* shuttle	**vrac** *(m.)* bulk (merchandise)
navire-citerne *(m.)* tanker (ship)	**en ~** *(adj. et adv.)* in bulk
pétrolier *(m.)* (oil) tanker	**vraquier** *(m.)* bulker (ship)
~ géant supertanker	**wagon** *(m.)* car (railroad)
porte-conteneur *(m.)* container ship	**wagon-citerne** tanker car
rechargement *(m.)* reloading	**wagon couvert** boxcar
recharger to reload	**wagon frigorifique** refrigerator car
routier *(m.)* truck driver (synonym: **camionneur**)	**wagon plat** flatcar
semi-remorque *(m.)* semi (truck)	**wagon tombereau** open freight car

Activités

Pour plus d'activités, allez visiter le site web http://parlonsaffaires.heinle.com

I. Traduction

A. Français–anglais (version)

1. Sauf exception — le cas, par exemple, d'un expéditeur relié directement par rail à son destinataire —, le camion est le seul mode de transport capable d'acheminer des marchandises de porte à porte.
2. Le transporteur est responsable de toute perte ou avarie constatée par le destinataire à la livraison.
3. Qui doit établir la lettre de transport aérien: le transporteur, le destinataire ou l'expéditeur?
4. Le colis vous sera-t-il expédié en port payé? — Oui, les prix qu'ils m'ont donnés sont franco domicile.
5. La douane sert évidemment une fonction protectionniste (en renchérissant les produits importés), mais elle aide aussi à remplir les caisses de l'État.
6. Selon le douanier, nous ne sommes plus obligés de passer par le bureau de douane pour dédouaner nos marchandises.
7. Dans le CIP, le vendeur paie le chargement à bord du navire et dans le DAF, c'est l'acheteur qui paie le déchargement au port de débarquement.
8. Dans le FAS le vendeur assume toutes les formalités douanières, export et import.
9. Mon transitaire me dispense de comparer les prix de plusieurs transporteurs.
10. «Il faut rappeler que l'usage des incoterms est facultatif et que pour s'en prévaloir, les parties doivent clairement y faire référence dans le contrat de vente sans oublier d'ancrer les obligations sur un lieu géographique précis» (G. Legrand et H. Martini, *Management des opérations de commerce international*, 6ᵉ éd., Dunod [Paris: 2003], p. 12).

B. Anglais–français (thème)

1. Let me see the bill of lading. I need to know what kind of cargo the freighter was carrying.
2. I need to get to London by 3:00, so I'll take the shuttle train, even though I prefer the ferry boat.
3. The air freight carrier plans to charter ten more airplanes in order to meet the demand.
4. The company plans to buy ten more airplanes and then to charter them.
5. The charter agreement can cover a certain period of time or a specific voyage.
6. Tanker ships, trucks and rail cars are becoming more and more specialized.
7. How much will the customs duties amount to?
8. Hiring a freight forwarder to handle our exports has saved us more headaches than money.
9. How long will it take to get this merchandise cleared through customs?
10. The customs agent told us that we have to unload the merchandise.

II. Entraînement

1. À quelles catégories de fret les différents modes de transport conviennent-ils tout particulièrement? Pourquoi?
2. Quels sont les différents types de camions? d'avions de fret? de cargos? de bateaux fluviaux? Dans le transport ferroviaire, quels types de véhicules constituent le matériel roulant?
3. Chaque année le transport fluvial recule un peu plus devant la concurrence. Qu'est-ce qui explique ce déclin? Pourquoi le projet du canal Rhin-Rhône a-t-il été abandonné?
4. [❖] Quels sont les différents sens du mot *fret*? Qu'est-ce qu'un contrat d'*affrètement*? Expliquez à ce propos les termes *fréteur*, *affréteur*, *fréter* et *affréter*.
5. À quoi s'engage le transporteur en tant que partie au contrat de transport? Envers qui s'engage-t-il?
6. Quel est le document utilisé pour chacun des modes de transport?
7. En quoi le connaissement est-il différent des autres documents de transport? Comment permet-il au propriétaire des marchandises de les vendre ou d'obtenir un prêt?
8. [❖] Que signifient *port dû* et *port payé*? Que veut dire le mot *port* dans ces expressions? Qu'est-ce qu'un prix *franco de port*? un prix *franco gare départ*? *Franco domicile* et *franco sur place* sont plus ou moins synonymes de *port payé* et de *port dû* respectivement, mais les deux paires d'expressions ne s'emploient pas de la même façon. Employez-les dans une phrase pour illustrer leur différence syntaxique.
9. Qu'est-ce, en général, qu'un transitaire? Pour qui travaille-t-il? Quelles sont les différentes spécialisations du métier? Décrivez le travail de chacune.
10. Qu'est-ce que la douane? Comment s'appelle la douane française?
11. Qu'est-ce que le dédouanement? Quelles en sont les trois étapes?
12. [❖] En quoi consistent la procédure de dédouanement à domicile et la procédure simplifiée bureau? Comment la déclaration en douane a-t-elle été simplifiée?

13. À quoi servent les droits de douane? Comment calcule-t-on le montant des droits de douane?

14. [❖] Dans quelles conditions les droits de douane sont-ils suspendus?

15. Quelle est l'origine (l'étymologie) du mot *incoterm?* Quelles précisions — ou plutôt: quel *genre* de précisions — les incoterms apportent-ils dans un contrat de vente?

16. Pourquoi le sigle d'un incoterm doit-il être suivi d'une précision géographique dans un contrat de vente?

17. Dans quel sens l'incoterm EXW est-il le «contraire» du DDP? Justifiez notre affirmation selon laquelle les autres incoterms se situent «entre ces deux extrêmes».

18. Pourquoi le choix d'un incoterm ne change-t-il pas forcément le coût total assumé par l'acheteur?

19. Qu'est-ce qu'un instrument de paiement? Quels sont les instruments utilisés dans les opérations internationales? Lequel est le plus utilisé? Pourquoi?

20. [❖] Les trois instruments de paiement les plus utilisés à l'international ont en commun un inconvénient majeur? Lequel? Comment l'utilisation du crédit documentaire permet-elle de contourner cette difficulté? Expliquez le mécanisme du crédit documentaire. En quoi le crédoc protège-t-il l'acheteur aussi bien que le vendeur?

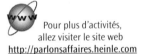

Pour plus d'activités, allez visiter le site web http://parlonsaffaires.heinle.com

III. Pour se renseigner en ligne

1. Le Ministère de l'Équipement, des Transports, de l'Aménagement du territoire, du Tourisme et de la Mer, à <www.equipement.gouv.fr>, rubrique «transports».

2. Fret SNCF, à <fret.sncf.com/fr>.

3. La Direction générale des Douanes et Droits indirects (DGDDI), à <www.douane.gouv.fr>. Voir surtout la rubrique «Organisation de la Douane», lien «Les missions de la Douane».

4. Pour qui veut approfondir le vaste sujet des incoterms, une recherche Google sur «incoterms 2000» fournira un millier de sites, rien que dans les pages en français.

Notes

1. «Le terme *pick-up* est attesté en français, mais il constitue un anglicisme critiqué» (*Grand Dictionnaire terminologique* de l'Office québécois de la langue française).

2. Précisons qu'il s'agit d'un déclin *par rapport au transport routier,* en termes de parts de marché. En tonnes kilométriques, le fret ferroviaire reste remarquablement stable en France (46,6 milliards en 1995, 46,8 en 2003) comme dans toute l'UE.

3. *Pondéreux:* marchandises très lourdes (pesant plus d'une tonne au mètre cube), transportées *en vrac°* (c'est-à-dire sans emballage).

4. Le terme comprend tous les véhicules qui circulent sur la voie ferrée.

5. *Tonne kilométrique* (ou *tonne-kilomètre*): une tonne transportée sur un kilomètre.

6. Un *conteneur* est une grosse caisse aux dimensions normalisées servant à la manutention et au transport de marchandises. Proposé comme traduction de l'anglo-américain *container* (longtemps employé en français), le néologisme a fait fortune, s'implantant dans l'usage avec sa famille (*conteneuriser, conteneurisation, conteneurisable*).

7. Les termes *tanker* et *supertanker* s'emploient encore, mais de moins en moins, en français.

8. Dans le transport maritime, on appelle *charte-partie* (*f.*) le contrat d'affrètement. *Partie* est ici un adjectif formé du participe passé de *partir*, qui signifiait autrefois *partager, séparer en parties*. La coutume était de «partir» la charte (document constatant l'existence du contrat) en la déchirant en deux moitiés, l'une pour l'expéditeur et l'autre pour le destinataire.

9. Ainsi appelés parce qu'ils sont utilisés sur le Rhin. On voit souvent la dénomination *automoteur type RHK* (Rhein-Herne-Kanal).

10. *Gabarit:* modèle (et par extension: appareil) qui sert à vérifier la forme ou les dimensions d'un objet. S'agissant des chemins de fer, par exemple, un gabarit est un arceau sous lequel on fait passer un wagon chargé pour vérifier que ses dimensions ne dépassent pas celles des ponts et des tunnels. Le mot (dont le *t* n'est pas prononcé) s'emploie également au figuré: *un petit gabarit* (une personne de petite stature); *des livres du même gabarit* (genre).

11. *Partie* (contractante): personne (physique ou morale) qui s'engage par un contrat. Sur la distinction entre personnes physique et morale, voir le Module 4.

12. Plus précisément, il est *présumé* responsable. Il existe de nombreuses causes d'exonération, dont, par exemple (pour le transport maritime): incendie à bord, sauvetage en mer, emballage défectueux ou d'autres faits imputables à l'expéditeur (vices cachés de la marchandise, etc.).

13. Dans le langage courant on appelle *contrat* le document lui-même. Le document de transport, dûment signé, n'est — juridiquement parlant — que la *preuve* d'un contrat (accord).

14. «Le gage confère au créancier le droit de se faire payer sur la chose qui en est l'objet» (Code civil); il s'agit donc d'une garantie de paiement.

15. *Import-export:* commerce international de produits importés ou exportés. *Faire de l'import-export* (*Dict. Robert*). *Import* et *export*, formes abrégées d'*importation* et d'*exportation*, sont néanmoins *masculins*. Ils s'emploient couramment dans les expressions *à l'import* et *à l'export*, lesquelles sont elles-mêmes souvent abrégées en *import* et *export* (*formalités douanières import*).

16. Voir à ce sujet, au Module 6, ❖ *De la sous-traitance à l'externalisation.*

17. Le titre d'OTMI est un diplôme reconnu par l'État. Il correspond à l'anglo-américain *freight forwarder*, ainsi que le montre cet «Occupational Profile» de l'Association of Graduate Careers Advisory Services (AGCAS): «Job description: A freight forwarder organizes the movement of goods on behalf of exporters and importers or another company or person internationally by all modes of transport [...]. Typical activities include: researching and planning the most appropriate route for a shipment, taking into account factors such as [...] cost, transit time and security; [...] preparing documentation to meet customs requirements, packing specifications, insurance and compliance with all overseas countries' regulations», etc.

18. *Intracommunautaire:* à l'intérieur de l'Union européenne.

19. Nous limitons la discussion au cas de l'importation (seul à occasionner la perception de droits de douane).

20. Rendre plus cher.

21. L'anglais *tariff* a aussi ce sens, mais le mot s'emploie plus souvent pour désigner les droits de douane eux-mêmes.

22. *Régime* signifie ici: un ensemble de dispositions légales.

23. Une exception importante: le FOB américain n'est pas celui de la CCI. Depuis plusieurs années la CCI essaie d'amener les États-Unis à la définition «officielle».

24. On pourrait faire des remarques analogues sur bien d'autres mots dont le sens a «glissé» sous l'influence de l'anglais (*contrôle, opportunité, alternative, réaliser, supporter, ignorer...*).

25. Pour une définition plus complète de EXW et DDP, ainsi que de tous les autres incoterms, on peut consulter de très nombreux sites Web (mots-clés pour la recherche: «incoterms 2000»).

26. «When the goods pass the ship's rail.»

27. *Moniteur du Commerce international,* cité dans le *Bulletin de Liaison* de la CCIP, automne 1992.

28. Pour une explication de ces termes, voir le Module 8: *La banque et les moyens de paiement.*

29. Même sigle en anglais: *electronic data interchange.*

Épilogue

Dimanche, le 15 mai 2005, vers six heures du soir, dans l'atelier de BanniBug, avenue Béranger

Jason, Thierry et Céline avaient passé la journée à *faire le bilan*, dans tous les sens du terme. Il s'agissait maintenant de célébrer. En grande pompe, ils sortirent du placard un Château Margaux 1978, acheté la veille pour l'occasion. Ils pouvaient bien s'offrir le meilleur millésime, car le succès de BanniBug allait loin au-delà des prévisions les plus optimistes: un carnet de commandes bien rempli, avec, en perspective pour le prochain exercice, un chiffre d'affaires d'environ 170 000 €, dont au moins 18% de résultat net.

Ils ouvrirent la bouteille, se firent livrer une pizza, et, tout en mangeant, parlèrent de l'avenir. Marc et Gilles étaient débordés: il fallait embaucher. D'ailleurs, selon les supputations de Céline, le marché à Tours serait saturé à 70% avant la fin de l'été. Le moment était venu d'envisager une expansion sur Blois, et peut-être même de monter une succursale à Orléans...

Vers huit heures, le repas terminé et la bouteille presque vidée, la conversation commençait à languir. Jason semblait avoir l'esprit ailleurs.

«Alors, qu'est-ce qu'on fait maintenant?» demanda Céline.

À ces mots Jason et Thierry se regardèrent, unis dans le souvenir d'une après-midi lointaine, à Bowling Green. Et cette fois, comme un an auparavant, Jason préféra donner aux mots un sens existentiel.

«Bonne question, dit-il, l'air pensif.

— Alors, tu accouches? demanda Thierry. Pourquoi cette mine lugubre?»

Jason saisit le prétexte pour passer aux aveux. Ils avaient relevé, certes, un défi formidable. Il s'en réjouissait; il en était fier. Et cependant, depuis quelques semaines, il se sentait l'obscur besoin de *faire autre chose, quelque chose de tout à fait différent.*

«"On aime mieux la chasse que la prise", conclut-il. Qui a dit ça? Il parlait pour moi.»

Céline se rappelait, en écoutant Jason, les «études de cas» qu'elle avait réalisées à la fac, dans l'option «entrepreneuriat».

«Le cas qui m'a le plus frappée, expliqua-t-elle, a été celui d'un milliardaire américain. C'était le type même du *self-made man*, parti de rien, et qui finit l'un des hommes les plus riches du monde. Vers la fin de sa vie il a confié à un journaliste que l'envie lui venait, par moments, de renoncer entièrement à sa fortune, de tout recommencer, de repartir à zéro, "pour éprouver à nouveau la joie de créer des richesses". Ça m'a fait une espèce de déclic. C'est alors, et alors seulement, que j'ai compris ce que c'est vraiment que l'*esprit d'entreprise*, ce vouloir-faire qu'on essaie de nous inculquer dans nos écoles de commerce, et qui semble si naturel outre-Atlantique.

— Oui, mais... à *zéro*? s'inquiéta Thierry. D'ailleurs... qu'est-ce qu'on pourrait faire?»

Là-dessus, Jason énuméra plusieurs idées dont aucune n'enthousiasma les deux autres.

Thierry eût souhaité ouvrir au centre-ville une «micro-brasserie».

«La formule marche très fort aux États-Unis», assura-t-il.

Puis, se souvenant de ses fringales inassouvies de pain frais à Bowling Green, il proposa d'y retourner pour ouvrir, à deux portes de GROUNDS FOR THOUGHT, une boulangerie «à la française».

«Nous pourrions l'appeler THE DAILY BREAD, suggéra-t-il. Je suis sûr que ça ferait un tabac.

— Sans doute, dit Céline, mais moi, j'ai une autre idée. J'y pense depuis quelque temps et le moment est peut-être venu de vous en parler.»

Son grand-père possédait un domaine au fin fond de l'Auvergne: un vieux manoir et plusieurs dépendances, entourés d'une cinquantaine d'hectares.

«J'y passais l'été quand j'étais gosse, et j'en garde un souvenir parfaitement enchanté. Y avait des bois, des puys, des gorges caillouteuses, toutes sortes de bêtes... c'était complètement sauvage, quoi. Mon grand-père jure même d'y avoir vu des loups! Et les bâtiments! La cheminée du logis était si grande qu'on pouvait s'asseoir dedans. Seulement voilà, ça tombe en ruine. Grand-Père lui-même n'y va plus depuis quelques années, tellement c'est délabré. Il me céderait volontiers le tout — il me l'a proposé plusieurs fois —, mais à condition que je m'en occupe. Eh bien, mon idée, c'est d'accepter son offre, et de faire du domaine une espèce de gîte haut de gamme pour estivants à la recherche d'une formule inédite. Ce serait le mariage de l'*outdoor* et du *New Age*, du corps et de l'esprit. Varappe et vélo tout terrain, randonnées équestres et pédestres, mais repos aussi, et détente, et séances de méditation. Ateliers d'initiation aux arts décoratifs, cours de tapisserie et de calligraphie, de mosaïque et de céramique, d'horticulture et de peinture sur faïence.

Cuisine régionale, produits du terroir, dégustations, rotissages en plein air... bref, tout ce qu'on n'aurait pas eu le temps de faire jusqu'alors, dans l'année ou *dans sa vie*. Il faudrait tout remettre en état, manoir et dépendances. Cela ferait, je crois, une vingtaine de studios ou d'apparts. Puis il faudrait installer une piscine, aménager une salle de gym, stocker la cave et la garenne, trouver des chevaux, débroussailler un peu les sentiers, embaucher des tas de gens: un chef, des moniteurs, des...

— Cela coûterait..., coupa Jason.

— Une petite fortune, acheva Céline. Je le sais. Mais si Marc et Gilles vous rachetaient la boîte? Ils sauteraient sur l'occasion, et après les bénéfices des derniers mois, ils obtiendraient sans problème le crédit nécessaire. Augmentée de vos économies, cette somme suffirait. Votre argent, investi dans mon domaine, en ferait une mine d'or. Qu'en dites-vous?

— Il faudrait tarifer cela au prix fort, observa Thierry, pour amortir l'investissement.

— Assurément, confirma Céline. Une clientèle triée sur le volet, aisée mais un peu blasée, qui en ait marre des destinations classiques.»

Jason et Thierry se regardèrent, sans mot dire. Céline, les croyant réticents, s'empressa d'ajouter:

«Je saurais vendre ça, croyez-moi!»

Ni Jason ni Thierry n'avait le moindre doute là-dessus, leur décision étant déjà prise. Thierry prit alors un air dubitatif, et sur un ton faussement sérieux:

«Eh bien, mon vieux, qu'en dis-tu? Est-ce que la vie d'un hobereau te plairait?

— On verra bien.

— Chouette alors!» s'exclama Céline.

Ils trinquèrent solonnellement, en signe d'accord et en gage d'amitié.

Une heure plus tard la question du statut juridique était réglée. Ce serait une SARL dont Céline, vu l'importance de son apport en nature, détiendrait 50% des parts; l'autre moitié serait partagée également entre les deux compères.

C'est alors qu'ils abordèrent la question du nom. «Voyons... Faudrait souligner le côté "écarté, loin de tout"... Mais avec tous les conforts... "Luxe, calme et volupté"!... Oui, c'est ça... De quoi attirer le client évolué... Mais stressé... Ayant besoin de se détendre... De se ressourcer... De "retourner à la nature"... Ou du moins au naturel... Mais sans les inconvénients... Comme Marie-Antoinette jouant à la bergère au Hameau... Tout à fait... C'est Rousseau qu'elle suivait, non?... Rousseau... Oui...»

Un moment de silence. Puis, tous ensemble:

«L'Ermitage!»

Le nom s'imposa tout de suite comme le seul possible.

Le reste devait s'avérer moins facile. Ils avaient sous-estimé les coûts de rénovation, et il faudrait, d'après les devis préliminaires, étaler sur trois ans les travaux.

Mais en octobre survint ce que Céline appelle son «coup de pot». Un bruit curieux circula — elle jure de n'y être pour rien —, selon lequel une bande de loups vivait sur la propriété. Un porte-parole du Ministère de l'Aménagement du Territoire et de l'Environnement dut se précipiter sur place pour rassurer les éleveurs locaux: «Nous pouvons donc nier, catégoriquement, la présence de *canis lupus* dans la région. Il n'y en a plus d'ailleurs depuis un bon demi-siècle.» Seulement, de cette présence officiellement niée, Céline prétendait avoir la *preuve photographique* (obtenue avec l'aimable concours du grand-père). En novembre la photo fit la une de *La Voix de l'Auvergne*, avant de paraître, quelques jours plus tard, dans les pages du *Figaro*. Ainsi naissent les légendes.

Depuis lors «les loups de l'Ermitage» font beaucoup parler d'eux. Le domaine accueillera en juillet 2006 ses premiers hôtes. Les travaux ne seront terminés alors que dans cinq appartements — tous réservés, avec une longue liste d'attente.

L'affaire est à suivre.

Éléments de vocabulaire économique

Les termes économiques définis dans les modules relèvent, pour la plupart, de ce qu'on appelle l'*économie d'entreprise*. Cet appendice regroupe une trentaine de notions d'*économie générale* dont une connaissance nous a semblé importante. Les termes retenus sont de ceux qui, pour des raisons conjoncturelles ayant trait notamment à la construction européenne et à la mondialisation[1], reviennent le plus souvent dans les rubriques économiques de la presse générale. Les voici, présentés dans l'ordre alphabétique. Les chiffres entre crochets renvoient aux questions-réponses ci-dessous.

assiette [5]
contrôle (fiscal) [11]
déficit public [14]
déflation [12]
délocalisation [15]
désinflation [12]
dette publique [14]
État (-gendarme, -providence) [1]
évasion fiscale [11]
fraude fiscale [11]
impôt [2]
impôts direct et indirect [3, 7]

inflation [12]
libéralisme [1]
produit intérieur brut (PIB) [13–14]
produit national brut (PNB) [14]
progressivité (de l'impôt) [6]
récession [14]
redressement (fiscal) [11]
retenue à la source [5]
stagflation [12]
taxe [2, 7–8, 10]
TVA [8]
valeur ajoutée [8]

De nombreux termes se rapportant aux notions clés sont définis dans les notes. En voici la liste alphabétique. Les chiffres entre crochets renvoient aux notes en fin d'appendice.

abattement [13]
agent économique [28]
agrégat [31]
chômage, chômeur [27]
consommation intermédiaire [30]
contribuable [9]
dégrèvement [13]
délocalisation [33]
exonération [13]
fisc (fiscal, fiscalité) [10]
foncier [22]

foyer (fiscal) [17]
imposer (imposable, imposition) [6]
mondialisation [1]
monnaie [4]
perception (percepteur, percevoir) [8]
population active [27]
recouvrer (recouvrement) [8]
revenu disponible [26]
tranche d'imposition [15]
valeur ajoutée [30]
valeur locative [23]

1. **Vous avez écrit[2] qu'en économie politique, *libéralisme* et *liberalism* sont «les plus perfides de tous les faux amis». Veuillez vous expliquer.**

Généralement, les couples franco-américains en *ism(e)* sont bien assortis, mais il y a entre *libéralisme* et *liberalism* une mésentente presque totale.

Selon le *Robert*, la doctrine du libéralisme préconise «la libre entreprise, la libre concurrence et le libre jeu des initiatives individuelles». Il ajoute que «le libéralisme s'oppose à l'intervention de l'État» dans l'économie. Or le *liberalism* américain se caractérise, et se caractérise *essentiellement*, par une telle intervention. De là, malentendus et contresens de part et d'autre de l'Atlantique. Un exemple: l'envoyé spécial à Washington d'un journal parisien s'étonne de voir Al Gore classé à gauche, alors que tout le monde parle de ses idées «libérales». Ou encore: un observateur américain, perplexe devant le «paradoxical patchwork of French politics», ne s'explique pas qu'Alain Madelin, une grande figure de la droite, soit qualifié par toute la presse française d'«ultra-libéral». Le premier avait vu le mot *liberal* dans le *Wall Street Journal* et le second, (*ultra-*)*libéral* dans *Le Figaro*. Et l'un comme l'autre ont tout simplement... mal traduit.

Le libéralisme contemporain provient des courants classique et néoclassique des XVIIIe et XIXe siècles. Pour Smith, Ricardo, Menger et d'autres, l'État doit se limiter à ses fonctions primordiales: défense du pays, protection des individus, maintien d'une infrastructure. En dehors de ce minimum il doit strictement *laisser faire*. On parle à ce propos de «l'État-gendarme[3]».

À l'État-gendarme s'oppose et se substitue au cours du XXe siècle «l'État-providence». L'expression se fonde sur un parallèle entre l'intervention étatique dans l'économie et l'intervention divine dans les affaires humaines. Si la notion d'un État interventionniste et *redistributeur* remonte aux penseurs socialistes du XIXe siècle (Saint-Simon, Blanc, Marx), ce sont surtout les idées de J. M. Keynes, élaborées pendant la crise économique des années 1930, qui ont inspiré à partir de 1946 les architectes de l'État-providence.

L'opposition de ces deux conceptions de l'État domine aujourd'hui la discussion politico-économique en France. «Faut-il plus ou moins d'État?» — voilà certainement une des interrogations centrales de l'époque. Nombre de questions en apparence éloignées s'y rapportent en réalité, directement ou indirectement, de près ou de loin. Citons en exemple le débat des années 1990 sur la monnaie[4] européenne: le sentiment anti-euro traduisait en partie une opposition aux mesures libérales rendues nécessaires par les critères d'adhésion. La même raison explique, plus récemment, l'opposition d'une partie de la gauche au projet de constitution européenne, jugé trop libéral.

Depuis les années 80 on assiste à une remise en cause de la conception de l'État-providence, non pas en faveur de l'État-gendarme — auquel il ne peut pas être question de revenir —, mais à un État... disons... moins «providentiel». Les thèses libérales ont aujourd'hui le vent en poupe, comme en témoigne, parmi bien d'autres choses, le programme de privatisations qui s'est poursuivi tout au long du gouvernement (socialiste) de Jospin et qui se poursuit encore aujourd'hui. Face aux nécessités de la concurrence mondiale, l'État continue à se désengager: moins de régulation, moins de réglementation, moins... d'État. Il est même question de baisser impôts et taxes.

2. Vous venez d'évoquer «impôts et taxes». Qu'est-ce, précisément, qui distingue ces deux catégories? J'ai lu quelque part qu'une *taxe* est un impôt «indirect».

Rien ne permet de les distinguer *précisément*. Le terme d'*impôt* étant le plus général des deux, commençons par le définir. Un impôt est un versement obligatoire effectué sans contrepartie déterminée[5] au profit de l'État ou d'une collectivité locale. L'usage et la tradition veulent qu'on appelle *taxes* certains impôts, mais il n'existe aucune définition officielle d'une catégorie d'impôts qui serait celle des taxes. Quant à ce que vous avez lu, c'est souvent vrai, mais pas toujours. Si de nombreux impôts indirects sont qualifiés de *taxes*, on appelle également ainsi certains impôts directs.

Mais avant d'expliquer ces mots *direct* et *indirect*, il convient d'établir une autre classification des impôts, basée sur la ressource qu'ils frappent. Distinguons donc, selon la nature de la «matière» imposée[6], 1. les impôts sur le revenu, 2. les impôts sur la consommation et 3. les impôts sur le capital.

3. Les impôts de votre première catégorie — «sur le revenu» — correspondent grosso modo à la *personal income tax* américaine, n'est-ce pas?

Income tax, oui, mais pas seulement *personal*. Il y a deux sortes d'impôts sur le revenu: l'impôt sur le revenu des personnes physiques (IRPP) et l'impôt sur les sociétés (IS), personnes *morales*[7]. Les deux sont recouvrés[8] au moyen d'une liste, appelée *rôle d'impôts*, où figurent les noms des contribuables[9] avec mention du montant de leur impôt. On les qualifie de *directs* (pour revenir à votre distinction) parce qu'ils sont payés *directement* — sans intermédiaire — par le contribuable au fisc[10]. Ainsi, la personne (physique ou morale) soumise à l'impôt est aussi celle qui en effectue le versement.

4. L'IS frappe-t-il les bénéfices annuels réalisés par une société, tout comme aux États-Unis?

Oui, les bénéfices des sociétés de capitaux sont imposés au taux de 33,3% (19% pour les PME). Jusqu'en 1989 le taux était de 50%; il a été baissé pour ne pas désavantager les sociétés françaises par rapport à leurs concurrentes étrangères.

Quant aux sociétés de personnes[11], les bénéfices ne sont soumis à l'IS que sur demande des associés. Le plus souvent les associés ont intérêt à se faire imposer individuellement, chacun sur sa part de bénéfices, au titre de l'IRPP.

5. Comment l'IRPP fonctionne-t-il en France?

Il y a des ressemblances et des différences entre la *personal income tax* américaine et l'IRPP français. Comme aux États-Unis, l'IRPP frappe le revenu annuel, *global* et *net*.

Le revenu *global* est la somme des revenus provenant des différentes catégories dont voici les principales: les salaires; les bénéfices industriels et commerciaux (réalisés par les entrepreneurs individuels et les associés de sociétés de personnes); les bénéfices agricoles; les bénéfices non-commerciaux (pour les professions libérales); les revenus mobiliers (intérêts et dividendes provenant de valeurs mobilières); les revenus fonciers (provenant de la location de biens immeubles); les plus-values (anglais: *capital gains*). Le revenu *net* est celui qui reste quand le revenu brut a été diminué de toutes les déductions permises. Sont déductibles, par exemple: les frais professionnels (10% forfaitairement); les pensions alimentaires; les pertes subies par les créateurs d'entreprise[12]. En outre, tous les salariés bénéficient automatiquement d'un abattement[13] général de 20%. Le revenu imposable, appelé *assiette*, est donc la somme des revenus «catégoriels» nets.

Le contribuable doit remplir un formulaire appelé *déclaration annuelle des revenus* et l'envoyer à l'administration fiscale avant la date limite, fixée généralement vers le 30 mars (quelques jours plus tard en cas de déclaration en ligne). Sur la base des renseignements fournis dans la déclaration, le fisc calcule le montant de l'impôt dû et le notifie au contribuable par l'envoi d'un *avis d'imposition*.

Quant aux modalités de paiement, la France fait exception parmi les pays développés, car partout ailleurs[14] on pratique *la retenue à la source*. Dans ce système il y a trois parties en présence: le contribuable, l'État et l'employeur, qui sert d'intermédiaire en jouant le rôle de percepteur. L'impôt est prélevé sur le salaire du contribuable et transmis par l'employeur au fisc. En France, par contre, le contribuable verse directement à l'État — sans «tiers payant» — l'impôt dont il est redevable, et pour ce faire il a deux options:

- Il peut payer par tiers. Les deux premiers acomptes, effectués en février et en mai, s'appellent *tiers provisionnels* parce que chacun est égal au tiers de l'impôt payé l'année précédente. Le troisième versement règle en septembre le solde dû.
- Il peut opter pour la *mensualisation* s'il préfère étaler sur toute l'année le paiement de ses impôts. Dans ce cas le paiement se fait par prélèvement automatique sur son compte bancaire pendant dix mois, de janvier à octobre. Chaque mensualité est égale au dixième de l'impôt payé l'année précédente; le solde, s'il y en a un, est réglé en fin d'année. (Il ne s'agit pas d'une *retenue à la source*, car la partie versante n'est pas un tiers.)

Il y a, on le voit, d'importantes différences entre les IRPP français et américain. De nombreux points communs aussi, dont l'un des plus fondamentaux est certainement la *progressivité* de l'impôt...

6. Oui, je crois comprendre cette notion, sur laquelle je peux citer le *Petit Robert*: «*Progressivité de l'impôt sur le revenu*, dont le montant s'élève en même temps que celui de la matière imposable». Ce qui revient à dire, si je ne me trompe, que *plus on gagne, plus on paie d'impôts*. C'est bien cela?

Non, ce n'est pas cela. Vous avez bien paraphrasé, mais la définition elle-même est erronée. Le *Robert* se trompe ici, et son erreur est instructive. Ce n'est pas seulement le montant mais aussi et surtout le *taux* d'un impôt progressif qui s'élève en même temps que le revenu. (On appelle *taux* le pourcentage appliqué au revenu imposable afin d'obtenir le montant de l'impôt dû.)

Imaginons d'abord le cas d'un impôt *à taux constant* (anglais: *flat-rate tax*), comme celui que certains cherchent à faire instaurer aux États-Unis. Si le taux était fixé à, mettons, 17%, Jules, qui gagne 100 000 dollars imposables, paierait 17 000 dollars d'impôts, alors que Jim, qui gagne exactement deux fois plus, paierait 34 000 dollars. Il s'agirait d'un impôt *proportionnel* (qui varie proportionnellement au revenu).

Imaginons maintenant que Jules et Jim quittent leur paradis fiscal pour s'installer en France ou aux États-Unis. Jim y paiera non seulement plus d'impôts que Jules — cela va sans dire —, mais plus du double, puisque son revenu sera imposé au taux supérieur de sa *tranche d'imposition*[15].

La progressivité de l'IRPP vise à redistribuer les richesses de la nation et à réduire les écarts de revenus[16]. Le taux d'imposition le plus élevé en France est de 48%, et la moitié des foyers fiscaux[17] déclarent un revenu suffisamment bas pour être complètement exonérés d'impôt[18].

Il existe en France plusieurs autres impôts sur le revenu, bien distincts de l'IRPP: la *cotisation sociale généralisée* (CSG), par exemple, ainsi que la *contribution au remboursement de la dette sociale* (CRDS). À la différence de l'IRPP, la CSG et la CRDS sont retenues à la source et proportionnelles: le même taux — 7,5% pour la CSG et 0,5% pour la CRDS — s'applique à presque tous les revenus, y compris les plus bas.

7. L'IRPP est *direct*, dites-vous, parce que «la personne soumise à l'impôt est aussi celle qui en effectue le versement». Qu'en est-il donc des impôts de votre deuxième catégorie: ceux qui frappent la dépense?

Ils sont *indirects*, c'est-à-dire *payés indirectement* par un tiers. C'est l'entreprise qui sert d'intermédiaire entre le consommateur et le fisc: elle collecte les impôts en les ajoutant à ses prix, pour les reverser ensuite au fisc. En tant que «partie versante», l'entreprise est directement redevable du montant des impôts, mais c'est le consommateur qui en supporte tout le poids en payant les prix majorés.

Les Français ont une forte préférence pour les impôts indirects, lesquels donnent à l'État la majeure partie de ses recettes fiscales. (À titre de comparaison, l'IRPP n'en fournit que 21%.) La *taxe intérieure sur les produits pétroliers* (TIPP) est un impôt indirect qui représente 10% des recettes fiscales de l'État — et *les deux tiers* du prix de l'essence à la pompe. Voilà pourquoi les automobilistes français paient presque trois fois plus pour faire le plein que leurs homologues américains.

Mais l'impôt indirect de loin le plus important, celui qui représente, à lui seul, environ 45% des recettes fiscales de l'État, est la TVA.

8. Qu'est-ce que la TVA?

La ṯaxe sur la v̱aleur a̱joutée (*value added tax*, ou VAT en anglais) est un impôt sur la consommation, créé par la France en 1954 et appliqué aujourd'hui dans tous les pays de l'Union européenne. Ce qu'il y a de plus approchant aux États-Unis est la *taxe sur les ventes au détail* (anglais: *retail sales tax*), mais les différences sont importantes. La taxe américaine est perçue *une seule fois*, lors de la vente au détail, et son montant est calculé sur la valeur *globale* du produit à ce moment-là. La TVA est perçue plusieurs fois au cours de la vie économique du produit; par contre, elle s'applique, non pas à la valeur globale du produit, mais à *l'augmentation* de sa valeur — la «valeur ajoutée» — à chaque étape de sa fabrication et de sa commercialisation. La plupart des biens et des services sont imposés au taux normal de 19,6%[19]. Un taux réduit s'applique à certains produits alimentaires et aux livres (5,5%), ainsi qu'aux médicaments et à la presse (2,1%).

Contrairement à l'IRPP, dont la progressivité défavorise les riches, la TVA tendrait plutôt à les favoriser. «La TVA est considérée comme socialement injuste», écrit Laurence Ville, «car cet impôt proportionnel sur la dépense frappe tous les ménages, quel que soit leur revenu. Elle pénalise relativement plus les foyers modestes que les riches, qui épargnent davantage et échappent ainsi à une taxe sur la consommation[20].»

On ne peut pas en dire autant des impôts sur le capital...

9. J'allais justement vous demander d'expliquer votre troisième catégorie. Quels sont les différents «impôts sur le capital»?

Il s'agit, en général, de tous les impôts qui frappent ce que l'on possède (le patrimoine), par opposition à ce que l'on gagne (le revenu).

Un patrimoine peut être imposé soit à l'occasion de sa *transmission* (par succession ou donation), soit du simple fait de sa *détention*. Citons en exemple du second cas *l'impôt de solidarité sur la fortune* (ISF), créé en 1989, qui taxe les patrimoines dont la valeur dépasse 720 000 € au 1er janvier de l'année d'imposition. Le taux de l'ISF est progressif et varie, selon la tranche, de 0,55% à 1,8%. L'ISF apporte chaque année aux caisses de l'État environ 2,5 milliards d'euros, ce qui représente moins de 1% de ses recettes fiscales[21].

10. Jusqu'ici il n'a été question que des «recettes de l'État». Mais il y a d'autres impôts que ceux de l'État...

Évidemment. D'autres impôts sont perçus au bénéfice des collectivités locales, c'est-à-dire les communes, les départements et les régions. Ce sont les *impôts locaux*, lesquels comprennent, par exemple:

- la *taxe* foncière[22], payée par tout propriétaire d'un bâtiment ou d'un terrain nu, et
- la *taxe d'habitation*, payée par tout occupant (propriétaire ou locataire) d'un logement.

Il s'agit dans les deux cas d'*impôts directs* dont on calcule le montant en appliquant un taux fixé par la collectivité à la valeur[23] de la propriété imposée.

11. Une dernière question sur les impôts. J'ai lu dernièrement que l'évasion fiscale est proportionnellement plus répandue en France qu'aux États-Unis. Quelles procédures sont déclenchées à l'endroit du contribuable soupçonné?

Attention à ce terme d'*évasion* — encore un faux ami —, qui désigne tout acte ayant pour but ou résultat de payer moins d'impôts, *sans que (la lettre de) la loi soit violée*. Il s'agit d'une activité répandue et légitime... ou tout au moins *légale*. Ce qui l'est moins, c'est la *fraude fiscale*, définie comme «une infraction à la loi commise dans le but d'échapper à l'imposition ou d'en réduire le montant»[24].

Si la Direction générale des impôts (DGI), l'équivalent de l'IRS américain, soupçonne un contribuable d'avoir franchi la ligne entre l'évasion et la fraude, elle procédera à un *contrôle fiscal* (anglais: *tax audit*), d'abord interne et «sur pièces» (à partir des documents dont elle dispose déjà), ensuite, s'il en est besoin, externe et «sur place», en confrontant pièces et preuves.

À ce stade de l'enquête (contrôle externe), il s'agit soit, pour les entreprises, d'une *vérification de comptabilité*, soit, pour les particuliers, d'un *examen contradictoire de l'ensemble de la situation fiscale personnelle*. À l'issue du contrôle le contribuable ciblé risque de se voir infliger un *redressement fiscal*, c'est-à-dire une «rectification» dans le sens d'un rehaussement de son impôt, assorti d'intérêts de retard et de pénalités fiscales.

Pour ce qui est de la chasse aux fraudeurs, on voit que les choses se passent en France à peu près comme aux États-Unis[25].

12. Pour réduire la fraude fiscale, un moyen infaillible serait de réduire la *pression* fiscale. Ce qui me ramène à l'idée qui a ouvert cette longue parenthèse: si *moins d'État* se traduisait par *moins d'impôts*, quels en seraient les effets?

Ils seraient globalement stimulateurs. Une réduction de l'impôt sur les sociétés, par exemple, favoriserait l'investissement, la production et l'embauche. Si l'impôt sur le revenu baissait, le revenu disponible[26] des ménages augmenterait, ce qui stimulerait la demande et la consommation. (En général, plus on a d'argent, plus on dépense.) Idem pour une baisse de la TVA. Mais la demande accrue pourrait être inflationniste...

J'ouvre ici une petite parenthèse sur l'*inflation*, définie comme *une hausse générale et prolongée des prix*. Les économistes ajoutent parfois, pour distinguer l'inflation réelle d'une série de hausses ponctuelles et isolées, que le processus doit suivre une logique de propagation «auto-entretenue» (une hausse particulière entraîne d'autres hausses, selon la fameuse «spirale inflationniste»).

L'inflation se mesure d'après *l'indice des prix à la consommation* (anglais: *consumer price index*) de l'Insee; elle peut être rampante (très modérée), galopante (très forte), à deux chiffres, etc. Lorsqu'elle s'accompagne d'un taux élevé de chômage[27], on parle de *stagflation* (stagnation plus inflation).

Le contraire de l'inflation est la *déflation* (baisse générale et prolongée des prix), à ne pas confondre avec la *désinflation* (baisse du taux d'inflation).

Pour revenir au rapport de l'impôt au taux d'inflation, on considère généralement qu'ils varient inversement: une baisse de l'un entraîne une hausse de l'autre. Mais une baisse de la TVA serait en elle-même anti-inflationniste! On le voit: rien n'est simple en matière d'économie.

Quoi qu'il en soit, tout le monde, ou presque, convient qu'il serait souhaitable d'alléger le poids des prélèvements obligatoires (comprenant impôts et cotisations sociales), lesquels s'élèvent actuellement à 45% du PIB.

13. «PIB»? De quoi s'agit-il?

Le *produit intérieur brut* (PIB) est un des indicateurs les plus importants de la richesse d'une économie. Il représente la valeur des biens et des services produits par les agents économiques[28] résidents (c'est-à-dire résidant sur le territoire national) au cours d'une année.

Ces agents, notons-le bien, peuvent être français ou étrangers, et c'est en cela que le PIB diffère du PNB (*produit national brut*)[29]. Ce dernier comptabilise la valeur des biens et des services produits soit sur le territoire national *soit à l'étranger* pendant une année, mais uniquement par les agents économiques *français*[30].

14. À quoi sert le PIB?

Le PIB est le plus important des agrégats[31] économiques, car il permet de concrétiser et de chiffrer les notions vagues de *croissance*, *reprise* et *récession*. Cette dernière, par exemple, existe «officiellement» si le PIB baisse, en euros (dollars, etc.) *constants* (en tenant compte de l'inflation) pendant trois trimestres consécutifs. La notion de *PIB par habitant* permet d'apprécier — de façon inexacte, il est vrai — le degré de développement d'un pays, ainsi que le niveau de vie, le revenu moyen et le bien-être général de ses habitants.

C'est également au PIB que faisaient référence certains des critères d'admission au «club de l'euro» définis dans le traité de Maastricht, l'un des documents fondateurs de l'Union européenne. Ces critères limitaient le déficit public à 3% et la dette publique à 60% du PIB. Il y a un *déficit public* quand les dépenses de l'État sont supérieures à ses recettes. La *dette publique* comprend notamment les emprunts d'État sous forme d'obligations. La France, avec un déficit légèrement supérieur à 3% au moment de la sélection finale (mai 1998), s'est qualifiée de justesse, en bénéficiant de l'indulgence du jury.

15. Et nous voilà ramenés à notre question du début: «Faut-il plus ou moins d'État?» Ne se repose-t-elle pas aujourd'hui à propos de l'Union européenne et de ses grandes orientations politico-économiques?

Tout à fait. Considérons justement la question de la fiscalité, et plus précisément de la *pression fiscale*. On appelle ainsi le poids des prélèvements obligatoires (impôts et cotisations sociales), mesuré en pourcentage du PIB — ou pour parler comme les économistes, le *taux général des prélèvements obligatoires* (TGPO). En France le TGPO s'élève, comme je l'ai dit, à 45%. C'est beaucoup[32]. Déjà en 1998, lors de son entretien télévisé du 14 juillet, Jacques Chirac avait déclaré qu'«il faut diminuer, ce qui est tout à fait impératif, la pression fiscale qui est tout à fait excessive et la plus élevée de l'Union européenne, [...] sinon c'est un handicap sérieux pour notre compétitivité dans un monde où la compétitivité est de plus en plus importante». À droite, les libéraux le poussent maintenant à mettre au régime un État-providence qu'ils jugent pléthorique, à «doper la croissance», à *baisser les impôts*. N'avait-il pas promis en 2002, lors de la campagne, de réduire l'IRPP de 30% avant la fin de son quinquennat? Et l'impôt sur les sociétés? Ne faudrait-il pas ramener son taux à la moyenne européenne, ou bien en dessous? Cette mesure de bon sens arrêterait l'hémorragie que représente en France la délocalisation[33] d'entreprises vers les paradis fiscaux comme l'Irlande, où le taux d'imposition des sociétés est de... 12,5%!

Quel rapport avec l'Union européenne et sa nouvelle constitution? La vérité est qu'il existe entre les États membres une *concurrence fiscale* de plus en plus féroce[34], et certains à gauche estiment que la constitution, une fois ratifiée, aura pour effet d'*institutionnaliser* cette concurrence. En effet, le document stipule qu'en matière fiscale «le Conseil statue à l'unanimité» (Partie III, Titre III, Chap. I, Sect. 6, art. III-171). Unanimité en matière fiscale? Dans l'Europe des Vingt-cinq? Impossible. Il ne pourra donc y avoir aucune modification du statu quo, aucune harmonisation des fiscalités, aucune réduction de la concurrence. Que règnent alors les lois du marché, aux dépens de l'État-providence, condamné désormais, sous peine d'extinction, à réduire son train de vie.

L'Europe sociale ou l'Europe libérale?... Voilà l'interrogation centrale, la grande alternative des années à venir. Sachons reconnaître, sous cette forme nouvelle, encore une variation sur un thème connu.

Faut-il plus ou moins d'État?...

Notes

1. Le mot traduit l'anglais *globalization*. Phénomène complexe et controversé, dont aucune des innombrables définitions proposées ne s'impose comme «officielle». Nous reproduisons celle de Radio-Canada, admirable de clarté et d'impartialité: «Le terme *mondialisation* désigne l'intégration croissante des économies nationales à l'économie mondiale sous l'impulsion des politiques de libéralisation du commerce, de la multiplication des échanges commerciaux et financiers ainsi que du développement des nouvelles technologies de l'information et de la communication» (dossier «Mondialisation» à <radio-canada.ca>, rubrique *nouvelles → dossiers*). Il s'agit là évidemment de mondialisation au sens *économique* du terme, mais le phénomène présente bien d'autres aspects, dont l'un des plus remarqués et décriés est celui de *l'homogénéisation progressive de la culture*.

2. Module 10, note 8.

3. Encore un faux ami, puisque l'anglais *police state* signifie *État totalitaire*.

4. Anglais: *currency*. L'euro est la monnaie de douze pays membres de l'Union européenne (janvier 2005).

5. Sans recevoir en retour une prestation sociale déterminée (ou le droit à une telle prestation). Cette condition permet de distinguer les impôts des prélèvements obligatoires de la Sécurité sociale (les *cotisations sociales*) et des *redevances pour services rendus*.

6. *Imposer:* soumettre à un impôt. Mots apparentés: *imposition, imposable*.

7. Sur la distinction entre personne physique (anglais: *natural person*) et personne morale (anglais: *legal entity, artificial person*), voir le Module 4.

8. *Recouvrer* (à ne pas confondre avec *recouvrir*): recevoir le paiement d'une somme due (anglais: *to collect*). Substantif: *recouvrement*. On dit aussi dans ce sens: *percevoir* (le *percepteur* étant celui qui s'occupe de la *perception* des impôts).

9. *Contribuable:* personne, physique ou morale, soumise au paiement d'un impôt. Dans ce sens le mot date de la Révolution. Les révolutionnaires, qui ne voulaient *imposer* personne (cela sentait l'Ancien Régime), ont remplacé les vieux impôts par des «contributions». Elles n'en étaient pas moins obligatoires...

10. Le *fisc* est l'ensemble des administrations chargées du calcul et du recouvrement des impôts. Mots apparentés: *fiscal, fiscalité* (ensemble des lois et mesures relatives au fisc).

11. Sur la distinction entre société de capitaux et société de personnes, voir le Module 4.

12. Les intérêts d'un prêt immobilier, déductibles aux États-Unis, ne le sont plus en France depuis 1998 (sauf exception rarissime).

13. *Abattement:* partie du revenu exemptée de l'impôt. *Abattement général* ou *forfaitaire* (anglais: *standard deduction*); *abattement spécial* ou *spécifique*. Dans le même ordre d'idées: déduction; exonération (anglais: *exemption*); dégrèvement (anglais: *tax cut or relief*).

14. Pas seulement en Europe et aux États-Unis, mais *dans tous les autres pays développés du monde*, selon un rapport intitulé *Le point sur la retenue à la source de l'impôt sur le revenu*, publié en février 2002 par le Ministère de l'économie, des finances et de l'industrie (p. 4 de la version PDF consultable en ligne).

15. Une *tranche d'imposition* regroupe tous les revenus qui sont imposés au même taux (anglais: *tax bracket*). N.B.: Le taux de chaque tranche ne s'applique qu'à la fraction du revenu comprise dans la tranche. Exemples: La première tranche, imposée au taux de 0%, comprend les revenus allant de 0 à 4 261 €. La deuxième tranche, imposée à 6,83%, comprend les revenus allant de 4 262 € à 8 382 €. Quelqu'un qui gagne 4 000 € ne paiera donc pas d'impôt sur son revenu. Si son salaire était augmenté à 5 000 €, seule serait imposée, à 6,83%, la partie de son revenu qui dépasse 4 262 €, soit 738 €. La tranche la plus élevée, imposée à 48%, commence à 47 932 €. Quelqu'un qui gagne 50 000 € paiera le taux le plus élevé, mais seulement sur 68 €.

16. Pour expliquer une notion simple, à quoi bon recourir à une analogie — surtout lorsqu'elle est fautive? Citons en exemple celle du Syndicat national unifié des impôts: «Pour bien comprendre la différence entre la proportionnalité et la progressivité, [...] nous avons l'habitude de l'illustrer par l'exemple du *nounours*. Prenons le cas d'une famille composée d'un couple et de 2 enfants (12 et 4 ans) qui doit déménager 1 000 kg de meubles et objets divers au 4ᵉ étage de son nouvel appartement, tous les membres de la famille doivent participer à ce transfert. Dans un système proportionnel, tous les membres doivent porter le même fardeau soit 250 kg. Ce sera sûrement plus dur pour le petit dernier de 4 ans. Dans un système progressif, on estimera que l'enfant de 4 ans aura accompli son acte de solidarité s'il transporte au 4ᵉ étage son nounours, en contrepartie ses parents plus costauds porteront une charge plus importante» (www.snui.fr). Mais non! Dans un système proportionnel, un seul et même *taux* s'applique à tous, mais comme les revenus diffèrent, le montant de l'impôt payé n'est pas le même pour chacun. L'enfant de quatre ans portera donc une charge proportionnelle à son «poids» — certainement moins de 250 kg. Son nounours, sans doute, et peut-être aussi l'iPod de sa sœur. (À titre d'information, le SNUI est le syndicat des... agents du fisc!)

17. Le *foyer fiscal* est l'unité de base en matière d'IRPP. Une personne vivant seule constitue un foyer fiscal. Un couple marié, avec ou sans personnes à charge (enfants mineurs), constitue également un seul foyer, dont tous les revenus sont imposés ensemble. L'imposition séparée de deux conjoints («married, filing separately») n'existe pas en France, sauf en cas de séparation. Les concubins sont imposés séparément, ainsi que le sont, jusqu'à la troisième année, les personnes liées par un PACS (pacte civil de solidarité). Le Ministère de l'économie, des finances et de l'industrie a récemment proposé «de rapprocher les modalités d'imposition des personnes liées par un PACS de celles applicables aux contribuables mariés; ainsi, les personnes souscrivant un PACS seraient soumises, dès sa conclusion, à une imposition commune» (projet de loi de finances 2005).

18. À titre de comparaison, le taux le plus élevé aux États-Unis est de 35%.

19. Le taux de la TVA est inférieur à 19,6% dans treize pays de l'UE.

20. «Monsieur le Président, voici deux manières de baisser les impôts», *L'Expansion* du 05.02.1997.

21. Au moment où nous mettons sous presse, il est question de réformer l'ISF, et notamment d'en relever le seuil. Cette réforme nous paraît probable. Au Sénat, où un amendement a déjà été adopté à cet effet, Josselin de Rohan a déclaré: «Le fait de porter de 720 000 € à 800 000 € le seuil de l'ISF ne me paraît pas déraisonnable. C'est revenir au niveau d'entrée de 1997» («De Rohan justifie le relèvement du seuil de l'ISF», *Libération* du 18.11.2004). Il s'agit du niveau de 1997, *compte tenu de l'inflation*. L'effet d'un relèvement serait de diminuer le nombre des assujettis (ceux qui sont soumis au paiement de l'impôt). Ce nombre n'a cessé d'augmenter entre 1997 (180 000) et 2004 (plus de 300 000).

22. *Foncier:* relatif à un bien-fonds, c'est-à-dire un bien immeuble (terrain ou bâtiment).

23. Plus précisément à la *valeur locative*. Il s'agit d'un loyer théorique que la propriété pourrait rapporter si elle était donnée en location.

24. Pierre Beltrame, *La Fiscalité en France* (Paris: Hachette, 1995), p. 185.

25. Une différence intéressante, et qui fait réfléchir: le fisc français rémunère les indicateurs («informers») qui dénoncent les fraudeurs. La pratique est depuis longtemps, paraît-il, «courante et bien acceptée» («Les nouvelles méthodes du fisc pour vous coincer», *L'Entreprise* n°151, avril 1998). Et comme la rémunération se fait en liquide, elle n'est pas imposable... Voir aussi «Fisc: ami ou ennemi?», *Journal des professionnels*, dossier n° 62b du 21.02.2003 (www.jdpro.net).

26. Le revenu *disponible* est celui dont on dispose, c'est-à-dire qu'on peut *dépenser* ou *épargner*.

27. Le *taux de chômage* est le rapport (exprimé en pourcentage) du nombre des chômeurs à la population active. Ainsi: taux de chômage = (nombre des chômeurs × 100) ÷ population active. La *population active* (anglais: *work force*) comprend (a) tous ceux qui ont un emploi et (b) les chômeurs. Est *chômeur* toute personne (a) sans emploi (b) qui cherche un emploi. En septembre 2004, le taux de chômage en France était de

9,6%; dans les douze pays de la zone euro, 8,6% en moyenne; aux États-Unis, 5,4%.

28. Nous employons *agent économique* pour désigner toute personne, physique ou morale, qui agit dans une économie par l'échange. L'expression a été officiellement remplacée dans la comptabilité nationale par *unité institutionnelle*. Quel que soit le vocabulaire, il s'agit des mêmes acteurs de la vie économique: entreprises, administrations et ménages.

29. En anglais le PIB et le PNB s'appellent respectivement *gross domestic product* (GDP) et *gross national product* (GNP).

30. Ici une précision s'impose. Nous venons de parler vaguement de «la valeur des biens et des services produits». Pour obtenir cette valeur au niveau de la nation, il faut additionner les contributions individuelles de chaque agent. La contribution d'un agent se mesure-t-elle alors à son chiffre d'affaires? Certainement pas, car l'agent est loin d'avoir créé toute la valeur de sa production. Considérons l'exemple d'un fabricant de moustiquaires dont la production annuelle vaut 1 000 000 €. Ce chiffre est très supérieur à l'apport réel de l'entreprise, dont la production totale incorpore la valeur des matières premières et des produits semi-finis (bois, toile, PVC, etc.) utilisés dans la fabrication du produit fini. Afin d'éviter les doubles comptabilisations, le PIB tient compte donc, non pas de la production totale de l'agent, mais de sa *contribution propre* — sa «valeur ajoutée». On appelle ainsi la différence entre la valeur d'une production et la valeur des *consommations intermédiaires* (biens consommés au cours de la production). Le PIB est donc la somme des valeurs ajoutées par tous les agents économiques résidents pendant une année.

31. *Agrégat:* indicateur chiffré caractéristique d'une économie nationale et qui permet d'en apprécier l'état et l'évolution.

32. À titre de comparaison, le TGPO moyen est de 39% dans l'UE d'avant l'élargissement et de 34% chez les dix nouveaux membres. Aux États-Unis il évolue autour de 30%.

33. On appelle ainsi le transfert de la production d'un pays à un autre.

34. Mais selon J.-L. Guièze et M. Girard-Vasseur, «la guerre fiscale dans l'Europe des 25 n'aura pas lieu». Ainsi s'intitule leur article paru dans *L'Expansion* du 07.06.2004. L'argument: les nouveaux pays membres, acculés à leurs déficits et obligés bientôt de hausser leurs impôts, cesseront d'inciter aux délocalisations.

Initiation à la féminisation des appellations professionnelles

L'anglais ne connaît pas les genres grammaticaux masculin et féminin. La grande majorité des noms de profession, de fonction et de titre peuvent désigner indifféremment un homme ou une femme: *lawyer, doctor, farmer, police officer*, etc. Parfois, mais exceptionnellement, le nom renvoie au masculin ou au féminin: *waiter, waitress, actor, actress, chairman, salesman*, par exemple. Dans ces cas, si l'on veut éviter toute désignation sexuée, on recourt à la forme neutre lorsqu'elle existe: *server, chair, salesperson*.

Il en va autrement pour les langues à genres. En français toute appellation professionnelle est soit masculine (*avocat*), soit féminine (*avocate*), soit les deux (*architecte*). D'où la question, naïve en apparence mais chargée en réalité d'un lourd bagage historique et social: Pourquoi emploierait-on une appellation masculine pour désigner la profession ou la fonction exercée par une femme? Pourquoi dirait-on que Marguerite Yourcenar est *un grand écrivain?* que Madame Unetelle est *le nouveau magistrat, inspecteur* ou *directeur?*

À cette question les partisans du *statu quo* ont répondu:

«Parce que le masculin, ici comme souvent ailleurs, peut désigner les individus des deux sexes. Vous confondez tout simplement genre grammatical et genre naturel. Comme l'ont écrit à ce propos les académiciens Georges Dumézil et Claude Lévi-Strauss: "Le genre dit couramment *masculin* est le genre *non marqué*, qu'on peut appeler aussi *extensif* en ce sens qu'il a capacité à lui seul à représenter les éléments relevant de l'un et l'autre genre. Quand on dit *tous les hommes sont mortels, cette ville compte 20 000 habitants, tous les candidats ont été reçus à l'examen*, etc., le genre non marqué désigne indifféremment des hommes et des femmes. Son emploi signifie que, dans le cas considéré, l'opposition des sexes n'est pas pertinente et qu'on peut donc les confondre"[1].

— Oui, certes, répliquent les partisans de la féminisation, mais il n'en va pas ainsi du singulier, que vous évitez de mentionner. Et là les genres grammatical et naturel vont de pair quand le lexique le permet: *un(e) athlète, un(e) avocat(e), un acteur/une actrice*, etc. Quand il manque une forme féminine, c'est à nous d'en créer une.

— Vous voulez des masculins génériques au singulier? Le *Premier ministre* est nommé par le *Président*... l'impartialité d'un *juge*... passer devant le *maire*... la Déclaration des Droits de l'*Homme* et du...

— En matière de droits, dois-je vous rappeler qu'un homme sur deux est une femme?...»

La polémique a flambé dans les années 80, pour reprendre de plus belle en 1998 quand quatre femmes nommées ministres dans le gouvernement de Lionel

Jospin ont revendiqué la féminisation de leur titre. Jospin voyait que la question n'était pas exclusivement linguistique, qu'elle concernait autant la féminisation des professions que celle des mots. Toute langue, écrit Benoîte Groult, «doit s'adapter aux réalités nouvelles [et] la présence des femmes de plus en plus nombreuses dans des métiers de plus en plus divers est une de ces réalités»[2].

Après avoir sollicité l'avis de la Commission générale de terminologie et de néologie, le Premier ministre a donné raison aux partisans de la féminisation, résumant ainsi sa position: «La parité a sa place dans la langue»[3]. En 1999 a paru un rapport intitulé *Femme, j'écris ton nom*[4], rédigé par l'Institut national de la langue française (INaLF) et dont le sous-titre indiquait clairement le propos: *Guide d'aide à la féminisation des noms de métiers, titres, grades et fonctions.* Cet ouvrage est désormais le texte de référence en matière de féminisation lexicale.

Quelles sont donc les recommandations officielles? Voici quelques-unes des règles générales:

- Si la forme masculine se termine par *-e*, la forme féminine sera identique. Il s'agit dans ce cas d'un mot *épicène:* une graphie, deux genres (*élève, collègue, enfant*). Parmi les nouvelles formes épicènes proposées, citons: *cadre, juge, maire, ministre, peintre.*
- Si la forme masculine se termine par *-é, -i* ou *-u*, la forme féminine prendra un *-e* final. Exemples: *une députée, une apprentie, une élue.*
- Si la forme masculine se termine par une consonne, le féminin se formera régulièrement (par l'adjonction d'un *-e* final). Exemples: une *agente*, une *écrivaine*, une *magistrate.* Les modifications orthographiques traditionnelles s'imposeront selon le cas: ajout d'un accent grave sur la voyelle finale (*un officier, une officière*), remplacement ou doublement de la consonne finale (*un créatif, une créative; un doyen, une doyenne*).

Ces généralités appellent de nombreuses précisions, dont chacune admet, bien entendu, plusieurs exceptions. Par exemple:

- Dans certains cas où le masculin se termine par une consonne, la forme épicène a été préférée à la forme en *-e* final: *une chef, une conseil, une médecin, une témoin.*
- Certains mots se terminant par *-eur* se féminiseront en *-euse* (et par *-teur*, en *-trice*): *une annonceuse, une camionneuse, une chercheuse; une agricultrice, une compositrice, une sénatrice, une tutrice.* Dans d'autres cas on aura le choix entre la forme épicène et l'adjonction d'un *-e* final: *une auteur(e), une docteur(e), une entrepreneur(e), une ingénieur(e), une professeur(e), une sculpteur(e).*

Quelle est la portée de ces règles? Ici il faut distinguer entre l'*objectif* des recommandations et leur *champ d'application.* Celui-ci est en effet fort restreint. Il s'agit certes d'une terminologie «officielle», mais d'une terminologie qui «ne saurait avoir de force obligatoire [...] qu'à l'égard des personnes morales de droit public et des personnes de droit privé dans l'exercice d'une mission de service public»[5]. Elle ne s'impose, en d'autres termes, qu'au Gouvernement et aux administrations de l'État. En dehors de cette sphère, libre à chacun de parler et d'écrire comme il veut. À quoi bon donc publier des règles d'usage administratif? Pour *influer* sur les usages individuels et partant sur l'évolution de la langue. C'est au Gouvernement, dit Lionel Jospin, de montrer l'exemple «afin que la féminisation des appellations professionnelles entre irrévocablement dans nos mœurs»[6].

En cela la France ne fait, depuis 1999, que suivre l'exemple d'autres pays ou régions francophones où une politique officielle de féminisation avait débuté bien auparavant:

- au Québec, dès 1979, avec la recommandation d'employer les formes féminines «dans tous les cas possibles», suivie au fil des ans de nombreuses publications de l'Office de la langue française, dont la plus connue s'intitule *Le Francais au bureau* (5e édition parue en 2000; voir notamment l'annexe sur les *Professions, métiers, titres, fonctions et appellations de personnes au féminin*);
- en Suisse, dès 1986, avec la recommandation par le Conseil fédéral «d'opter, dans la mesure du possible, pour une terminologie qui [...] ne fasse pas de différence entre les sexes», suivie de la publication en 1991, par les cantons de Genève et du Jura, d'un *Dictionnaire féminin-masculin* et en 2000, par la Chancellerie fédérale, d'un *Guide de formulation non sexiste;*
- en Belgique, dès 1993, avec l'adoption par la Communauté française de Belgique d'un décret visant à féminiser les appellations professionnelles, suivie en 1994 de la publication, par le Conseil supérieur de la langue française, du guide *Mettre au féminin*.

Partout où a été adoptée une politique de féminisation, son application se limite aux documents officiels. Nulle part il n'est question de réglementer les usages individuels. Les recommandations sont proposées à titre *indicatif* et *incitatif:* il s'agit d'*indiquer* la bonne voie aux usagers de la langue afin de les *inciter* à la suivre[7]. Mais ce sera, en fin de compte, aux usagers eux-mêmes de décider. Linguistes, commissions et ministres, tous disent d'une même voix: «C'est l'usage qui tranchera.»

Et que dit l'usage? A-t-il suivi les recommandations officielles? Toute réponse sera forcément provisoire, l'usage étant encore loin de s'être définitivement prononcé là-dessus. Considérons les catégories qui correspondent à nos trois règles (voir plus haut):

Les féminins épicènes ont été, en général et pour des raisons évidentes, bien acceptés en Europe francophone comme au Québec. *Ministre,* le mot qui a déclenché une polémique en France, ne s'y est pas encore généralisé au féminin, mais *Madame la ministre* ne choque plus personne. De nombreux féminins déjà en usage antérieurement aux recommandations sont maintenant employés plus systématiquement: *architecte, cinéaste, guide;* mots en *-iste* et en *-ogue. Peintre, cadre* et *juge* sont souvent féminisés au Québec, mais rarement en Europe où l'on préfère y apposer *femme* (une *femme cadre*).

L'adjonction d'un *-e* final aux mots se terminant par *-é, -i* ou *-u*, assimilée à la féminisation régulière des adjectifs correspondants, est en général bien acceptée. Ainsi *chargée* (de cours, de mission, de recherches), *attachée* (d'administration, de presse, de recherche) et *déléguée* (du personnel, syndicale) sont d'un usage courant, et depuis longtemps. *Députée* se généralise au Québec, mais ne s'emploie qu'exceptionnellement en Europe.

La situation se complique encore davantage lorsqu'on passe à la féminisation des mots à finale consonantique. Certaines des formes proposées se rencontrent rarement (*agente, commise, substitute*); d'autres sont plus répandues, sans que l'on puisse dire que leur emploi se soit généralisé, même au Québec (*écrivaine, soldate*); d'autres encore s'enracinent (*magistrate, présidente*).

Du cas des mots en -*eur* ressort une différence entre les usages français et québécois. Au Québec les féminins en -*e*, systématiquement recommandés, s'implantent dans l'usage: *une auteure, une docteure, une ingénieure, une professeure.* En France, où les recommandations officielles autorisent le choix (*une auteur* ou *une auteure*), la féminisation demeure tout à fait exceptionnelle, et lorsqu'elle se fait, l'usage montre une nette préférence pour la forme épicène: *une auteur, une docteur, une ingénieur*[8].

De cette situation complexe, quel bilan peut-on dresser, quelles conclusions tirer? Risquons-en deux:

1. Il est désormais évident — il l'a toujours été, n'est-ce pas? — que l'usage ne suit pas automatiquement les diktats ministériels. Comme l'a sagement remarqué à ce propos la Commission générale de terminologie et de néologie, «l'effet d'incitation des circulaires est limité car c'est de l'opinion publique que dépend, en dernière instance, les formes nouvelles»[9]. Non pas que l'usage ait toujours raison, mais il a *ses raisons*, auxquelles se heurtent immanquablement les meilleures intentions. C'est là une leçon qu'ont durement apprise les pourfendeurs du franglais, et qu'il est bon de se rappeler ici.

2. Bien menée, et secondée par les médias, une politique langagière peut cependant orienter l'usage, l'éclairer quelque peu, l'amender même. «Effet d'incitation limité»? Certes, mais pas nul. La preuve en est le succès — mitigé mais réel[10] — des efforts québécois. Si la province canadienne est en avance par rapport aux pays francophones d'Europe, c'est qu'elle féminise depuis plus longtemps[11] — ce qui laisse bien augurer des efforts de la France.

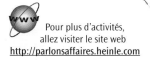

Pour plus d'activités, allez visiter le site web http://parlonsaffaires.heinle.com

Pour se renseigner en ligne

1. Pour la France, le meilleur point de départ est le site de la Délégation générale à la langue française et aux langues de France, à <www.culture.gouv.fr:80/culture/dglf>, liens «vocabulaire et terminologie» → «féminisation». C'est là que l'on trouvera, parmi d'autres documents, le *Rapport sur la féminisation des noms de métier, fonction, grade ou titre*, soumis en octobre 1998 au Premier ministre par la Commission générale de terminologie et de néologie, et surtout *Femme, j'écris ton nom: Guide d'aide à la féminisation des noms de métiers, titres, grades et fonctions*, préfacé de Lionel Jospin.

2. Un excellent dossier axé sur la France, indispensable à quiconque veut approfondir la question, a été réalisé par le Centre international d'études pédagogiques (CIEP): «Madame *la* Ministre: la féminisation des noms en dix questions», à <www.ciep.fr/chroniq/femi/femi.htm>.

3. Sur le Québec, toute recherche commence au site de l'Office québécois de la langue française, à <www.oqlf.gouv.qc.ca>. En cliquant sur l'onglet des «ressources» on trouvera, dans la «bibliothèque virtuelle», un glossaire des féminins ainsi qu'un dossier intitulé «Les Femmes et les mots entrent dans le XXIe siècle» et dans les «liens utiles: ouvrages de référence», une liste de sites se rapportant à la «féminisation, rédaction de textes non sexistes».

4. Au site de la Communauté française de Belgique, la page sur la féminisation, à <www.cfwb.be/franca/pg026.htm>, contient de nombreux liens, y compris celui du glossaire *Mettre au féminin*.

5. Pour la Suisse, au site des Services linguistiques centraux (section française) de la Chancellerie fédérale, une page sur la formulation non sexiste, à <www.admin.ch/ch/f/bk/sp/doc/sexo.html>, renvoie aux sites mentionnés *supra*, et notamment au *Guide de formulation non sexiste*.

Notes

1. Déclaration de l'Académie française en séance du 14 juin 1984.
2. Compte rendu final des travaux de la commission qu'elle avait présidée, chargée en 1984 d'«étudier [...] le vocabulaire concernant les activités des femmes». Cité dans le *Rapport sur la féminisation des noms de métier, fonction, grade ou titre*, pp. 19–20, soumis en octobre 1998 au Premier ministre par la Commission générale de terminologie et de néologie.
3. Préface, rédigée par Lionel Jospin, du guide référencé dans le texte, phrase suivante. Il est intéressant de noter que le gouvernement Jospin et l'InaLF, dans son guide, *n'ont pas tenu compte* de la plupart des recommandations de la Commission. Celle-ci estimait qu'«il n'y a pas d'obstacle de principe à une féminisation des noms de métier» (laquelle se fait depuis toujours et sans intervention gouvernementale), mais s'était *opposée* à la féminisation des noms de fonctions, grades et titres (*Rapport*, p. 3; voir note précédente).
4. Allusion au célèbre poème d'Eluard, *Liberté*, écrit en 1942 sous l'Occupation, et dont le refrain, «J'écris ton nom», se répète à la fin de chaque strophe.
5. *Rapport* (voir la note 2), p. 7.
6. *Circulaire du 6 mars 1998 relative à la féminisation des noms de métier, fonction, grade ou titre*, signée Lionel Jospin.
7. Citons à ce propos le site de la Communauté française de Belgique: «Un certain nombre d'opposants à la féminisation ont fait observer que les pouvoirs publics n'avaient pas à gérer l'usage de la langue. Il faut bien voir que le décret n'impose l'utilisation des termes féminins qu'aux administrations de la Communauté française ou à celles situées en région de langue française, ainsi que dans les ouvrages d'enseignement ou de recherche utilisés dans les établissements rele-vant de la Communauté française. En dehors de ce champ administratif, chacun est libre d'utiliser les dénominations qu'il souhaite. Le décret ne vise donc pas à régenter l'usage général, même si, à terme, on peut s'attendre à ce que la féminisation se répande dans tous les secteurs de la vie active» (www.cfwb.be/franca/services/pg030.htm).
8. *Professeur* au féminin s'emploie couramment et depuis longtemps, surtout sous sa forme tronquée et familière (*la/une prof*).
9. *Rapport* (voir la note 2), p. 20.
10. De la situation au Québec, en Belgique et en Suisse, la Commission générale de terminologie et de néologie dresse en 1998 un bilan plutôt négatif: «On constate que, malgré la fermeté des intentions et l'état d'avancement des réformes, l'usage ne se modifie que très à la marge» (*Rapport*, p. 27). Nous ne sommes pas de cet avis en ce qui concerne le Québec, mais il est hors de doute que certaines des recommandations de l'Office de la langue française — celles notamment qui concernent la mention des deux genres (noms et pronoms) — y sont très peu suivies. Exemples: *Les candidats et les candidates seront convoqués... Ceux et celles qui se présenteront... Le ou la juge décidera...*
11. Chiffrons à environ deux décennies l'avance du Québec par rapport à la France. La circulaire du 11 mars 1986, signée Laurent Fabius, avait pour objet la mise en œuvre des conclusions de la commission Groult (1984–1986), mais elle n'a jamais été appliquée. On peut donc affirmer, sans forcer les dates, qu'une politique *active* de féminisation langagière a débuté en France avec la circulaire de Lionel Jospin, en date du 6 mars 1998, et avec le guide qui la complète, paru en 1999 (*Femme, j'écris ton nom*).

Parler au téléphone

Commençons par une petite récréation: une variation sur le Jeu des Sept Erreurs. La conversation reproduite ci-dessous est une traduction. Malheureusement, le traducteur était un peu pressé et s'est trompé plusieurs fois. Trouvez les erreurs. Voici un indice: la conversation a été traduite *de l'anglais*.

— COGÉTEC, bonjour.
— Bonjour, Madame. J'ai une question sur le contrat d'abonnement que j'ai signé hier...
— C'est à Madame Dupuis, au service clientèle, que vous devez parler. Qui appelle, s'il vous plaît?
— Mon nom est Paul Magny.
— Restez en ligne, s'il vous plaît, et je vous transfère.

Au bout d'un instant...

— Elle est sur la ligne pour l'instant. Puis-je lui demander de retourner votre appel?
— Non, merci. Je rappellerai plus tard.
— Dans ce cas vous pourrez la joindre directement à l'extension 46.
— Merci, Madame.
— Bienvenue, Monsieur. Au revoir.

Vous trouverez en fin d'appendice[1] la liste des erreurs.

Voici quelques expressions qui reviennent souvent et dont une connaissance pourra s'avérer utile.

1. **Vous demandez votre correspondant(e):**

   Pourrais-je parler à Monsieur Untel/Madame Unetelle, s'il vous plaît?
   Je voudrais parler à Monsieur Untel/Madame Unetelle, s'il vous plaît.
   Pourriez-vous me passer le poste 46 (le service après-vente), s'il vous plaît?

2. **On vous demande votre nom:**

   C'est de la part de qui[2], s'il vous plaît?
   C'est de la part de Madame/Monsieur...?
   Qui dois-je annoncer?

3. **Vous vous présentez:**

   C'est Paul Magny à l'appareil.
   Ici Paul Magny.

4. **On vous demande l'objet de votre appel:**

   C'est à quel sujet, s'il vous plaît?
   En quoi puis-je vous être utile?

5. **Vous indiquez l'objet de votre appel:**

   Je vous appelle (téléphone) pour...
   C'est au sujet de...

6. **On vous demande d'attendre:**

   Ne quittez pas, s'il vous plaît. (Veuillez ne pas quitter.)
   Rester en ligne, s'il vous plaît. (Veuillez rester en ligne.)
   Veuillez patienter un instant. Je vous mets en attente. [anglais: *on hold*]
   Un instant, s'il vous plaît.

7. **On achemine votre appel:**

   Je vous le/la passe.
   Je vous mets en communication avec lui/elle.

8. **Votre correspondant(e) étant *en communication, en réunion, absent(e)*, etc., ou sa ligne étant *occupée*, on vous demande si vous voulez laisser un message:**

   Puis-je prendre un message?
   Désirez-vous laisser un message dans sa boîte vocale?
   À quel numéro peut-elle vous rappeler?
   Pourriez-vous épeler votre nom?

9. **On s'est trompé:**

   Je suis bien au 01.01.01.01.01?... au service après-vente?... chez Durand et Cie?... Excusez-moi de vous avoir dérangée... J'ai été mal aiguillé... J'ai dû faire un mauvais numéro.

10. **Pour conclure la conversation:**

    Merci de/Je vous remercie de votre aide (de votre patience, etc.). Au revoir, Madame/Monsieur.
    Merci d'/Je vous remercie d'avoir bien voulu... (de vous être occupé de..., etc.). Au revoir, Madame/Monsieur.

11. **Si vous êtes accueilli(e) par un serveur vocal interactif (SVI), vous entendrez, par exemple:**

    Bonjour et bienvenue chez COGÉTEC. Si vous connaissez le numéro du poste de votre correspondant, appuyez sur la touche «étoile», puis composez le numéro. Pour parler au service clientèle, veuillez appuyer sur la touche carré. Si vous désirez parler à notre standardiste, faites le zéro.

Voici la transcription d'un entretien téléphonique entre Céline Hautvianne, mercaticienne à BanniBug, et Luc Marty, promoteur immobilier.

La négotiation conclue ici est celle qui permet à BanniBug de passer du rouge au noir, et que Céline rapporte à ses collègues dans le troisième épisode.

— Allô! Immob'Marty, bonjour.
— Bonjour, Madame. Pourrais-je parler à Monsieur Marty, s'il vous plaît?
— Il est en ligne pour le moment. Voulez-vous patienter, Madame, ou laisser un message?
— Euh... je préfère rappeler dans une...
— Ah, pardon, Madame, je vois qu'il vient de raccrocher. Qui dois-je annoncer, s'il vous plaît?
— Céline Hautvianne, de BanniBug.
— Merci. Je vous le passe.

Au bout d'un instant...

— Ici Luc Marty.
— Bonjour, Monsieur. C'est Céline Hautvianne à l'appareil, de...
— Ah, oui, bonjour, Mademoiselle. Je pensais justement à vous ce matin, et à votre proposition. Je me disais qu'il nous serait peut-être possible de trouver un terrain d'entente...
— Ah, «les grands esprits se rencontrent», n'est-ce pas? Comme vous le savez, BanniBug n'a pas de concurrents, mais notre produit n'est pas encore connu. Votre réputation n'est plus à faire dans la région, mais vous vendez sur un marché de plus en plus saturé où vous avez besoin de vous démarquer. Notre intérêt commun est donc que cette affaire aboutisse...
— Je vois que vous vous êtes bien renseignée, Mademoiselle, et je suis tout à fait de votre avis. Mais le prix que vous aviez...
— J'ai pu le revoir à la baisse. Vu l'importance de la commande, je suis prête à vous consentir une remise de 5%. Cela nous ramènerait au chiffre de 108 163 € TTC. Il s'agit pour nous d'un prix plancher, auquel déjà nos frais seront à peine couverts. Mais ça nous rapproche considérablement, puisqu'on est maintenant à 3 000 € de votre offre, ou guère plus.
— C'est vrai, c'est vrai...
— Ce serait dommage de ne pas s'entendre quand on est si proche...
— Peut-être, mais... il me semble que... dans ces conditions... je ne peux pas... ne pas accepter!
— C'est bien mon avis aussi! [*Rires*] Je vous remercie de votre confiance, Monsieur. Euh... il nous reste encore pas mal de détails à régler. Si je passais à votre bureau cet après-midi, à l'heure qui vous conviendrait? Nous pourrions tout «finaliser», pour parler comme mon collègue américain.
— Ah, oui, le franglais! Nul doute que nous ayons besoin des produits de nos amis d'outre-Atlantique, mais ces derniers temps j'ai l'impression qu'en matière de langue la balance commerciale penche beaucoup trop en leur faveur. Si seulement on pouvait taxer ces importations-là!
— N'est-ce pas? Souvent, au travail, je ne sais si je dois me rebiffer ou me résigner.
— Oh, les deux, sans doute, hein? Se résigner à laisser faire les autres, et se résoudre à nager seul à contre-courant, s'il le faut. Quant à notre affaire, et aux derniers détails, j'aimerais mieux passer chez vous demain, en fin de matinée... euh... disons... vers onze heures? Ça me donnerait l'occasion de

faire connaissance un peu avec votre équipe et de discuter couleurs avec votre chef d'atelier. Cela vous conviendrait?

— Parfaitement. Nous vous attendrons donc à onze heures. À demain, Monsieur, et merci.

— Merci à vous, Mademoiselle. Au revoir.

Terminons cet appendice, comme nous l'avons commencé, par une récréation. Énigme: Comment peut-on communiquer par téléphone *sans parler à son correspondant?* Réponse: En lui envoyant un *SMS* (de l'anglais Short Message System). Le terme *texto* rivalise avec *SMS* et les deux s'emploient bien plus souvent que le terme «officiel»: *minimessage*[3]. Quelle que soit la désignation, il s'agit d'un court message écrit, envoyé d'un téléphone mobile à un autre.

Les dimensions réduites de l'écran d'un mobile limitent les messages à 160 caractères, d'où la nécessité d'*abréger au maximum*. On recourt, pour ce faire, à plusieurs procédés:

- La troncation: *aujourd'hui* → auj; *avant* → av.
- La suppression de voyelles: *beaucoup* → bcp; *salut* → slt.
- L'homophonie: une lettre ou un chiffre remplace un phonème, une syllabe, un mot ou un groupe de mots dont elle/il est l'homophone (approximatif): *train* → tr1; *arriver* → ariV; *j'ai* → G.
- L'orthographe phonétique: *que* → ke; *manque* → mank.
- La siglaison: *âge, sexe, ville* → ASV; *bon après-midi* → BAP.

À vous maintenant. Traduisez:

1. **Du «texto» en français:**

   - TT OQP IR a kwa fR
   - 7x G D6D 2HT 1 Kdo -chR

2. **Et du français en «texto»:**

   - «À vaincre sans péril, on triomphe sans gloire.» (Corneille)
   - On va au ciné ce soir ou en boîte? N'oublie pas que je suis complètement fauché.

Notes

1. (1) *Qui appelle?* est calqué sur l'anglais *Who is calling?* En français: *Qui dois-je annoncer? C'est de la part de qui?* etc. (2) *Je vous transfère* est calqué sur l'anglais *I'll transfer you.* En français: *Je vous le/la passe.* (3) *Être sur la ligne* est calqué sur l'anglais *to be on the line.* En français: *être en ligne, en communication.* (4) *Retourner un appel* est calqué sur l'anglais *to return a call.* En français: *rappeler.* (5) *Extension* est calqué sur l'anglais. En français: *poste (m.).* (6) *Bienvenue* est calqué sur l'anglais *[you're] welcome.* En français: *je vous en prie; de rien; il n'y a pas de quoi,* etc. Ce dernier exemple, si invraisemblable que cela puisse paraître, n'a rien d'inventé. Il s'agit en effet d'un anglicisme assez répandu au Québec, où il a fait l'objet — comme les autres anglicismes relevés ici — de nombreuses mises en garde. Voir à ce sujet la Banque de dépannage linguistique de l'Office québécois de la langue française (à <www.oqlf.gouv.qc.ca>, liens *index thématique* → *vocabulaire* → *anglicismes*). (7) À vous de trouver...

2. «De la part de...»? Non, ce n'est pas logique, car vous ne téléphonez *de la part* de personne. Mais dans ce contexte l'expression est consacrée par l'usage.

3. Mais Texto® est une marque déposée de l'opérateur SFR.

D Les services postaux

Nous nous bornons dans cet appendice à une quinzaine de notions clés dont voici la liste alphabétique. Les chiffres entre crochets renvoient aux questions-réponses.

adresse (règles de présentation) [2]
affranchissement [8]
avis de réception [5]
boîte postale [4]
Chronopost [7]
compte courant postal (CCP) [10]
garde (du courrier) [3]
mandat postal (mandat cash) [9]

oblitération [8]
La Poste [1]
poste restante [4]
recommandation, recommandé
    (électronique) [5]
réexpédition (du courrier) [3]
valeur déclarée [6]

1. Quel organisme assure la distribution du courrier en France?

Voilà déjà longtemps que cette question doit se poser au pluriel, car le temps est loin où l'administration publique des Postes et Télécommunications (les P. et T.) jouissait d'un monopole. En 1991 les P. et T. se sont divisées en deux entreprises publiques: La Poste et France-Télécom. Depuis le 1er janvier 1998 les télécommunications sont complètement ouvertes à la concurrence, et France-Télécom, elle-même majoritairement privatisée, n'est plus désormais qu'un opérateur parmi d'autres sur un marché hautement concurrentiel.

Il en va de même des services postaux, dont une directive de l'Union européenne (2002) prévoit une libéralisation graduelle dans tous les pays membres. Déjà la majeure partie du chiffre d'affaires de La Poste se réalise sur des marchés concurrentiels. La distribution des colis, des périodiques, des imprimés publicitaires et des envois express est ouverte à la concurrence depuis plusieurs années. Depuis 2003 le marché du courrier de plus de 100 grammes n'est plus réservé à La Poste, et en 2006 ce poids sera ramené à 50 grammes. Le 1er janvier 2009 est la date prévue pour l'ouverture totale à la concurrence.

Les conséquences de la libéralisation étaient prévisibles et prévues: les services de La Poste se sont considérablement améliorés et diversifiés. Mais la lettre classique est elle-même fortement concurrencée par le courriel...

2. Comment La Poste veut-elle que l'adresse soit présentée sur l'enveloppe?

Comme La Poste aime le rappeler à ses clients, *adresse bien présentée, courrier plus vite distribué*. L'adresse «bien présentée» respecte, en particulier, les règles suivantes[1]:

- La présentation ne doit pas dépasser 6 lignes, toutes alignées à gauche et dont aucune ne dépasse 32 caractères, espaces compris.
- Si le destinataire est un particulier, la première ligne indique son identité, y compris la/le «civilité, titre ou qualité» qui convient (*Madame, Mademoiselle, Monsieur, Maître*[2], etc.). Si la lettre s'adresse à une entreprise, on peut en indiquer le nom en première ligne, suivi en deuxième ligne de l'identité du destinataire.
- À la ligne suivante figurent les compléments d'identification ou de lieu, s'il en faut: *Chez...* (anglais: *c/o*)[3]; numéro d'appartement, d'escalier, de couloir ou d'étage; nom de bâtiment, de résidence ou d'immeuble.
- La ligne suivante indique le numéro, le type (rue, avenue, boulevard, etc.) et le nom de la voie. La virgule placée traditionnellement après le numéro est maintenant bannie: «Ne jamais mettre de virgule après le nom de la rue», prescrit La Poste.
- La dernière ligne, entièrement en majuscules, indique *d'abord* le code postal, *ensuite* la localité de destination[4].
- L'adresse de l'expéditeur s'écrit en haut et à gauche, ou bien au dos de l'enveloppe.

Un exemple:

```
Mademoiselle Céline HAUTVIANNE
Chez Marie-José PIRON, app. n° 45
Entrée B, Résidence Les Érables
55 rue des Vieux Chênes
37000 TOURS
```

3. «Adresse bien présentée», soit. Mais que faire si l'on change d'adresse?

Vous n'avez qu'à vous rendre dans un bureau de poste et dire au guichetier que vous souhaitez *faire suivre* (anglais: *to forward; to have forwarded*) votre courrier à la nouvelle adresse. On vous fera remplir un formulaire et payer une taxe. Le service de changement d'adresse de La Poste assurera pendant six mois la *réexpédition* de tout courrier envoyé à l'ancienne adresse.

Si vous partez en vacances, vous ne voulez sans doute pas que votre courrier vous suive, ni d'ailleurs qu'il s'accumule dans votre boîte aux lettres. La Poste peut dans ce cas assurer la *garde* (anglais: *hold*) de votre courrier pendant un mois au maximum. À votre retour vous vous rendez au bureau de poste distributeur pour y chercher toutes les factures qui vous attendent.

4. Parfois on n'est pas sûr de sa future adresse, ou bien, pour une raison ou une autre, on préfère ne pas recevoir son courrier à son domicile. Que peut-on faire dans ces cas?

Si vous savez que vous serez dans telle ville à telle date, vos correspondants pourront vous y écrire «Poste restante» (anglais: *general delivery*). Ces mots doivent suivre votre nom sur l'enveloppe et seront suivis du code postal du bureau distributeur et du nom de la localité de destination. Vous paierez une taxe au guichet quand vous irez retirer votre courrier. On peut d'ailleurs prendre un abonnement annuel à la Poste restante, mais dans ce cas on ferait peut-être mieux de louer une *boîte postale* (BP) au bureau de poste qui dessert son domicile.

5. En cas de perte d'un envoi ordinaire (lettre ou colis), la responsabilité de La Poste n'est pas engagée: aucun recours, aucune réclamation de la part de l'expéditeur n'est donc possible. Que peut-on faire pour s'assurer du bon acheminement d'un envoi? Aux États-Unis il y a le *registered mail*. Quel en est l'équivalent en France?

La lettre et le colis *recommandés*. Pour envoyer *en recommandé* une lettre ou un colis il faut remplir un formulaire appelé «liasse LIRE» et payer un tarif dont le montant dépend du taux de recommandation choisi. La Poste remet à l'expéditeur une *preuve de dépôt*. À la livraison le destinataire signe un document intitulé *preuve de distribution*, conservé par La Poste. Si l'expéditeur veut détenir lui-même la preuve que l'envoi est bien arrivé à destination, il peut demander, moyennant paiement d'un supplément, un *avis* (ou *accusé*) *de réception*, signé par le destinataire en même temps que la preuve de distribution. À la différence de cette dernière, l'avis de réception est renvoyé à l'expéditeur.

Le grand inconvénient de l'envoi recommandé classique est que la preuve porte uniquement sur le *contenant* (l'enveloppe) sans attester le *contenu* (la lettre ou le texte de la lettre). Le destinataire peut toujours nier avoir reçu ce que l'expéditeur affirme avoir envoyé. C'est pour résoudre ce problème qu'en mai 2004 La Poste a lancé son service de lettre recommandée électronique (LRE). Il s'agit d'un système hybride. L'expéditeur envoie sa lettre à La Poste par courriel. La Poste imprime la lettre, la met sous pli (dans une enveloppe) et la livre au destinataire sous forme de courrier recommandé classique. L'expéditeur reçoit une *preuve électronique de dépôt* et les serveurs de La Poste archivent tous les documents pendant trois ans. La recommandation entièrement dématérialisée — le «tout électronique» — est annoncée pour 2005. Pour l'instant, estime La Poste, «les clients veulent encore voir le facteur»[5].

6. Avec la recommandation, je crois que l'indemnité maximale est d'environ 500 €, somme qui ne suffirait évidemment pas pour dédommager la perte d'objets de grande valeur: billets de banque, chèques, bijoux, métaux précieux, etc. Y a-t-il moyen de s'assurer dans ces cas contre les risques de perte et de vol?

Oui, l'expédition *avec valeur déclarée*. La prime d'assurance payée par l'expéditeur est proportionnelle à la valeur qu'il a déclarée au moment du dépôt, et en cas de perte ou de vol il reçoit une indemnité égale à cette valeur (jusqu'à 5 000 €). Un emballage sécurisé, agréé par La Poste, est obligatoire; ainsi toute tentative d'ouverture sera-t-elle apparente.

7. Si j'ai besoin de faire livrer au plus vite — le jour même, par exemple, ou le lendemain —, quelles sont mes options pour le transport express?

Les services de livraison prioritaire proposés par La Poste subissent depuis quelques années la concurrence du secteur privé (FedEx, UPS, DHL...). Chronopost, une société anonyme française, propose ses services dans la plupart des bureaux de poste ainsi qu'à travers son propre réseau d'agences et de «boutiques»[6]. Son service standard en France métropolitaine, «Chrono Classique domestique», garantit la livraison à domicile des lettres et des colis (jusqu'à 30 kg) le lendemain avant midi. «Chrono Classique international» propose une livraison le lendemain ou le surlendemain dans les grandes villes occidentales, et en trois jours ailleurs (sauf exception).

8. Une question terminologique: qu'est-ce que l'*affranchissement*?

C'est le paiement préalable des frais d'envoi. (*Préalable* signifie ici: avant l'acheminement de la lettre ou du colis.) On *affranchit* généralement une lettre en y apposant un ou des timbre(s). L'*oblitération* (anglais: *cancellation*) se fait au bureau de dépôt. Les lettres insuffisamment *affranchies* ne sont pas renvoyées à l'expéditeur, mais le destinataire, à moins de refuser la lettre, doit payer les frais d'envoi ainsi qu'une *surtaxe pour affranchissement insuffisant*. Pour les envois en nombre de plis non-urgents (l'équivalent de l'américain *bulk mail*), le cachet «P.P.» (port payé) est utilisé à la place de timbres.

Il existe aujourd'hui de nombreuses formules de *pré-affranchissement*, c'est-à-dire des emballages dont le prix comprend les frais d'envoi: enveloppes «pré-timbrées», pochettes cartonnées, coffrets à bouteille, boîtes de toute taille. Mentionnons à ce propos la gamme des «Prêt-à-Poster» de La Poste. Pour la livraison en express, Chronopost propose sa gamme des «Prêt-à-Expédier».

9. Passons maintenant aux *services financiers* de La Poste. Y a-t-il un équivalent français du *postal money order* que l'on peut obtenir dans les bureaux de poste aux États-Unis?

Oui, le *mandat postal* (ou *mandat-poste*) — rebaptisé récemment *mandat cash* —, ainsi appelé parce que l'expéditeur donne mandat[7] à La Poste de verser pour lui et en son nom une somme d'argent au destinataire. Le mandat vous permet d'effectuer des versements sans être titulaire d'un compte. La procédure est simple: au bureau de poste vous remplissez un imprimé en trois volets et vous donnez au guichetier la somme d'argent due au destinataire, majorée d'une taxe. Vous envoyez le premier volet au destinataire qui pourra l'encaisser dans un bureau de poste. Le deuxième volet est conservé par La Poste et le troisième vous sert de récépissé (anglais: *receipt*).

10. En plus du mandat, La Poste propose de nombreux autres services financiers, n'est-ce pas?

Oui, et en cela elle diffère de son homologue américain.

Les services financiers de La Poste sont, pour l'essentiel, les mêmes que ceux des banques: comptes-chèques (le CCP ou *compte courant postal*), comptes d'épargne à vue et à terme, opérations sur titres (ordres de Bourse), assurances, etc. On peut même obtenir un prêt immobilier à La Poste.

Ces services ont toujours dû subir la concurrence des banques, et il est prévu de les confier, d'ici quelques années, à une «banque postale» qui sera partiellement privatisée (une partie de son capital sera détenue par des actionnaires privés). Ce nouvel établissement aura une *obligation de rentabilité* — bonne nouvelle pour le contribuable, qui paie toujours les déficits de l'État.

Micro-lexique postal anglais–français

addressee   destinataire

acknowledgment of receipt
   avis (ou accusé) de réception

bulk mail   envoi en nombre

cancellation   oblitération

care of   chez (au Québec: a/s [aux soins de])

cash (or **collect**) **on delivery**
   contre remboursement

express (or **priority**) **mail**
   courrier express

forward (verb)   faire suivre, réexpédier

forwarding address   adresse de réexpédition

letter carrier   facteur, factrice

mail (verb)   poster

mailbox   boîte aux lettres

package, parcel   colis

pick-up   levée («heures des levées»)

PO Box   BP (boîte postale; au Québec: CP [case postale])

poste restante   general delivery

postmark   oblitération; cachet

registered letter   lettre recommandée

return address   adresse de l'expéditeur

return to sender   retour à l'envoyeur (au Québec: renvoi à l'expéditeur)

sender   expéditeur

stamp   timbre

undeliverable mail   rebut (au Québec: envoi non distribuable)

ZIP code   code postal

Notes

1. Pour tout savoir sur les règles de l'adresse, visiter le site de La Poste à <www.laposte.fr> (recherche sur «adresse»). Pour les règles québécoises, consulter le *Guide canadien d'adressage*, téléchargeable en version PDF à partir du site de Postes Canada (www.postescanada.ca).

2. Titre d'un avocat, d'un huissier ou d'un notaire.

3. Au Québec, *a/s* (aux soins de).

4. Mais au Québec, le code postal vient en dernier, après le code de la province (comme aux États-Unis, après le code de l'État).

5. Christian Kozar, directeur général délégué de La Poste, cité dans «La Poste livre sa lettre recommandée électronique avec vingt mois de retard», *ZDNet.fr* du 27.05.2004.

6. Visiter le site à <www.chronopost.com/web/fr/index.jsp>.

7. Un *mandat est* un «acte par lequel une personne [le *mandant*] donne à une autre personne [le *mandataire*] le droit de faire quelque chose pour elle et en son nom» (*Petit Robert*).

Lexique des sigles et acronymes

ADP action à dividende prioritaire
ADP assistant électronique de poche
ADSL asymmetric digital subscriber line
ALV animation sur le lieu de vente
ANP assistant numérique personnel (Québec)
BP boîte postale
CA chiffre d'affaires
CAC rotation assistée en continu
CAO conception assistée par ordinateur
CCI Chambre de Commerce internationale
CCP compte courant postal
CE comité d'entreprise
CFE Centre de formalités des entreprises
CHSCT Comité d'hygiène, de sécurité et des conditions de travail
CIM Convention internationale concernant le transport des marchandises par chemin de fer
CMR Convention relative au contrat de transport international de marchandises par route
CMU centre de magasins d'usine
CODEVI compte pour le développement industriel
CP case postale (Québec, Suisse)
CRDS contribution au remboursement de la dette sociale
CRM coefficient de réduction-majoration
CSG cotisation sociale généralisée
DAB distributeur automatique de billets
DAO dessin assisté par ordinateur
DAU document administratif unique
DGI Direction générale des impôts
DRH Directeur des ressources humaines
EDI échange de données informatisées
EURL entreprise unipersonnelle à responsabilité limitée
FAI fournisseur d'accès Internet
FAO fabrication assistée par ordinateur
FAQ foire aux questions (questions souvent posées)
GAB guichet automatique de banque
GRH gestion des ressources humaines
GSS grande surface spécialisée
IARD incendie, accidents, risques divers
INPI Institut national de la propriété industrielle

Insee Institut national de la statistique et des études économiques
IRPP impôt sur le revenu des personnes physiques
IS impôt sur les sociétés
LEP livret d'épargne populaire
LNPA ligne numérique à paire asymétrique (Québec)
LOA location avec option d'achat
LRE lettre recommandée électronique
LTA lettre de transport aérien
LVI lettre de voiture internationale
MAS magasin à succursales (multiples)
OCA obligation convertible en actions
OPA offre publique d'achat
OPCVM organisme de placement collectif en valeurs mobilières
ORA obligation remboursable en actions
OTC «over the counter»
OTMI organisateur de transports multimodaux internationaux
PDD procédure de dédouanement à domicile
PDG président(e)-directeur(-trice) général(e)
PEE plan d'épargne d'entreprise
PEL plan d'épargne logement
PIB produit intérieur brut
PLV publicité sur le lieu de vente
PME petites et moyennes entreprises
PMI petites et moyennes industries
PNB produit national brut
PréAO présentation assistée par ordinateur
PSB procédure simplifiée bureau
RC responsabilité civile
RCS Registre du commerce et des sociétés
RNA raccordement numérique asymétrique
RORO (ro-ro) «roll on, roll off»
RTC réseau téléphonique commuté
SA société anonyme
SARL société à responsabilité limitée
SAS société par actions simplifiée
SCS société en commandite simple
SICAV société d'investissement à capital variable

SNC   société en nom collectif
SNCF   Société nationale des chemins de fer français
SOFI   système d'ordinateurs pour le fret international
SRD   service de règlement différé
SWIFT   Society for Worldwide Interbank Financial Telecommunications
TEC   tarif extérieur commun
TGPO   taux général des prélèvements obligatoires
TGV   train à grande vitesse
TIP   titre interbancaire de paiement
TIPP   taxe intérieure sur les produits pétroliers

TPE   très petite entreprise (effectif inférieur à 10)
TVA   taxe sur/à la valeur ajoutée
URSSAF   Union pour le recouvrement des cotisations de sécurité sociale et d'allocations familiales
VAD   vente à distance
VPC   vente par correspondance
VPCD   vente par correspondance et à distance
VRC   vente en réseau par cooptation; vente par réseau coopté
VRP   voyageur-représentant-placier

Lexique français – anglais

abattement *(m.)* deduction (tax)
abonné(e) *(n. et adj.)* subscriber
  abonnement *(m.)* subscription
  abonner (s') to subscribe
  désabonner (se) (~ **de**) to unsub-
    scribe
achats (service des ~) *(m.)* purchasing (department)
  acheteur *(m.)* buyer
actif *(m.)* assets
action *(f.)* share; stock
  actionnaire *(m., f.)* shareholder,
    stockholder
administrateur (-trice) *(m., f.)* board
  member, director
affrètement *(m.)* chartering
  affréter to charter (≠ **fréter**)
agence-conseil en publicité *(f.)*
  advertising agency
agent (d'assurances) *(m.)* (insurance)
  agent
agent de maîtrise *(m.)* supervisor
annonceur *(m.)* advertiser
annuaire *(m.)* directory (syn:
  répertoire)
approvisionnement *(m.)* supply, procurement
  approvisionner to supply
  s'approvisionner to obtain
    supplies
assemblée générale *(f.)* general
  stockholders' meeting
assortiment *(m.)* assortment, selection
assurance *(f.)* insurance
  assurance (multirisque) habitation
    (comprehensive) household
    insurance
  assurance de choses property
    insurance

assurance de personnes life-
  related insurance
assurance de responsabilité civile
  (RC) liability insurance
assurance-automobile car
  insurance
assurance-maladie health
  insurance
assurance-vie life insurance
assurance-vie entière whole-life
  insurance
assuré(e) *(m., f.)* insured (party)
assurer to insure
assureur *(m.)* insurer
avarie *(f.)* damage
avenant *(m.)* rider, endorsement
avis de réception *(m.)* acknowledgment of receipt

baissier (-ière) *(m., f. et adj.)* bear
  (market)
barre oblique *(f.)* slash
base de données *(f.)* database
bénéfice *(m.)* profit
  bénéficiaire *(m., f.)* beneficiary
bilan *(m.)* balance sheet
billet à ordre *(m.)* promissory note
binette *(f.)* smiley
blogue *(m.)* blog, weblog
  (syn: **blog, blog-notes, weblog,**
  weblogue, joueb, carnet
  Web)
bogue *(m.)* bug
bouche à oreille *(m.)* word
  of mouth
boule de commande *(f.)* trackball
Bourse *(f.)* stock exchange
bureau de douane *(m.)* customs
  office

cadre *(m.)* executive; management-
  level employee
  cadre moyen junior executive;
    middle manager
  cadre supérieur senior executive;
    upper-level manager
  personnel d'encadrement *(m.)*
    management-level personnel
cale *(f.)* hold (of a freighter)
camion *(m.)* truck
  camion à benne (basculante)
    dump-truck
  camion-citerne tanker truck
  camionnage *(m.)* trucking
  camionnette fermée *(f.)* utility van
capital-décès *(m.)* death benefit
cargaison *(f.)* cargo
cargo *(m.)* freighter
carnet de chèques *(m.)* checkbook
  (synonym: **chéquier**)
carton (publicitaire) *(m.)* display (in
  a store)
centre de magasins d'usine *(m.)* factory outlet mall
chargement *(m.)* loading
  charger to load
chèque *(m.)* check
  chèque de banque *(m.)* cashier's
    check; bank draft
  chèque en blanc *(m.)* blank check
  chéquier *(m.)* checkbook
    (synonym: **carnet de chèques**)
chiffre d'affaires *(m.)* sales figure
chômage *(m.)* unemployment
  chômeur (-euse) *(m., f.)*
    unemployed worker
ci-annexé(e) *(adv. ou adj.)* enclosed
ciblage *(m.)* targeting
  cible *(f.)* target
  cibler to target

ci-inclus(e) *(adv. ou adj.)* enclosed
ci-joint(e) *(adv. ou adj.)* enclosed
clavier *(m.)* keyboard
code postal *(m.)* ZIP code
colis *(m.)* package, parcel
commande *(f.)* order
  commander to order
commanditaire *(m., f.)* limited (sleeping, silent, dormant) partner (who finances a company managed by others)
  commandite *(f.)* synonym of **société en commandite simple** (see below)
  commandité(e) *(m., f.)* active partner (who runs a company financed in part by others)
  commanditer to finance a business (limited partnership) managed by others
comportement d'achat *(m.)* purchasing behavior
comptabilité *(f.)* accounting; bookkeeping
  comptable *(m., f.)* accountant; bookkeeper
compte *(m.)* account
  compte courant checking account (for businesses)
  compte d'épargne savings account
  compte de dépôt checking account
  compte de résultat earnings report
  compte-chèques checking account
concurrence *(f.)* competition
  concurrencer to compete with
  concurrent(e) *(m., f. et adj.)* competitor; competing
  concurrentiel(le) *(adj.)* competitive
conditionnement *(m.)* container, wrapper, etc.; packaging; presentation
  conditionner to wrap, to package; to present
connaissement (maritime, fluvial) *(m.)* bill of lading (B/L)
conseil d'administration *(m.)* board of directors
consigne *(f.)* deposit
  consigner to charge a deposit (for a container)

conteneur *(m.)* container
contre remboursement *(adv.)* cash (or collect) on delivery (COD)
contremaître (-tresse) *(m., f.)* foreman (foreperson)
contribuable *(m.)* taxpayer
contrôle (fiscal) *(m.)* tax audit
coopérative (entreprise ~) *(f.)* cooperative ("co-op")
copie papier *(f.)* hard copy (syn: **sortie papier, tirage**)
cotation *(f.)* quotation; listing
  cote *(f.)* (official) list; quotation
  coté(e) *(adj.)* listed
  coter to list
cotisation *(f.)* premium
courriel *(m.)* e-mail (message)
courrier (court, moyen ou long ~) *(m.)* (short, medium, long) haul (airliner)
courrier électronique *(m.)* (un ~) e-mail (message); (le ~) e-mail (in general)
cours *(m.)* price (stock)
courtier (d'assurances) *(m.)* (insurance) broker
créancier (-ière) *(m., f.)* creditor
crédit *(m.)* loan
  crédit à la consommation consumer loan
  crédit immobilier mortgage (loan)
  créditeur (-trice) *(adj.)* positive (balance, for example)

date d'effet (date de prise d'effet) *(f.)* inception date
débiteur (-trice) *(adj. et m., f.)* negative (balance); debtor
déchargement *(m.)* unloading
  décharger to unload
découvert *(m.)* overdraft
  à ~ *(adj.)* overdrawn
dédommager to compensate, to indemnify
dédouanement *(m.)* customs clearance
  dédouaner to clear through customs
dégrèvement *(m.)* tax relief
dépense *(f.)* expense; expenditure
déposer to deposit (syn: **verser**)

dépôt (compte de ~) checking account
dépôt *(m.)* deposit (syn: **versement**)
destinataire *(m., f.)* addressee
détail *(m.)* (vendre au ~) (to sell) retail
  détaillant *(m.)* retailer
didacticiel *(m.)* educational software (program); courseware; teachware
direction *(f.)* management
  direction générale *(f.)* senior management ("the head office")
disque dur *(m.)* hard disk
disquette *(f.)* (floppy) disk
dividende *(m.)* dividend
dommage *(m.)* damage; injury; loss
  dommages aux biens (dommages matériels) *(pl.)* property damage
  dommages aux personnes *(pl.)* personal injury
  dommages corporels *(pl.)* bodily injury
  dommages et intérêts (dommages-intérêts) *(pl.)* damages (paid to the insured)
douane *(f.)* customs
  douanier (-ière) *(adj.)* pertaining to customs
  douanier *(m.)* customs agent
droits de douane *(m. pl.)* customs duties

échantillon *(m.)* sample
  échantillonnage *(m.)* sampling
échéance *(f.)* deadline; due date; date of maturity
écran *(m.)* screen
édiciel *(m.)* desktop publishing (page lay-out) program
éditique *(f.)* desktop publishing (syn: **micro-édition**)
emballage *(m.)* container, wrapper, packing, etc.; packaging
  emballer to package, to wrap
émission de télé-achat *(f.)* infomercial
emmagasiner to warehouse; to store
emprunt *(m.)* loan; sum borrowed
  emprunter (à) to borrow (from)

emprunter (à) [→ notez la préposition] to borrow (from)
emprunteur (-euse) *(m., f.)* borrower
en annexe *(adv.)* enclosed
endossataire *(m., f.)* endorsee
endossement *(m.)* endorsement
endosser to endorse
endosseur *(m.)* endorser
enregistrer to save (data)
en-tête *(m.)* letterhead
entreposage *(m.)* warehousing; storage
entreposer to warehouse; to store
entrepôt *(m.)* warehouse
entreprise *(f.)* business ("To own and operate a business," etc. *Business* in the abstract sense — "Business is business" — would normally be translated by **les affaires**.)
~ individuelle *(f.)* sole proprietorship
envoi en nombre *(m.)* bulk mail
épargne *(f.)* savings
épargne (compte d'~) *(m.)* savings account
épargner to save
escompte *(m.)* discounting
escompter to discount (a bill)
espèces *(f. pl.)* cash
étiquetage *(m.)* labeling
étiqueter to label
étiquette *(f.)* label
étude de marché *(f.)* market study
exercice *(m.)* fiscal year
exonération *(f.)* exemption
expédier to send
expéditeur (-trice) *(m., f.)* sender
exposition *(f.)* show, exhibition
externalisation *(f.)* outsourcing
externaliser to outsource

facteur (-trice) *(m., f.)* letter carrier
faillite *(f.)* bankruptcy
feuille de calcul *(f.)* spreadsheet
filiale *(f.)* subsidiary
foire *(f.)* fair, show
fourgon *(m.)* utility van; bagage car (of a train)
fournir to supply
fournisseur *(m.)* supplier

frais généraux *(m. pl.)* fixed overhead
franchisage *(m.)* franchising
franchise *(f.)* deductible (insurance); franchise (retail sales)
fraude fiscale *(f.)* tax evasion
fret *(m.)* freight
fréter to charter (≠ affréter)
fusion *(f.)* merger
fusionner to merge

gamme *(f.)* line of products
gérant(e) *(m., f.)* director, manager
gérer to manage
gestion *(f.)* management
gigaoctet (Go) *(m.)* gigabyte (GB), i.e. one billion bytes
graveur *(m.)* burner (recorder, writer)
gros *(m.)* **(vendre en ~)** (to sell) wholesale
gros porteur *(m.)* jumbo jet
grossiste *(m.)* wholesaler
guichet *(m.)* window (in a bank or other service institution)
guichetier (-ière) *(m., f.)* teller

haussier (-ière) *(m., f. et adj.)* bull; bullish (stock market)
hypothécaire *(adj.)* involving a mortgage (as in: **prêt hypothécaire**)
hypothèque *(f.)* mortgage (a lien, *not* a loan)
hypothéquer to mortgage

imposable *(adj.)* taxable
imposer to tax
imposition *(f.)* taxing; taxation
impôt *(m.)* tax
imprimante *(f.)* printer
imprimante à laser laser printer
imprimante à jet d'encre ink-jet printer
incapacité *(f.)* disablement, disability
indemniser to compensate, to indemnify
indemnité *(f.)* compensation, indemnity, payout

index *(m.)* search engine (syn: **moteur de recherche**)
informatique *(f.)* computer science and technology
informatisation *(f.)* computerization
intéressement *(m.)* profit-sharing
interligne *(m.)* space between lines

lecteur *(m.)* **(de disquette, de CD, de DVD)** drive
lettre de change *(f.)* bill of exchange; draft (syn: **traite**)
lettre de transport aérien (LTA) *(f.)* airway bill (AWB)
lettre de voiture *(f.)* consignment note
libre-service *(m.)* self-service
lien (hypertexte) *(m.)* link (syn: **hyperlien**)
liquide *(m.)* cash
liste de diffusion *(f.)* mailing list
livraison *(f.)* delivery; merchandise delivered
livrer to deliver
location avec option d'achat (LOA) *(f.)* lease, leasing
logiciel *(n.m. et adj.)* **(le ~)** software; **(un ~)** program; pertaining to software
ludiciel *(m.)* game software

magasin *(m.)* warehouse
magasin à succursales chain store
magasin d'usine factory outlet
magasinage *(m.)* warehousing; storage
magasinier *(m.)* warehouse supervisor; stock manager
emmagasiner to warehouse; to store
mandat postal (mandat cash) *(m.)* postal money order
manutention *(f.)* materials handling
manutentionnaire *(m., f.)* materials handler; warehouseman
marchandisage *(m.)* merchandising
marchéage *(m.)* **(plan de ~)** marketing mix ("the 4 Ps")
marge bénéficiaire *(f.)* profit margin
marque *(f.)* trademark, brand name

marque de distributeur *(f.)* store brand

matériel *(n.m. et adj.)* hardware

matières premières *(f. pl.)* raw materials

mégaoctet (Mo) *(m.)* megabyte (MB), i.e. one million bytes

mercaticien(ne) *(m., f.)* marketing expert

mercatique *(f. et adj.)* marketing

méthanier *(m.)* liquefied gas tanker

micro-édition *(f.)* desktop publishing

mise en page *(f.)* page lay-out

module d'extension *(m.)* plug-in (France)

mondialisation *(f.)* globalization

moniteur *(m.)* screen

monnaie *(f.)* currency

moteur de recherche *(m.)* search engine (syn: **index**)

navette *(f.)* shuttle

navigateur *(m.)* browser

navire-citerne *(m.)* tanker (ship)

note de couverture *(f.)* binder, cover note, provisional policy

note de service *(f.)* notice

note d'information *(f.)* notice

note interne *(f.)* memorandum (memo)

numérique *(adj.)* digital

numérisation *(f.)* digitizing

numériser to digitize

obligataire *(m., f.)* bondholder

obligation *(f.)* bond

oblitération *(f.)* cancellation (stamp); postmark

octet *(m.)* byte (= 8 bits, enough memory for one character)

offre publique d'achat (OPA) *(f.)* take-over bid

opposition (faire ~ au paiement d'un chèque) to stop payment on a check

ordinateur de bureau *(m.)* desktop computer (as opposed to *laptop*)

organigramme *(m.)* organization chart

page d'accueil *(f.)* home page

page de garde *(f.)* cover sheet (for fax)

pare-feu *(m.)* firewall

parrainage *(m.)* sponsorship

parrainer to sponsor

parraineur *(m.)* sponsor

part de marché *(f.)* market share

part sociale *(f.)* share (in a partnership)

participation aux bénéfices (aux résultats) *(f.)* profit-sharing

passif *(m.)* liabilities

pavé tactile *(m.)* trackpad

percepteur (-trice) *(m., f.)* tax collector

perception *(f.)* collection (taxes)

percevoir to collect (taxes)

périphérique *(n.m. et adj.)* peripheral

pétrolier *(m.)* (oil) tanker

pétrolier géant supertanker

pièce(s) jointe(s) *(f.)* enclosure(s)

plugiciel *(m.)* plug-in (Québec)

point de vente *(m.)* retail outlet

police (d'assurances) *(f.)* (insurance) policy

politique *(f.)* policy

population active *(f.)* work force

portail *(m.)* portal

porte-conteneur *(m.)* container ship

portefeuille *(m.)* portfolio

poste restante *(f.)* general delivery

poster to mail

prélèvement (automatique) *(m.)* (automatic) deduction

prélever to deduct

président(e)-directeur (-trice) général(e) (PDG) *(m., f.)* president and chairman of the board, CEO

prêt *(m.)* loan

prêter to lend (to loan)

prêteur (-euse) *(m., f.)* lender

prime *(f.)* bonus; premium (insurance)

prise de contrôle *(f.)* take-over

prix coûtant *(m.)* **(vendre au ~)** to sell at cost

prix de revient *(m.)* cost price

produit intérieur brut (PIB) *(m.)* gross domestic product

produit national brut (PNB) *(m.)* gross national product

promotion des ventes *(f.)* sales promotion

promotionnel(le) *(adj.)* promotional

prorogation *(f.)* extension

proroger to extend

publicitaire *(adj.)* pertaining to advertising

publicitaire *(m., f.)* advertising professional

publicité *(f.)* advertising; advertisement, commercial

rebut *(m.)* undeliverable mail

réceptionner to receive (merchandise)

recettes *(f. pl.)* earnings; revenues

rechargement *(m.)* reloading

recharger to reload

recommandé(e) *(adj.)* registered (parcel, letter)

reconduction *(f.)* renewal

reconduire to renew

recouvrement *(m.)* collection (taxes)

recouvrer to collect (taxes)

réexpédier to forward (mail)

réexpédition (du courrier) *(f.)* forwarding (mail)

règlement *(m.)* payment

régler to pay

relevé de compte *(m.)* bank statement

rentabiliser to make profitable

rentabilité *(f.)* profitability

rentable *(adj.)* profitable

rente *(f.)* annuity

répertoire *(m.)* directory (syn: **annuaire**)

réseau *(m.)* network

résiliation *(f.)* cancellation

résilier to cancel

responsabilité civile *(f.)* liability

retirer to withdraw

retrait *(m.)* withdrawal

revenu *(m.)* income

revenu disponible disposable income

routier *(m.)* truck driver (syn: **camionneur**)

salon *(m.)* (trade) show, exhibition

sauvegarder to save; to back up

semi-remorque *(m.)*   semi (truck)
service *(m.)*   department
sinistre *(m.)*   accident; loss; claim
société *(f.)*   company
   **société à responsabilité limitée
     (SARL)**   limited liability compa-
     ny or limited liability partner-
     ship (LLC or LLP, depending on
     the state and the bylaws)
   société anonyme (SA)   corporation
   société de capitaux   corporation
   société de personnes   partnership
   société en commandite simple (SCS)
     limited partnership
   société en nom collectif (SNC)
     general partnership
   société-mère   parent company
solde *(m.)*   balance
   solde créditeur   positive balance
   solde débiteur   negative balance
sondage *(m.)*   poll
sortie papier *(f.)*   hard copy (syn:
   copie papier, tirage)
souris *(f.)*   mouse
sous ce pli *(adv.)*   enclosed
sous-traitance *(f.)*   subcontracting
   sous-traitant *(m.)*   subcontracter
   sous-traiter   to subcontract; to
     "farm out"
soute *(f.)*   bagage or cargo compart-
   ment (of an airplane)

statuts *(m. pl.)*   charter and bylaws
succursale *(f.)*   branch; branch store
suivi *(m.)*   follow-up; monitoring
suscription *(f.)*   inside address
syndicat *(m.)*   union
système (d'exploitation) *(m.)*   operating system

tableur *(m.)*   spreadsheet program
taux *(m.)*   rate
téléchargeable *(adj.)*   downloadable;
   uploadable
   téléchargement *(m.)*   download-
     ing; uploading
   télécharger   to download, to
     upload (a file)
télécopie *(f.)*   fax
   télécopier   to fax
   télécopieur *(m.)*   fax machine
texteur *(m.)*   word-processing program (syn: **logiciel de traitement
   de texte**)
tiers *(m.)*   third party
timbre *(m.)*   stamp
tirage *(m.)*   hard copy (syn: **copie
   papier, sortie papier**)
traite *(f.)*   bill of exchange; draft
   (syn: **lettre de change**)
traitement de texte *(m.)*   word pro-
   cessing; word-processing program

tranche d'imposition *(f.)*   tax bracket
transbordeur *(m.)*   ferry (boat)
transitaire *(m., f.)*   freight forwarder;
   forwarding agent
transporteur *(m.)*   carrier

utilitaire *(m.)*   utility

valeur (mobilière) *(f.)*   securities
   (usually plural in English)
versement *(m.)*   deposit (syn: **dépôt**)
   verser   to deposit (syn: **déposer**)
virement *(m.)*   transfer (of funds)
   virer   to transfer (funds)
voyageur-représentant-placier (VPR)
   (m.)   traveling salesperson
vrac *(m.)*   bulk (merchandise)
   vraquier *(m.)*   bulker (ship)
   en ~ *(adj. et adv.)*   in bulk

wagon *(m.)*   car (railroad)
   wagon couvert   boxcar
   wagon frigorifique   refrigerator
     car
   wagon plat   flatcar
   wagon tombereau   open freight
     car
   wagon-citerne   tanker car

Crédits photo

Index

Le carreau ❖ renvoie aux sections d'informations supplémentaires.